DIE AMBASSADEUR

ANDRÉ P. BRINK

DIE AMBASSADEUR

ROMAN

HUMAN & ROUSSEAU

KAAPSTAD PRETORIA

Eerste uitgawe in 1963 deur
Human & Rousseau Uitgewers (Edms.) Bpk.,
Roosstraat 3–9, Kaapstad; Pretoriusstraat 239, Pretoria
Tweede druk 1964
Derde druk 1971
Vierde druk 1974

ISBN 0 7981 0410 4

Tipografie: Desmond Windell
Gedruk deur Printpak (Kaap) Bpk., Dacreslaan, Epping, Kaap

VIR INGRID

INHOUD

Nota	IX
Derde Sekretaris	1
Kroniek	59
Ambassadeur	121
Nicolette	203
Patroon	223

NOTA

Ek moet ten sterkste benadruk dat hoewel daar in hierdie roman uiteraard verwys word na bepaalde amptenare in die Suid-Afrikaanse en ander ambassades in Parys of elders, en na ministers of regeringsamptenare in Suid-Afrika of Frankryk, dit net die ampte as sodanig is wat met die werklikheid ooreenstem: geen enkele van die karakters wat in hierdie boek in sulke poste optree, het enige verband hoegenaamd met persone wat tans dié poste beklee of dit op enige tydstip in die verlede gedoen het nie. Ook as *mense* is die karakters fiktief. En dieselfde geld vir die gebeure – sowel algemene politieke verwikkelinge as spesifieke insidente in die loop van die kleiner ‚verhaal'.

Die werk kan dus in geen opsig beskou word as 'n kommentaar op die gedrag van Suid-Afrikaanse diplomate in die buiteland, of selfs diplomate in die algemeen nie.

Love is a form of metaphysical enquiry

LAWRENCE DURRELL

DERDE SEKRETARIS

I

Ek het besluit om 'n verslag op te stel en die Ambassadeur by die Departement in Pretoria aan te kla.

Daar sal mense wees – Anna Smit waarskynlik, en Koos Joubert dalk ook – wat allerhande bykomstige motiewe daarin sal soek: egoïsme, ambisie wat skeefgeloop het, kleinserigheid, wat-ook-al. Dit staan hulle vry. Maar Anna dweep met die Ambassadeur, en Koos is te bot om raak te sien wat voor sy oë gebeur, wat nog te sê daarop te reageer. Iemand soos Douglas Masters sal stellig weer heelwat argumente uit Satow of Nicholson kan aanvoer waarom 'n derde sekretaris nié op hierdie manier behoort op te tree nie. Dis egter my eerlike oortuiging dat ek eintlik geen keuse meer het nie. Ek sou my plig versuim as ek toelaat dat dié skandalige toedrag van sake voortduur, veral nou dat die delikate onderhandelinge met die Franse regering aan die gang is.

Ek wil nie ontken dat ek nié net ter wille van die „saak" optree nie. Ek ontken wél dat daar enige nydigheid, jaloesie of haat by betrokke sou wees. As daar enige persoonlike motiewe op die spel is – dit wil ek benadruk – dan is dit uitsluitlik: 'n opregte verontwaardiging; 'n grenslose afsku van skynheiligheid. Ek glo nie ek sou 'n vinger verroer het om so 'n verslag op te stel as die Ambassadeur se voorganger, Jan Theunissen, op dié manier oor die tou getrap het nie (dit wil sê ás ek my hom ooit in so 'n situasie sou kon voorstel). Want Theunissen het nooit probeer verbykom by die feit dat hy *mens* is nie. Maar vandag het ek te doen met ambassadeur Van Heerden: die amper-outomaat, die imposante man-van-gesag, en dalk die beste resep-diplomaat wat Suid-Afrika in baie jare oorsee gehad het. Nie die geringste foutjie of versuim word in die ambassade geduld nie – omdat hy sélf nooit foute maak of iets versuim nie. Ek het meermale selfs diplomate van ander sendings met die grootste eerbied van hom hoor praat. Bonnard van die Franse Buitelandse Sake het onlangs onomwonde gesê dat Paul van Heerden se persoon die enigste rede is waarom daar in Frankryk nog agting vir Suid-Afrika se standpunt bestaan.

Dit alles is Sy Eksellensie. En dán loop flenter hy oop en bloot rond met daardie klein tefie, Nicolette Alford, terwyl sy vrou vakansie hou in Italië – hy wat hom uitgee vir die voorbeeldigheid self; hy wat nie geskroom het om my op die doyen se onthaal drie dae gelede in die openbaar te verneder nie. Snags lê hy in die Rue de Condé. En bedags is hy die Here God.

Ek het my natuurlik reeds vergewis van wat tevore in soortgelyke gevalle gebeur het. In 1957 het Piet Gründlingh – toe nog 'n kadet – die chargé d'affaires in Buenos Aires aangekla van bedrog. Vier jaar tevore het Vincent Johnstone sy ambassadeur in Bern beskuldig van onversigtigheid met geklassifiseerde amptelike dokumente. Voorheen was daar dergelike gevalle, waarop ek nie hoef in te gaan nie. Ek weet daarby dat sowel Gründlingh as Johnstone ná hul onderskeie aksies summier terugverplaas is hoofkantoor toe. Trouens, Johnstone sit vandag nog daar. Hoofkantoor het 'n baie doeltreffende manier om sulke manne in muwwe kantore af te sonder om onbelangrike memorandums op te stel en amptelike omsendbriewe te parafeer. Gründlingh is na 'n obskure pos verplaas; onlangs het hy bedank. Ek is dus terdeë bewus van die implikasies van my optrede. Maar ek weet ook dat daar in albei dié gevalle heelwat verdenking omtrent die mense se motiewe bestaan het. Daarenteen is my boekie skoon. Ek sien kans om my optrede so oortuigend te verantwoord dat daar geen skaduwee oor my toekoms as diplomaat kan rus nie. En dis belangrik: daardie toekoms. Dit het ek aan myself beloof nog voor ek by die Diens aangesluit het. Ek het genoeg gesien van doodloopbaantjies en frustrasie. Selfs my vader sal eendag teen wil en dank moet erken dat ek bo uitgekom het – ondanks al die snedigheid van sy kant telkens wanneer my toekoms destyds ter sprake gekom het.

Vandag kan ek daardie verlede waarskynlik rasionaliseer. Nie dat ek voornemens is om oor my jeug uit te wei nie. Dis immers nie ter sake nie. Of dan: dit mag psigologies ter sake wees om te verklaar waarom ek is wat ek is, maar ek het 'n hekel daaraan om my persoonlike lewe in die openbaar uit te pluis soos wat Anna Smit met soveel behae daagliks doen, verkieslik teenoor Sy Eksellensie. Buitendien: die psigologie word té maklik 'n formule. Ek herinner my byvoorbeeld uit my vyftiende jaar 'n reeks onderhoude met 'n sielkundige in Pretoria, wat kwansuis moes vasstel waarom ek 'n „moeilike" kind was. Die diagnostiese toetse het ek nogal geniet. Maar ek onthou baie goed die skok, inderdaad die walging, by die toevallige ontdekking van die finale verslag waarin ek tot „case history" gereduseer is. (*Geval 325: Keyter, Stephen Wilhelm.*) Die besonderhede in verband met my vader („*51; onderwyser; dominerende persoonlikheid; beskou seun as swakkeling*") en my moeder („*38; saggeaard en enigsins sku; soms buierig*"); die slim aanduidings van *„'n bó-gemiddelde intelligensie"*, van *„nervositeit"*, *„impulsiwiteit"*, *„emosionele repressie"*, *„moeder-*

fiksasie"; die afskuwelike frase „*masturbasie sedert vroeë puberteit"*; en uiteindelik die nugtere uiteensetting van alles wat hy so flikflooiend en kamma-vertroulik uit my gedwing het: die vrees van my vroegste kinderjare om alleen te slaap; hoe ek dikwels snags by my moeder gaan inkruip het; hoe my vader my op die duur nukkerig laat begaan het – behalwe Sondagaande; hoe ek dít nooit kon verstaan nie, tot ek een Sondagaand gaan *kyk* het. („*Traumatiese ervaring.*") Q.E.D. Alles so selftevrede, so netjies geformuleer, so afdoende – en, God, so relatief.

Dan kan ek my net sowel maar beroep op 'n ander moontlikheid, gewis niks minder waarskynlik nie: Nicolette op 'n leunstoel hier in my woonstel in die Rue Jacques Dulud, skoene uitgeskop, bene onder haar ingevou, donker hare los, besig om nadruklik uit 'n vroueblad voor te lees wat die sterre oor my te sê het:

„*Mense wat onder die teken van Gemini gebore is, besit 'n dubbele persoonlikheid, sodat hulle voortdurend in stryd met hulleself verkeer. Van alle mense is hulle die moeilikste om te verstaan. Enersyds is hulle besonder liefdevol, andersyds genadeloos krities. Hulle maak uitstekende diplomate uit.*" (Sy glimlag met die skuins trekkie van haar een mondhoek, kyk nie op nie, en sê by haarself: „Budding young diplomat!", en gaan dan voort.) „*Hulle is altyd bedrywig en hunker rusteloos na wat hulle nie het nie. Daarom moet mens hulle ook nie aan hul beloftes probeer hou of verwag dat hulle konsekwent sal optree nie: nie omdat hulle oneerlik is nie, maar omdat elke oomblik vir hulle 'n aparte eenheid is, en omdat hulle altyd beweeg tussen impulsiwiteit en rasionele berekening.*"

„En wat van jouself?" vra ek.

„Scorpio. Een-en-twintig Oktober tot twintig November." Haar hare sliert oor haar oë toe sy vooroorleun om weer te lees: „*Tot ongeveer hulle twintigste jaar is hierdie mense gewoonlik kuis en godsdienstig. Daarna swaai hulle maklik om na die ander uiterste. Van die grootste heiliges is onder hierdie teken gebore. Hulle is goeie vegters, tog verafsku hulle eintlik geweld; daarom verkies hulle die taak van vredemakers. Die seksfaktor speel 'n besonder groot rol in hul lewens.*"

„En glo jy dit alles?"

„Dis wat die sterre sê." Asof dit in sigself voldoende is.

As ek self aan my jeug terugdink, is daar net één dag wat ek onthou – en dit sonder dat ek dit ooit bewustelik probeer uitpluis of die waarde daarvan probeer bereken het. Dit moet 'n Maandagoggend gewees het, want ek het siek gevoel. (Elke Sondagnag het ek hoofpyn gekry.) Daarom was ek geïrriteer toe my ma my voorkeer en my aansê om 'n ander hemp te gaan aantrek. Myne – 'n witte met fyn blou strepies – het 'n vuil strepie by die kraag gehad. Ek het teëgestribbel. Ons het rusie gemaak. Toe ek loop, het ek die deur agter my toegeslaan. En toe ek die middag van die skool af tuiskom, was sy dood. My pa het vertel dat sy sy rewolwer probeer skoonmaak het.

2

Die winter het vroeg begin vanjaar. Daar was beswaarlik sprake van herfs as 'n afsonderlike seisoen: dit was bloot 'n morbiede voorspel tot die koue, met iets bedreigends daarin, asof die stad voor 'n winter staan wat hom hard en smal en bitter gaan maak. Miskien sal selfs die genade van sneeu ons nie beskore wees nie: dis eenvoudig 'n verstrakking van alles, 'n kaler word tot swart boomskelette in die Bois de Boulogne hier anderkant die grys dakke van die Boulevard des Sablons.

Tussen die eenselwige geboue deur lê die vertakte are en senuwees van die stad, skaamteloos anatomies. X-straalfoto gestroop van illusie. Parys. Miskien was dít uit die staanspoor die ontstellendste van alles: dat ek nog nooit van die blote bewussyn van ‚die stad' kon wegkom nie. Dis nie maar 'n verhoogbehangsel of noodwendige versameling geboue en mense nie. Dit het deurentyd iets van 'n eie bestaan, groter en noodlottiger as die som van al die kleiner lotgevalle binne-in sy anatomie. Ek dink soms (al gee ek dit teësinnig toe) dat die stad 'n soort katalisator was – en is – vir alles wat gebeur het. Dis 'n natuurwet, 'n oorerwingswet, 'n ouerlike liggaam; en ons, ín hom, die swermende geenbelaaide chromosome. Selfs my staan hier by die venster (bewasem van die oorverhitting binne), terwyl ek besig is om motiveringe en argumente te rangskik vir die verslag wat geskryf moet word, geskied nie – en kon nie geskied – sonder om bewus te wees van die stad-organisme nie. Ek is wel oënskynlik uitgesonder en afgesonder van die lewe buite en onder – dis altyd makliker om deur 'n ruit na die buitenste duisternis te kyk – maar dis tog ook onkeerbaar óm my, inderdaad ín my. Die enkeles wat dit sku of oorhaastig op straat waag, behoort tot 'n ander spesie – en is tog ook noodlottig deel van my.

Daar is min voetgangers onder die takbome. Die mans wat netnou geset in jasse en barette teruggekom het van die *boules* in die tuine – dis Sondag – staan nou teen die toonbank van die bistrot skuins by die hoek en gesels, en drink rooiwyn en warm grog. Af en toe koes een teen die motreën uit in die rigting van die metrostasie in die Avenue de Neuilly. Teen die tralies van die smal tuintjie reg onder my venster staan 'n boemelaar kroeserig in die sifreën. Verder niemand, net motors. Nagmotte is daar nie in dié buurt nie. Ook goed. Hulle ontstel my. Ek het 'n diepgesetelde hekel aan hulle. Deesdae as ek een teëkom, spring ek haar voor vóór haar vleistem my kan ontstig. „Wat sal jy my betaal as ek saamkom?" vra ek. Gewoonlik werk dit. Aan die begin, twee jaar gelede toe ek hier aangekom het – destyds nog in die onmoontlike duur hotel aan die Avenue Wagram waar die ambassade vir my plek bespreek het – het ek wel heelwat meer aandag aan hulle bestee en selfs voorbedagte ekskursies onderneem na die Boulevard Sebastopol, Montparnasse en die omstreke van Pigalle.

Dit was Koos Joubert wat my ‚ingewy' het. Koos moes boer geword het, nooit diplomaat nie. Hy is 'n teenstrydigheid in enige gesofistikeerde omgewing. „Ek sal jou oë vir jou 'n slag gaan oopmaak," het hy ongevraag aangebied. „Dis tyd dat jy sien wat daar in die wêreld aangaan." Dit was my eerste Sondag hier, en eintlik was ek hom dankbaar vir die kans om uit te kom. Ons het saam gaan eet, in die Avenue des Ternes meen ek : ek en hy en sy skrikkerige vaal vroutjie. Daarná sou „ons mans" alleen voortgaan (knipogend, met 'n luidrugtige lag); Marleen kon maar 'n taxi huis toe haal – dit kon Koos nie skeel nie.

Skuins onderkant die Place Pigalle het ons by 'n halfdonker klein nagklub ingestap; dit het gelyk of Koos sy pad ken. Klaarblyklik geen klub met 'n uitgesoekte clientèle nie. Dit was rokerig binne, en koud, en taamlik vuil; en die kaal meisietjies op die verhoog was onervare en lomp, of selfs openlik bang. Dit het my meer terneergedruk as iets anders.

„Dis net 'n opknappertjie," het Koos daarna vol uitdagende selfversekering gesê. „Kom. Nóú gaan ek vir jou iets wys. Dis vrek duur, maar jou oë sal uitpeul."

Met 'n deurwagter voor 'n ander klub se rooi ingang het hy knipogend gaan onderhandel, en sonder dat die man 'n spier verroer het, het twee vroue langs ons op die sypad verskyn. Op die uiterlike geoordeel, het hulle nie sleg gelyk nie. Maar in die oes kamertjie van die ‚hotel', met hul pelse af en hul littekens en plooie ontbloot, was dit of alles – ons, hulle, die bed, die kamer – eensklaps sat geword het, en ondraaglik oud. Ek kan my nog net vaag hul stoeiery herinner, die vuil groen deken vol ou vlekke, die wriemeling van geëtioleerde wit vleis en mosbaard – en uiteindelik die koel gladde rand van die wasbak onder my krampagtige hande terwyl ek agter die skerm met die pienk rose staan en opgooi. 'n

Kraai het gekrys. Die kaal gloeilamp teen die plafon was 'n siklopeoog wat die retina brandend bespot het. Daarná het alle denkbare gevoelens in my losgekom: vernedering, woede, opstandigheid, skande, wrok. Maar toe, terwyl ek daar gestaan en ruk het, het ek – gek! – net één ding oor en oor gedink: *Dis Sondagaand. Dis weer Sondagaand. Parys, of Lydenburg: dis Sondagaand!*

Koos sou dit vanselfsprekend nooit vergeet nie. Dit sou ook nie gehelp het om hom te probeer teëgaan nie. Hy was buitendien tweede sekretaris en ek toe nog kadet. Ek sou moes leer om daarmee saam te leef.

Daarna het ek dié soort ‚vermaak' liewer alleen gaan soek, maar altyd van die sypad af toeskouer gebly, weersinnig gefassineer deur skaduwees wat teen blindings dans; tot 'n rooikop met bitsige oë een aand vlak voor my kom staan en skel en 'n hele kring omstanders aangelok het. Ek het woedend die wyk geneem. Op die volgende hoek het 'n korterige, dikkerige wyf haar hees teen my kom aanvly.

Ek het 'n oomblik bly talm. Sy het met haar rug teen die skilferige muur bly staan en my uitdrukkingloos deur halfmas ooglede betrag. Skuins bokant haar kop het 'n begeesterde in onegalige krytletters geskryf: *Jy moet jou naaste liefhê soos jous—*. Die res was net 'n vuilwit veeg. Daaronder was 'n obsene tekening, en die woord *merde*. En in breë swart letters agter haar rug verby, was daar die waarskuwing: *Verbode om op mure te skryf. Wet van 29 Julie* 1881. Op die rand van die sypad het 'n ronde skyf aan 'n paal verkondig: *Parkering verbode*. Die hele stad was, soos my jeug, een groot verbod rondom my.

„Hoe lyk dit?" het sy aangedring.

Ek het op my tande gebyt en gesê: „Kom."

Sy het my hand geneem asof ek 'n kind was wat sy sirkus toe neem (of badkamer toe, vir slae). In valse kameraderie is ons verby 'n paar nuuskierige toeskouers, by een van die buurt se menigte ongure ‚hotelletjies' in, na 'n anonieme kamer waar die deken klaarblyklik net voor ons koms halfhartig reggetrek is. Ek het inert gestaan en toekyk terwyl sy haar gereedmaak. Die hele tyd het ek amper woedend probeer om myself te oortuig dat ek *wil*; dat ek in ieder geval *moet*. By al die haat en wrok, en selfs vrees – dalk – wat dié situasie my altyd ingeboesem het, het dit my ook hipnoties aangetrek asof ek daarmee iets aan myself wou wreek. En nou was dit onontkombaar.

Flikflooierig, maar met genadelose oë, het sy voor my kom staan en eers haar geld geëis, die geld sorgvuldig gestaan en oortel, dit onder haar kousophouer (wat sy deurentyd aangehou het) ingesteek en gesê: „Nou toe, kom. Ek is haastig."

Ek was impotent. Sy het my uitgelag, en uiteindelik neurieneurie padgegee en in die oop deur met iemand buitekant gaan staan en ginnegaap nog voor ek weer aangetrek was. Al die vernederende besonderhede van die pas afgelope episode het sy lugtig uitgeflap.

Later in die nag het ek op die rand van my bad gesit, bewus van my maer wit lyf en die potsierlikheid van 'n mens sonder klere, en deurmekaar gedink: Here, ek is afsigtelik. Ek is 'n mislukking. Ek kom uit 'n verlede van Sondagaande en ek sit nóg in die ban. Niks gaan my daar uitkry nie. En ek wíl. En ek wil nié. Of moet ek eenvoudig ‚filosofies' wees en besluit: die Boom van Kennis dra verkrimpte vruggies; vroeër of later moet mens daarvan proe? Openbaring van engele of duiwels bring dit nie, en daar is geen god wat deesdae in die aandwind kom soek na oortreders nie. Dalk is juis dít die grootste ontnugtering. Adam en Eva kon minstens bedag wees op straf, en daarmee – sy dit masochisties – iets bereik. Maar as die straf uitbly omdat daar in die eerste plek geen sonde is nie, voel mens hoogstens dat jy vir die gek gehou is.

Op 'n enigsins ander vlak was daar die Oujaarsaandpartytjie in Douglas Masters se luukse-woonstel aan die Boulevard Malesherbes: die soort verfynde dekadensie van ‚kultuurmense'. Wat ek van dié aand eintlik onthou, is Jill. Haar van het ek nooit te hore gekom nie. Ek meen sy was mannekyn, Londen of êrens; en een van die Britse diplomate – Masters is baie ‚in' met hulle – moet haar daar aangebring het. Sy was oorgegrimeer, wêreldwys, en jags; met die soort swart fluweelrok wat voor kuis tot teen die keel toe is en agter 'n onderstebo parabool gooi tot by die uitsit van die heupe. Met 'n té lang sigaretkoker in die een hand en 'n olyf tussen die duim en voorvinger van die ander, het sy by wyle oordrewe geraffineerde gesprekkies gevoer, en dit – namate die aand gevorder het – al meer afgewissel met wilde rock- of cha-cha-cha-passe waarvoor sy haar smal rok so hoog moes optrek dat die kantwerk van haar enigste stukkie onderklere vertoon is. Op een tydstip het ek vir haar 'n nuwe glasie geskink terwyl sy om my nek hang en klam 'n verskeidenheid koïtale voorstelle in my linkeroor brabbel. Ek het met haar gedans. Later het sy weggeraak. Ek het haar gaan soek. Een deur wat ek oopgestoot het, het my in Masters-hulle se slaapkamer laat beland, met 'n groot Franse dubbelbed in 'n hoek langs 'n hoë ornamentele vaas. Die vaas was eintlik angsaanjaend: 'n voorstelling van 'n man met 'n oop skedel waaruit gedrogtelike voëls die harsings pik; met 'n gillende skeel duiwel verskuil tussen vyeblare aan die een kant. Op die bed was daar klere, komberse, bewegings, 'n vreemdeling en Jill. Ek het die deur toegetrek en geloop. Later die nag is die vaas glo onverklaarbaar stukkend gevind.

En toe, dan, Nicolette. Dis nie toevallig, of uit bitsigheid, dat ek so vanselfsprekend van die hoere en heteres by háár uitkom nie. Wat was sy – wesenlik – ánders? O ja : sy was bedrieglik aan die oppervlak. Maar wat was sy *eintlik?* Berekend in al haar optrede; heeltemal gewetenloos; selfgenoegsaam, óórseker van haarself, en los; met 'n bietjie passie – of die skyn daarvan – wat op aanvraag willekeurig aan- of afgedraai kon word. Eet, en praat, en paar was vir Nicolette oënskynlik gelyksoortige aksies, almal ewe onvermydelik, ewe verspot, en ewe betekenisloos. (Ook net oënskynlik, want onder die oppervlak was daar 'n afwesigheid van drif, amper 'n antipatie teenoor drif, 'n sinisme wat bereken was om te wond.) As daar enige kousale verband tussen dié aksies van haar was, dan het dit gestrek van praat tot seks, en daarvandaan tot eet (of klere koop, of die ander komponente van ,lewe'). Dít was haar enigste hiërargie.

Aanvanklik was ek daar uiteraard nie bewus van nie. Toe was sy nog net 'n mooierige skraal meisie wat in my kantoor onder in die ambassade verskyn het in verband met 'n verlore paspoort. Sy het 'n donkerbril met blou glase gedra, 'n kopdoekie om haar swart hare, 'n bloes met knopies waarvan een makeer het, 'n romp, en oop sandale. Daar was iets professoraals omtrent haar, ook toe sy die bril afgehaal en met 'n indruk van bysiendheid haar oë geskreef het teen die eerste sterk lig. Origens : iets virginaals? Ek wil lag by die herinnering, maar dalk ook : iets preuts? En onteenseglik (al weet ek presies hoe ontoereikend en bes moontlik verkeerd dit alles in woorde klink), iets *banaals.*

Dis moeilik omskryfbaar, des te meer omdat ek gewoond is aan hardlywige ampstaal. Woorde is te formeel, bowenal te selfingenome, te gepoleer vir primêre indrukke. Ek sal dit met 'n skynbaar verspotte voorbeeld illustreer : tydens my universiteitsjare het die manstudente een nag 'n emmer vol paddas gevang. Daarmee is hulle na die eetsaal van 'n dameskoshuis, waar hulle onder die wit koppie langs elke bord 'n padda ingedruk het. Dié wilde, verwilderde, amfibiese paddas daar onder die bedaarde porseleinkoppies, so heeltemal ,buite hulle element' – dís die soort ding wat ek probeer formuleer. En die gille die môre toe die koppies omgekeer is – oor die onverwagte, oor die ding-sélf, oor die glibberigheid en springerigheid daarvan – dís wat ek ideaal sou wou bereik: maar uiteindelik sit mens net met die koppie in jou hande, nie meer lus vir ontbyt nie.

Daarom sal ek, wat Nicolette dié eerste môre (én, trouens, daarna) betref, maar moet volstaan met benaderinge, ‚indrukke'; die indruk, onder meer – wat mens af en toe by vroue kry – van 'n blote lyf onder die klere. Sy het gewis geen perfekte figuur gehad nie. Daar was 'n seunsagtigheid omtrent haar, iets hoekigs aan knieë en elmboë. By alles was daar dié ongeërgdheid, asof die verlies van 'n paspoort nou werklik nie iets was waaroor mens jou kwel nie. Tot my ontnugtering het dit inderdaad geblyk dat sy dit maande tevore al verloor het, en dat sy nooit eens die moeite sou gedoen het om dit te laat vervang as sy dit nie nodig gehad het om haar verblyfkaart by die polisie te laat hernuwe nie.

„Is u dan al lankal hier?" het ek gevra.

Een mondhoek het effens geplooi. Eers na 'n rukkie het sy skynbaar daarvan bewus geword dat ek wel 'n vraag gestel het, die bril uit haar mond gehaal, geglimlag en gevra: „Ekskuus?"

„Ek vra of u al lank hier woon."

„Mais oui." Die Frans het heeltemal natuurlik gekom en ek twyfel of sy self van die taalwisseling bewus was.

„Hoe lank?"

„Moet jy dit alles weet om my 'n nuwe paspoort te laat kry?"

„Ek het sommer net gevra," het ek ergerlik geantwoord. Die res van die onderhoud het formeel verloop. Sy moes in ieder geval eers 'n verklaring by die polisiekantoor in haar stadswyk gaan aflê en 'n bewysstrokie daarvoor kry voor ek iets omtrent die saak kon doen. Met 'n belofte van „later weer kom" is sy weg.

Waarskynlik was dit juis die effense skuring wat veroorsaak het dat ek in die loop van die volgende week meermale haar besoek onthou het, asof dié nietige insidentjie in sigself 'n soort uitdaging ingehou het. Ek moet bysê dat ek toe juis besonder vatbaar vir so iets sou gewees het. Dit was Juliemaand – ek was toe agt maande hier – en die stowende, taai hitte het mens in allerlei opsigte prikkelbaarder as gewoonlik gemaak. Soggens vieruur was die strate al wit van lig; saans nege-uur het die sononder eers in die slikwater van die Seine kom lê. Daar was 'n ongedurigheid in die bloed wat uiting wou kry. My kentanglewe het my begin vaskeer. Eintlik was dit 'n verontrustende ondervinding. En nou was Nicolette daar. In die week ná haar eerste besoek het sy 'n bepaalde gestalte in my gedagtes begin kry, die uiting van 'n nood geword.

Daarom toe sy eindelik weer verskyn – ewe argeloos as tevore, en amper windverwaai – was dit die eerste oomblik amper 'n skok

Sy was skielik soveel anders as die loom, tartende vrou-mens van my week se gedagtes. Om die waarheid te sê: sy was byna 'n teleurstelling, byna té doodgewoon, té bedaard. En daarby te reguit – blatant selfs – sonder die suggestie en bedektheid van ander meisies: nie vrou nie, maar *femina*; 'n positiewe en uitdagende bevestiging van lyf en lede – en dit alles klaarblyklik (of net skynbaar?) met volstrekte onselfbewustheid.

Sy het gaan sit nog voor ek haar genooi het, haar strooisakkie oopgemaak en daarin begin soek terwyl ek met uitgestrekte hand wag dat sy die strokie moet oorhandig. Maar wat daar eindelik uitgekom het, was net 'n leë blou sigaretdosie.

„Hm," het sy gesê (maar ek was seker dat sy lankal geweet het daardie dosie is leeg). „Op. Het jy vir my een?"

Ek het my eie dosie van die lessenaar af opgetel en dit na haar toe uitgehou. Sy het een geneem, die Suid-Afrikaanse handelsnaam beskou, en gesê: „Dankie." Uiteindelik het sy die rook tydsaam uitgeblaas. Een plakkiesandaal het net aan 'n groottoon gehang. Sy het dit aandagtig sit en beskou, asof dit 'n gimnastiektoertjie was. Sy het nie 'n bra onder die bloes gedra nie.

„Het u die vormpie van die polisie gekry?" het ek oplaas formeel gevra.

„Die vormpie. Natuurlik." Sy het weer in die strooisak begin vroetel en eindelik 'n taamlik gehawende stukkie papier daaruit gehaal, dit vlugtig op haar knie gladgestryk en dit oorhandig. „Hier."

Terwyl ek besig was om die voorgeskrewe vorm in te vul, het ek daarvan bewus geraak dat sy my sit en dophou. Een keer het ek vinnig opgekyk met die opsetlike doel om haar verleë te laat wegkyk, maar haar oë (snaakse oë; intens groen) het onverstoord in myne bly kyk.

„Wat doen jy eintlik?" het ek toe maar gevra, om die verleentheid af te skud.

„Modelleer." En amper soos 'n nagedagte: „By Dior."

Dit was nuus.

„Jy't dit goed getref!"

„So-so." Sy het haar sigaret in 'n asbakkie doodgedruk. „Vroeër het ek klas geloop by die Beaux Arts."

„En wanneer gaan jy terug Suid-Afrika toe?"

Weer die trekkie van die mond. „Kom ons los die vrae. Ek wil nou loop."

Ek het gevoel soos 'n kind wat 'n skrobbering gekry het. „Kan ek jou laat weet wanneer die paspoort gereed is?" het ek vinnig gevra. „Ek kan jou werk toe skakel."

„Dis onnodig. Ek sal terugkom."

Sy het deur toe gestap. Iets amper paniekerigs het my gepak. As sy nou daar uitgaan, kon sy dalk vir goed wegbly. Daar was iets so uiters efemeers omtrent haar. En ek wou nie meer alleen wees in die somer nie.

„Terloops –," het ek begin.

Sy het so pas weer haar donkerbril opgesit, en dit net bokant haar wenkbroue gelig om onderdeur te kyk, wagtend.

„Ek het gewonder of jy dalk saam met my sou gaan eet." (Sediger kon dit nie.)

Sonder enige aarseling het sy geantwoord : „Ja, dankie."

„Vanaand?"

Sy het geknik.

„Kan ek jou kom haal? Waar woon jy?"

„Ek het 'n woonstel in Neuilly."

„Ek ook. Dan – "

„Maar ek moet eers inkom stad toe," het sy vinnig gesê. „Ek neem sanglesse. Jy kan my hier bo in die Champs-Élysées by die *Étoile*-kafee kry. Ek sal by 'n sypadtafeltjie wag."

„So agtuur?"

„Goed." En met 'n swaai van die groen romp is sy uit, deur die tiksters se kantoor na die leeskamer. Waarskynlik het sy eers daar deur die tydskrifte gesit en blaai, want dit was 'n volle halfuur voor ek haar bene voor my venster sien verbykom het oor die keistene van die binneplaas. (My kantoor lê halfpad onder die grondvlak en gewoonlik kry ek net 'n blik op besoekers se onderlywe.) Sy het smal heupe, het ek besef – asof dit 'n ontdekking was – en daar is die beduidenis van kuitspiere aan haar slank bruin bene.

In die skaduweestreep teen die oorkantste muur, net waar die binneplaas vernou in die kort rylaan voor die ampswoning verby na die buitedeur aan die Avenue Hoche, het die concierge haar gestaan en agternakyk tot lank ná sy al uit my gesigsveld verdwyn het. Eers toe die voordeur klap, het Lebon aan sy das geraak, by homself geknipoog en tydsaam die garagedeur gaan oopsluit sodat Farnham, die chauffeur, die amptelike Austin kon uittrek. Ek het my telefoon opgelig en die skakelmeisie gevra om 'n tafeltjie in 'n restaurant in die Rue Boissy d'Anglas te bespreek. Toe het ek weer afgekyk na die besonderhede op die vorm voor my. VAN/SURNAME : *Alford.* NAME/CHRISTIAN NAMES/ *Nicolette.* OUDERDOM/AGE : 23. Niksseggende statistiek. Selfs die foto'tjies wat sy vir die nuwe paspoort laat bly het, was onpersoonlik en stroef. Wat het sy eintlik vir my saak gemaak? Net: dit was somer; sy was jonk; sy het onverwyld „ja" gesê op wat ek gevra het – en, by implikasie, op wat agter die formele woorde verswyg gebly het. (Weer die padda in die koppie – ?)

'n Oomblik het die weersin my weer gepak. Ek was immers so onvoorbereid; onervare! Tog ook nié. Want ek het baie hieroor gelees ná my eerste mislukkings hier in Parys. Henry Miller. Frank Harris. De Sade. Apollinaire. En al die outeurlose boekies in groen en beige omslae. Ek het alles op papier – en in my kop – gekatalogiseer gehad. En agtuur sou al die los besonderhede vir die eerste keer tot 'n koherente geheel versamel.

Maar selfs teen kwart-óór-agt was daar by die *Étoile* geen teken van haar nie. Ek het die aanmanings van 'n gevaarlike bui begin voel. Ek was nie van plan om weer aan die kortste end te trek nie. Die apéritif op my ronde tafeltjie het ek nie aangeraak nie. Ongevraag het die skouspel van die mensdom 'n tree van my af op sypad en straat verbygestroom. Die stad aan 't promeneer. Of: die ganse aardbol; want mens het meer Duits, Engels, Amerikaans en Skandinawies as Frans om jou gehoor; en te midde van hulle was ek vreemder en meer verstote as ooit by die klein rooi eilandjie van my wankelmoedige tafeltjie. Ek het graag en dikwels by dié kafee kom sit, maar nou het dit onhoudbaar begin word, asof ek met my bedroë bedoelinge skielik kaal voor die menigte uitgestal is soos 'n bewysstuk in 'n ongure hofsaak. Ek het haar glad nie sien kom nie, en tog het ek die hele tyd na haar bly soek. Die eerste wat ek van haar gewaar het, was toe sy langs die tafeltjie sê: „O, hier is jy."

„Waar op aarde was jy so lank?" Ek was ergerlik en verlig tegelyk.

„Is ek laat?"

„Vyf-en-dertig minute."

„O."

En dit was al wat sy oor die saak gesê het. Nie dat sy die indruk van onbeskoftheid gemaak het nie; ek dink eintlik dat dit net glad nie by haar opgekom het dat dit iets was wat moontlik verskoning of verduideliking verdien nie.

Sy wou graag eers iets drink – coca-cola – maar met 'n mate van moedswilligheid het ek geweier. Ons kon by die restaurant iets bestel. As ons langer versuim, was ons nou-nou ons tafeltjie kwyt. 'n Entjie laer af, op die hoogte van die metrostasie, het ons in 'n taxi geklim en in die verkeerstroom afgeswaai na die Place de la Concorde, en daarvandaan links na die klein straatjie waar die restaurant met oop glasdeure staan. Ek was heeltemal onseker oor die aand se vooruitsigte, en daarom enigsins stug. Maar reeds in die taxi het sy begin gesels asof ons mekaar al lewenslank ken.

Vertel van haar sanglesse; eindeloos uitgewei oor die jongste modeskeppinge wat sy die dag aangepas het en oor die vooruitsigte vir die herfsvertoning; al die soort praatjies wat my andersins sou irriteer, maar waarna ek nou geamuseerd, dankbaar, en amper met genoeë geluister het omdat dit alles soveel vergemaklik het. Eers toe die kelner hovaardig die groot handgeskrewe spyskaarte voor ons neersit, het sy 'n rukkie stilgebly, opgekyk na hom, vrypostig geglimlag en onnodig gesê: „Merci." Die man se professionele waardigheid het enigsins vermurf. Dit was maar die begin van wat in die loop van die aand 'n skaamtelose flankeerdery sou word: sonder die minste opset, maar nie daarom met minder verleentheid vir my nie.

„Dis 'n mooi man," het sy met oortuiging gesê net nadat ek klaar was met ons eerste bestelling, en oor haar skouer na sy kant toe teruggekyk.

„Wie?" het ek onnodig gevra.

„Hy. Die kelner."

„Hy's te oud vir jou," het ek opsetlik neerhalend gesê.

„Ek hou van ouer mans. Die jonges is so – " Sy het na my gekyk, ons het 'n oomblik mekaar se uitdrukkings oorweeg, en toe het sy haar skouers opgehaal en gelag. „Ek hou in elk geval nóg van hom. En hy't mooi hande. Laat ek sien hoe lyk joune? Ek dink dis belangrik vir 'n man: sy hande. Belangriker as oë. Ek hou van dié soort spyskaart wat met soveel krulletjies en draaitjies uitgeskryf is. Dink jy hulle skryf elkeen apart? G'n mens op godsaarde kan dit lees nie, maar dit lyk mooi. En dis vrek duur daarby, maar julle ambassademense kry mos groot salarisse. As ék soveel gekry het, dan't ek net soggens halfvyf – in die somer natuurlik – opgestaan om te sien hoe die son opkom (hoe laat kóm die son op?) en dan weer gaan slaap tot twaalfuur en dan gebad tot twee-uur. En al die klere gekoop waarna ek nou net kyk of wat ek vir ander mense aanpas. Daar was een ongelooflike rok vandag: heeltemal gouerig, van strooi gemaak, raffia, dit lyk of dit met die hand gevleg is, net een lang skede, met 'n breë donkerbruin belt met 'n outydse gespe, en bruin amber-oorbelle en 'n swaar klont amber aan 'n dun goue kettinkie, maar ek skat 'n amper turkooisblou sou ook mooi gelyk het daarby. Hoe hou jy van die oorbelle wat ek vanaand aanhet? Hulle kom sommer uit die Monoprix, maar hulle lyk duur, dink ek, as mens nie weet nie. Hier kom die *melon glacé* nou. Hou sy hande dop as hy dit neersit. Ek hoop dis regtig koud. Dit sal seker wees, in 'n plek soos dié. Jy kom seker baie hier, ek het gesien die man by die deur ken jou. En dan moes jy die skoentjies daarby gesien het. Jy sal nooit dink 'n voet kan daar in nie. Gelukkig is myne taamlik smal." – Sy het om die hoek van die tafel geloer en 'n oomblik was ek bang sy gaan haar skoen uittrek om my haar voet te wys. – „Het jy nou sy hande gesien? Ek wonder of hy regtig Frans is. Merci, monsieur. Dis jammer jou kneukels is 'n bietjie groot. Jy behoort 'n slag in die son te lê en bruin te brand, jy's te bleek. Ek gaan gewoonlik in die etensuur sommer op die onderste looppaadjie langs die Seine sit om 'n bietjie te ‚tan'. Daar's baie wat dit doen, omtrent almal van *Samaritaine,* want hulle sit natuurlik daar teen die river. Dit maak mens net gruwelik lui. Dit ís toe yskoud, en glad nie verlep nie. En natuurlik onderkant Notre-Dame ook, op die Île, maar daar vertrap die toeriste mens en daar's baie clochards. Praat van stink. Maar gewoonlik hou ek van hulle. Ek dink ek sal self eendag onder 'n brug gaan woon as ek uitgeslyt en oud is. 'n Brug skuins onderkant Notre-Dame, dan kan ek altyd die klokke hoor lui, die ou grote weeg hoeveel ton? Dis soos die stem van God-die-Vader. En die verspotte ou vlaggietjies bo-op die torings. Mens moet net 'n konka kry vir kole, dan kan jy jou lekker inrig. By Les Halles behoort daar sulke goed te wees, as jy net vroeg genoeg opstaan. Het jy al uiesop daar tussen die groentekissies geëet? Maar dit moet in die winter wees. Of jy kan kastaiings koop en dit so oor en weer in jou hande gooi tot hulle afgekoel het. Maar kastaiings laat my altyd treurig voel. Nou ja, as mens 'n clochard is, dan het jy seker nie juis 'n keuse nie. Hier kom hy nou met die slakke. Formidable, monsieur! Ek wonder waar hy woon. Ek sou graag op die Île St. Louis wou woon, maar dis glo net vir die skatrykes. Wat sou ryk mense op 'n eiland soek? En naby klokke? Nie dat mens hulle regtig so goed hoor nie. Dis gewoonlik net die hees getoet van die platboomskuite. Die meeste kom glo van Normandië af. Die mans lyk almal so nors. Ek was eenkeer in Bretagne. In die Heilige Week, in Saint-Malo. Al wat ek daarvan onthou, is die een nag op die ou Middeleeuse stadsmuur toe die branders bo-oor geslaan en al my klere vol skuim gespat het. Ek was dwarsdeur nat van die soutwater, en my tande het so geklap dat ek g'n woord kon praat toe ek ná middernag by my kamer terugkom nie. En Jean-Paul het gekla dat my hele lyf sout smaak. Skink my glas vól, ja. Wat is dit?"

„Pouilly-Fuissé. Wie is Jean-Paul?"

„Skilder, dink ek. Was. Ek het hom nie juis geken nie. Net 'n week of so."

Ek wou meer uitvra, maar sy was al klaar weer aan die praat. Net een keer het sy opgehou, om 'n paar slukke wyn te drink; en sy was so haastig om verder te gaan dat sy verstik het. Op daardie oomblik het die kelner opnuut sy verskyning gemaak. Nicolette het haar glasie geledig, teruggeleun teen die stoel om hom dop te hou terwyl hy die hoofgereg bedien, en hom weer begin komplimenteer. Dié keer het hy geruime tyd langs haar stoel bly draai. Daar was effens kleur in haar wange en omdat dit binne aan die bedompige kant was, het 'n paar fyn los haartjies voor haar ore vasgekleef. Sy het nou minder gepraat en meer geëet, amper asof sy bang was dat die kelner die bord te gou sou kom wegneem. Sy het haar dit laat welgeval dat ek haar glas weer volskink. Die hele tyd het ek haar dopgehou, byna asof ek haar deur eenrigting-glas sit en beskou en sy onbewus was van my. Asof sy 'n objek was, nie spesifiek *sy* nie.

„Ek praat seker te veel," het sy onverwags deur 'n laaste mondvol kos gesê.

„Natuurlik nie. Ek luister graag. Na enigiets." Ek het my antwoord self verrassend gevind.

„Wie sou tien jaar gelede gedink het dat ek vanaand hier sou sit." Sy het die wynglas in haar twee bakhande vasgehou en haar eie weerkaatsing, of die ligflikkeringe, dopgehou.

„Wat bedoel jy?"

„Het jy al van aspoestertjie gehoor?" Daar was 'n nervositeit in haar stem. Die blos op haar wange was dieper. En terwyl sy voortgaan met 'n ontboeseming wat skielik só persoonlik was dat dit my verleë laat voel het, het sy vooroorgeleun en een keer selfs haar hand op my pols neergelê. Sy het net opgehou om 'n *flan* te bestel; daarna roomkasies en koffie. Dit was of sy eensklaps van alles ontslae wou raak: 'n ellendige jeug van verstotenheid en opstand en – inderdaad – mishandeling; 'n weeskindjeug, vreugdeloos en bitter. Die lugtigheid van vroeër het hiermee sy teëkant geopenbaar. En ek het verslae begin dink: nou loop dit skeef; iewers het ons 'n verkeerde uitdraaipad gekies; ons moet hier uitkom.

Ek het die kelner geroep, en betaal. Sy het met effens geboë kop gesit – nog terneergedruk ná haar ontboeseming – en skuins geloer na die note wat ek aftel. Weer was daar die kepie by haar regtermondhoek: 'n uitdrukking wat my ongemaklik laat wonder het: sit sy werklik daar en pieker soos oor haar omgekeerde beeld in 'n poel onder donderwolke; of sit sy my en uitlag; speel sy met my – en wátter spel?

Die kelner het die kleingeld gebring en ek het sy fooi afgetel. Op die laaste oomblik het sy gesê: „Wag!", nog 'n paar ekstra geldstukke uit my hand gehaal en dit op die bordjie neergesit; en toe met die goedkoopste soort koketterie na hom toe opgelag. Hy het veelseggend geglimlag en haar stoel weggeskuif. Sy het haar hand na hom toe uitgesteek. 'n Oomblik het hy geaarsel en dit toe beleefd geneem. Agter ons het 'n vrou in 'n nousluitende aandrok iets vir haar metgesel gefluister. Ek het vinnig om die tafeltjie geloop, Nicolette se arm heelwat stywer beetgeneem as wat nodig was en haar na die vestiaire gelei om haar sjaal te kry; op haar aandrang die meisie 'n buitensporige fooi gegee en deur die dubbele glasdeur met die goue geëmbosseerde motief gestap.

„Wat besiel jou?" het ek boos gevra.

„Hoekom?" Sy het haar keel met 'n papiersakdoekie gestaan en koel waai. „Soe, dis warm." Daar was sweetdruppeltjies op haar voorkop.

Dit was natuurlik die wyn – onder meer. Maar die hele situasie het nou op 'n dun grens beland waar dit kon hande uitruk en al my berekeninge verydel.

„Kom," het ek so toegeeflik as moontlik gesê. „Ons gaan soek 'n taxi voor die Madeleine. Die entjie stap sal ons goed doen."

Sy het langs my geloop en neurie, maar daar was nog iets gespanne in haar houding.

„Jy moes my nie alles vertel het nie," het ek probeer deurdring tot haar. „Nou voel jy skuldig dat ek weet."

„Jy bedoel: jý voel." Sy het nie eens haar kop gedraai nie.

Ek het geweet presies hoe lomp dit sou klink, maar ek moes dit nietemin sê: „Ek is tog bly jy't my vertel, Nicolette. Miskien het dit 'n soort deur oopgemaak tussen ons."

Sy het begin lag: nie stilweg by haarself nie, maar asof sy skater oor 'n grap waarvan sy weet dat dit nie eintlik in goeie geselskap hoort nie.

Nou was daar vir my net een hoop: dat ons so gou as moontlik tuiskom. Daar kon ek die omstandighede dalk beter beheer, en die ‚atmosfeer' skep wat vroeër die aand moontlik gelyk het.

Toe ons by die taxistaanplek aankom en sy voor my inklim, vra sy skuins oor haar skouer: „Waarheen gaan ons?"

„Ek het gedink – " het ek taktvol begin.

„Kom ons gaan op na Montmartre toe. Ek wil afkyk oor die stad."

„Maar dis al laat!"

„Dan gaan ek alleen."

Die taxibestuurder het ons luiters in sy spieëltjie gesit en dophou. Ek kon sy ongeskeerde gesig en sardoniese oë sien. „Nou goed," het ek ingewillig. Dalk sou dit in meer as één opsig 'n wyse stap wees.

Die smal strate teen Montmartre het gekrioel van die mense. Toe ons eindelik met die Rue Lepic die laaste steilte uitry, was dit teen 'n slakkepas. Op die Place du Tertre het ons uitgeklim en daarvandaan saam met 'n stroom mense na die uitkykterras voor die Sacré-Coeur geslenter. Vakansiegangers, toeriste, nuuskieriges; en die hele santekraam venters en verkopers wat soos vlieë om so 'n skare draai. Die verknotte ou vroue met bossies blomme of poppies of die *France-Soir*; opgeskote seuns met neute en lekkers en ratels en ander raserige goed; roomysventers; en die aserige ,kunstenaars' wat om elke draai jou portret wil teken. En natuurlik sou Nicolette se ydelheid voor dié versoeking swig. Tien minute lank moes ek op die rand van die straat staan en toekyk hoe sy op haar dooie gemak, met rooi wange en brandende oë, poseer terwyl 'n kring omstanders toekyk en kommentaar lewer. Sonder enige verleentheid het sy bly staan tot hy klaar was, toe haar tekening op armlengte beskou en dit bo-oor al die koppe na my toe aangegee sodat 'n ieder en 'n elk 'n minuut lank vir mý kon aangaap. Ek het vyf nuwe frank vir die vel papier betaal – en die gelykenis was op stuk van sake nie onaardig nie, hoewel dit gewis nie Nicolette self was nie (maar sou enigiemand haar kon weergee?) – en toe gesorg dat ons daar wegkom.

Sy wou op die pleintjie gaan sit en koeldrank drink. Teen dié tyd was haar negatiewe bui heeltemal weg, asof die effense vegie lug daar teen die hoogte haar nuwe lewe ingeblaas het. Nie dat sy opgewek was soos vroeër nie. Dit was vreemder, moeiliker bepaalbaar: 'n soort troebel ekstase, hortend en stotend.

Die ganse pleintjie was een kermis van piekniekesambrele met groen tafeltjies en stoele, drawwende kelners, lawaaierige joelers en stampende wandelaars. Uit 'n paar kafees het oorverdowende, teenstrydige musiek gesketter. En terwyl ons besig was met ons koeldrank, het 'n rubberagtige jong vent in 'n nousluitende broek en oopnekhemp tussen die tafeltjies deur begin beweeg met 'n ghitaar, probeer saamsing, en met onbeskaamde oë deur sy kuif geloer na al wat vroulik gelyk het. Nicolette was natuurlik dadelik geesdriftig belangstellend; en binne vyf minute was hy by ons tafeltjie, later bó-op ons tafeltjie, terwyl haar oë laggend elke kinkel van sy jong lyf volg. En toe hy een ,hit'-liedjie begin strum, het sy dadelik begin saamneurie. Ek weet nou nog nie presies hoe dit gebeur het nie, maar toe ek my kom kry, was hulle aan die dans – hulle en 'n paar ander. Sommer tussen die tafeltjies, en later op die keistene van die straat tussen die opgedamde motors deur. Sy het haar skoene uitgetrek. Haar hoë kapsel het skynbaar vanself begin kantel en los oor haar skouers geval. Dit was 'n ontstellende dans, met onbedekte sensualiteit daarin, 'n bekentenis van jong geslag, met uitnodings en reaksies, parodieë en variasies. Ek kon geen vinger verroer nie. Ek was papnat gesweet. Ek kon my hemp aan my rug voel kleef. My ongerookte sigaret het later my vingers begin brand. Ek het dit afgetrokke laat val en die rand van die groen tafeltjie vasgehou tot ek langsaam my hand voel gevoelloos raak het. Dit was of ek dit nie kon – of wou – peil nie. Ek besef nou dat ek die hele tyd (wat in werklikheid seker skaars vyftien minute was) in 'n amper onhoudbare staat van angs en haat gesit het, asof ek elke oomblik 'n deur na rye Sondagaande voor my sien dreig het.

Uiteindelik het ek tóg – goddank – heeltemal kalm gereageer. Ek het opgestaan, tussen die dansers deur beweeg, haar arm geneem en gesê: „Kom." Sy het sonder teenstribbeling gehoorsaam. Ek het geweet dat die wyn en die opwinding, die lang ontboeseming en die hitte en die primitiewe musiek haar dreigende drif ondraaglik aangewakker het. En dié blote – akute – besef het die antwoord in mysélf wakker gemaak. Ons moes nou terug woonstel toe.

Met haar aan die hand, het ek dringend in die gemaal na 'n taxi begin soek, maar daar was nêrens een op te spoor nie. Op pad na die terras voor die Sacré-Coeur het sy voorgestel: „Kom ons neem liewer die metro. Dis geselliger."

Ek het 'n renons in die vuil metro, maar ek wou haar nie teengaan nie. Daarom het ons met die steil trappestraatjies afgeklim na die rokerige drukte van boulevards, nagklubs, sypadkraampies en kafees daar onder. Halfpad af het dit eers tot haar deurgedring dat sy nog altyd haar skoene in haar hand dra. Sy was taamlik voetseer toe ons eindelik by Pigalle afgaan na die goor, warm sweetlug van die metro.

„Is jy seker ons moenie maar 'n taxi haal nie? Hier is baie op die plein."

Sy het net haar deurmekaar kop geskud en anderkant die kaartjieshokkie gaan staan en wag dat ek 'n carnet kaartjies koop. Ek het twee aan die tam blou vrou by die groen deurtjie gegee en die orige agt in Nicolette se hand gestop: „Dè. Ek gebruik die goed tog nie."

Sy het dankie geglimlag asof sy die spontaneïteit van dié gebaartjie meer waardeer as al die voorbedagte weelde van die duur ete.

Ons moes lank wag voor die trein uiteindelik uit die tonnel gepeul en teen die vuil perron tot ruste gekom het. Die eerste ent was daar geen sitplek vir ons nie en ons moes maar hang aan die taai chroompale. 'n Vet vrou het met knikkende kop en gapende oop mond op 'n bankie gesit en dobber; werkers in verkreukelde klere het met stoppelbaarde en voosgelese koerante teenoor mekaar gesit en Nicolette met wellustige ogies betrag. Teen die tyd dat ons by Villiers tot stilstand geruk het en sitplek kon kry, het die tamheid van dié onderaardse atmosfeer ons al albei begin bedruk.

By Étoile moes ons oorstap na die Neuilly-lyn. By die eerste uitgang het sy verwonderd maar gelate vasgesteek en gevra: „Waarheen gaan ons eintlik?"

„Jy lyk moeg," het ek ontwykend geantwoord, self ook suf. „Daarom het ek gedink 'n laaste koppie koffie in my woonstel – "

Sy het na my gekyk, maar ek kon haar oë nie peil nie. Uiteindelik het sy net geknik. Sy was bleker as tevore.

En toe ons verder ry, het 'n jong paar oorkant ons kom sit, met die soort moeg wat vermoedelik intree as die uur van hartstog verby is en daar nietemin voortgegaan moet word met die trae mimiek van die liefdespel. Nog net die gebare was daar, soos die roer van ou wierslierte in 'n lui branding. Eintlik was daar iets onwerkliks daaromtrent: 'n groteske kommentaartjie op menslike verhoudings, en op ons. Dit het my beklem; en ek het wrewelig gevoel ómdat dit my beklem.

Teen die tyd dat ons by Les Sablons aangeland het, het die hitte en tamheid met byna voelbare gewig aan ons gekleef; en bo by die uitgang was die sweet skielik koud op mens se gesig.

Ons het stilswyend aangestap na die Rue Jacques Dulud en die straat na my gebou toe oorgesteek.

Sy was 'n paar treë voor my en het by die voordeur staan en wag, met haar handsakkie swaai-swaai in haar hande agter haar rug. Ek het die knoppie gedruk om die deur se elektriese knip te laat oopglip, en ingestap. Dit was doodstil binne, die stad ineens van ons afgestroop soos 'n ou slangvel. Die trap het bedeesd boontoe opgespiraal, die dun strook van die mat soos 'n eindelose rooi lintwurm met blink segmentstrepe.

„Dit lyk heeltemal deftig," het sy gesê.

Sy het voor geklim. Ek was opnuut bewus van die sametrekking van haar kuite. Dit was 'n moeisame ent, vier verdiepings op (want hier is geen hysbak nie). Ek het my deur oopgesluit, die lig binne aangeskakel en haar laat verbykom.

Toe ek die deur weer agter my toestoot, het sy net gesê – met haar rug na my – : „Nou hét jy my hier."

„Wat bedoel jy?" het ek onrustig gevra.

„Dis tog wat jy die hele aand in gedagte gehad het, dan nie?"

„Is daar iets verkeerd mee?"

„Nee. Maar hoekom wou jy my juis bring?"

„Om koffie te drink. Dit het ek tog – ”

„Dit sal lekker smaak.” Nog steeds met haar smal rug na my toe, het sy aangestap na die oorkantse muur en begin kyk na wat ek daar opgehang het: ’n strooimat, ’n paar stukkies Bantoe-kralewerk, ’n klein Pierneef-ets.

„Hoekom dra julle mense Suid-Afrika oral met julle saam?” het sy gevra. „Is julle bang – dit verloor êrens?”

Ek het, miskien verkeerdelik, besluit om nie te reageer nie, en liewer na my klein kombuisie deurgestap om die koffiewater aan te skakel. Ek het opsetlik daar bly rondstaan om haar tyd te gee om haar tuis te maak. Sy voel net vreemd, het ek myself oortuig. Alles was so presies reg daar op die plein. Ek moet die saak net reg aanpak –

Toe ek eindelik in my sit-slaapkamer terugkom, het sy gemaklik op haar rug op die divan se bokhaaroortreksel gelê, haar skoene uitgeskop. Dit was amper ’n skok om na haar te kyk. Ek het geaarsel, my stem doelbewus beheer en verbygestap na die radio: „Sal ek vir ons ’n plaat speel?”

Haar kop het na my gedraai. Na ’n oomblik het sy gelykmatig gesê: „As jy wil.”

„Enigiets besonders?”

„Enigiets.”

Ek het opsetlik iets ligs, effens sentimenteels, gekies. Sy het doodstil bly lê. Na ’n rukkie het ek die water hoor kook en teruggegaan kombuis toe. Ek was besig om te skink toe die platespeler abrup afgeskakel word.

„Hou jy nie daarvan nie?” het ek geroep.

Sy het nie die moeite gedoen om te antwoord nie.

Toe ek haar koffie binnetoe neem, het sy op die bed gesit-lê, met haar rug teen ’n kussing gestut.

„Dis twak,” het sy gesê terwyl sy vier lepeltjies suiker ingooi. „Al die gesanik oor liefde. ’n Geslobber in die maanlig. Hoekom is julle so oneerlik?”

„Oneerlik? En: wie?”

„Hoekom word daar mooi ou liedjies gesing, hoekom nooi julle mens vir ete, hoekom maak julle koffie, hoekom hou julle aan met flikflooi? Hoekom kan julle nie reguit sê wat julle wil hê nie? Hoekom loop soek jy nie vir jou ’n slet nie? Hoekom dink jy *ek* is een?”

Sy het haar kop teen die muur laat leun en gelag, met die histerie vlakby; en haar koffie het op die mooi nuwe deken gestort.

Ek het woedend die skinkbord neergeplak. “Nicolette, ek sweer – !”

Sy het opgehou lag, maar haar oë was nog smeulend. „Nou is hy kwaad. Hy dink iemand het hom 'n lekkergoedjie belowe en dit toe weer weggeruk!"

Ek het haar arm skielik kwaai vasgevat.

„Los my!" Sy het haar bene van die bed af geswaai en regop gekom. Die koppie het op die bed omgeval. „Is dít die lekkertjie wat jy wou hê – ?" Met een beweging het sy die rits agter haar rug oopgeruk en die boonste helfte van haar rok oor haar skouers afgestroop. Doodstil en bewend het sy voor my bly staan. Dit was of sy sonder die rok kleiner, jonger, skraler geword het. Daar was selfs 'n beduidenis van ribbe. En sag, beskut, het haar klein borsies in die halwe skulpe van die bra gerus. Ek het haar tegelyk begeer en gehaat, en bejammer. Maar toe ek 'n beweging in haar rigting maak, het sy weggeswaai, haar rug op my gekeer, met kort, kwaai bewegings weer die rok toegerits; toe haar skoene aangetrek, haar hande deur haar hare gestoot, haar handsak geneem en geloop. Die deur het sy heeltemal beskaafd agter haar toegemaak. Ek het nie geweet of ek haar moes laat begaan en of ek agterna moes gaan nie. Die besluit is in elk geval uit my hande geneem, want vyf minute later het sy weer geklop.

Hoewel ek geweet het dat dit sy was, het dit my tóg verras om haar weer te sien. Sy was nog bleek, maar bedaard.

„Ek het nie geld vir die taxi nie," het sy gesê.

Ek wou begin verduidelik, selfs pleit, maar het net geknik en 'n noot uitgehaal. Toe geaarsel en voorgestel dat ek saamstap. Eers wou sy nie – taamlik heftig – maar naderhand het sy tog ingewillig. In die smal systraatjie teen die boulevard het ek 'n taxideur oopgemaak en haar laat inklim.

„Is jy seker jy sal regkom?"

„Natuurlik. Loop nou."

„Ek wil jou afsien."

„Nee. Loop dadelik."

Ek het besef dat dit beter sou wees as ek maar gehoorsaam; gegroet, en begin terugstap. Toe ek by die hoek kom, het ek 'n deur hoor klap en omgedraai. Sy was op pad na die metro, 'n vyftig tree verder. Ek het haar dadelik begin agternasit, maar gou vasgesteek. Die saak was nie meer vir my om te besluit nie. Sonder om een maal om te kyk – al het sy tog seker vermoed dat ek haar sou sien – het sy met die metrotrappe afgeklim en ondergronds verdwyn. Die hele saak was vir my 'n raaisel. Daar bestaan immers g'n metrolyn na enige ander deel in Neuilly (waar sy gesê het dat sy bly) nie: waarheen kon sy dus op pad wees? En hoekom het sy geld vir die taxi kom vra as sy reeds agt metrokaartjies gehad het?

Die slaap het dié nag traag gekom. Ek kon glad nie uitpluis wat daar in my gaande was nie. Ek was verneder en woedend; my dringendste hoop was verydel. En tog was juis dít skielik nie meer so lewensbelangrik nie.

Die volgende môre het ek Dior geskakel om ten minste te verneem hoe dit gaan.

„Alford? Nicolette Alford?" het die persoon gevra. „Maar hier was nog nooit so iemand nie."

3

Dit sal nooit deug nie. Ek het geweet dat ek uiteindelik net weer in Nicolette verdwaal sou raak sodra sy ter sprake kom. Dit was Julie verlede jaar dat dit begin het; dis vandag die vierde Desember. In die agtien maande tussenin het ons mekaar – soos dit in oppervlakkige gesprekke lui – leer ken. Van „ken" was daar inderwaarheid egter nooit sprake nie. (Van 'n Bybelse „beken" ook nie. Of dan wel één keer, maar dít was so 'n ontnugterende, troostelose affêre dat dit bloot volgens die uiterlike handeling as sodanig omskryf kan word.) Oor elke ontmoeting, oor die kleinste episode van dié agtien maande sal ek ewe uitvoerig – en soms uitvoeriger – kan skryf as oor die eerste aand; elke keer met presies dieselfde vraagteken aan die einde, dieselfde gevoel van onafgerondheid. Nie omdat daar enige ‚misterie' omtrent haar was soos ek aanvanklik graag sou wou geglo het nie, maar omdat sy doelbewus soveel leuens vertel het.

Die eerste keer toe ek haar weer ná haar raaiselagtige verdwyning gesien het – ongeveer tien dae later, toe sy die paspoort kom haal het – het ek pertinent daarna verwys.

„Waar was jy al die tyd?"

„Besig."

„Nog steeds by Dior?"

„Ja."

„Ek het soontoe gebel," het ek nadruklik gesê en vooroorgeleun om haar reaksie dop te hou. „Hulle het nog nooit van jou gehoor nie."

„So what?" Sy't g'n lid verroer nie. „Hoekom moet jy alles van my weet?"

„En al die ander dinge wat jy my vertel het?"

„Glo jy my nie?"

Só kon geen gesprek gevoer word nie. Algaande het ek inderdaad begin vermoed dat die hele ‚ontboeseming' omtrent haar ongelukkige weeskind-jeug ook versinsel was. Soms het sy ander verhale in die plek daarvan vertel, ewe ernstig. Ek weet nou nog nie wat die waarheid is nie. Ek twyfel of sy juis van 'n verlede probeer ,wegvlug'. Waarskynlik maak dit vir haar net so bloedmin verskil of dit nou juis só was en nie sús nie, dat sy nie kan insien dat dit vir ander mense waarde mag hê nie. (Of is selfs dit onwaar? Want waarom wil ek juis weet? Watter verskil *kon* dit maak?)

Soms het ons saam uitgegaan; selfs aande in my woonstel deurgebring. 'n Paar maal het sy my klere probeer heelmaak – hempsknope met rooi gare aangewerk – maar dit was selde 'n sukses. 'n Keer of wat het sy probeer kok speel. Dan moes die duurste geregte voorberei word. Eenmaal was die hoender naasteby gaar; meermale is dit plegtig, sonder kommentaar, in een van die grys vullisblikke onder by die ingang gedeponeer.

Teen Oktobermaand verlede jaar het ek twee weke lank in die Loirevallei gaan vakansie hou. Sy het aangebied om my woonstel op te pas. By my terugkeer het ek die plek nie herken nie. Daar was geen beskikbare stoel nie: op elkeen was daar grimeergoed, kouse, oop tasse, vrouetydskrifte, onderklere of ongewaste koppies en glase. (Ter verduideliking moet ek darem sê dat ek 'n dag vroeër teruggekom het as wat beplan was.) Die mat was opgerol teen die muur, die bed 'n warboel van lakens en komberse en kussings. Dit was 'n motreënerige dag en die verwarmer was volstoom aan. (Die kragrekening het die end van die maand sewehonderd-en-twintig nuwe frank beloop.) Ek weet baie goed dat daar 'n hele paar jolige partytjies tydens my afwesigheid gehou was: die concierge en my taamlik knorrige buurvrou het dit onomwonde kom vertel. Sy, natuurlik, het dit met die grootste oortuiging ter wêreld ontken. Maar miskien het sy 'n subtieler manier van skulderkentenis gehad: die ywer waarmee sy gehelp het om die woonstel weer aan kant te maak.

Origens is die herinneringe aan dié agtien maande baie bont. Daar was ewig rusies. Sy kon my woedend maak met die manier waarop sy sou tart en lok en daag – en op die laaste oomblik dan weer lag-lag padgee. Maar wanneer ek dan onbeheers besig was om haar allerhande beledigings toe te slinger, sou sy net haar skouers ophaal en sê: „Ag, balls." Of: „Weet jy dat een van jou baadjieknope af is?"

Toe het sy skielik weer die gedagte in haar kop gekry dat haar opvoeding opgeknap moes word. Sy wou kennis maak met die filosowe. Ek het vir haar 'n boek gesoek – en met 'n perverse soort behae die dikste en indrukwekkendste in die hele Amerikaanse biblioteek gekies – wat begin by Socrates en eindig by Albert

Camus. Drie weke lank het ek haar byna nooit te siene gekry nie. Sy het die hele boek van die eerste bladsy tot die laaste aandagtig deurgewerk, en dit toe verloor – sodat ek die biblioteek vir 'n nuwe moes vergoed – en nooit 'n woord daaroor gesê nie, nie eens in antwoord op uitdruklike vrae nie.

Tussenin het sy soms net weggeraak, skoonveld verdwyn. Dit was nie soos die eerste keer, toe ek haar spoor verloor het omdat sy leuens vertel het omtrent haar werk en verblyfplek nie, want teen dié tyd het ek haar al meermale in haar woonplekkie gaan opsoek (eers naby die Porte d'Auteuil, daarna 'n hanetree van die Place des Vosges af, en uiteindelik in die Rue de Condé). Maar selfs die concierge het by sulke geleenthede niks van haar her of der geweet nie. Later het dit dan geblyk dat sy òf net in 'n ander deel van Parys ‚besig' was (waarmee?), òf iewers heen geswerf het, gewoonlik op haar eentjie. Ek weet dat sy eenkeer saam met 'n paar duisend studente 'n pelgrimstog na Chartres onderneem het, want sy het af en toe daarna verwys. (Tensy ook dít versinsel was.) Katedrale het om die een of ander rede vir haar 'n besondere bekoring ingehou; so het sy altans voorgegee.

Hoekom het ek dan nie van haar afgesien nie? Dis een van daardie netelige vrae waarby soveel verborge dryfvere eintlik gemoeid is. Hoofsaaklik, dink ek, het ek aan haar vasgeklou omdat ek geglo (of dan minstens gehoop) het dat ek haar vroeër of later in meer as een opsig nog sou ‚onderkry'; dat ek by haar sou slaag waar my vorige ondervindings misluk het. Dit het 'n soort noodsaak geword. En op die duur hét dit dan ook gebeur, soos ek reeds te kenne gegee het. Dit was teen die end van September vanjaar, toe die eerste beklemming van die herfs al begin het. Sy het die aand in my woonstel kom bad. (Dit was niks uitsonderliks nie, behalwe dat sy dit gewoonlik tydens kantoorure gedoen het, so een keer per week. Haar eie woonplek in die Rue de Condé het geen badkamer nie.) Sy het vroeërig gekom, met haar badgerei in 'n tousakkie wat sy argeloos op die divan neergegooi het. Ons het eers gesels: ons gewone soort doodloopgesprek. En weer soos gewoonlik het dit taamlik gou op ons ‚verhouding' tereggekom. Ek het haar van moedswilligheid beskuldig. Waarom my alewig aan 'n lyntjie hou, allerhande dinge te kenne gee, en dan steeds bly ontwyk? Ek weet tog presies wie en wat sy is; dat sy geen geheim maak van flirtasies met ander mans nie. „Of betaal hulle jou genoeg?" Dit was die eerste keer dat ek so iets pertinent gevra het.

Sy was dadelik op haar perdjie.

„Ek kan seker maak soos ek lus het," het sy gesê. „Niemand betaal my om te doen wat ek *nie* wil nie."

In 'n vlaag ergerlikheid het ek 'n paar note uit my binnesak gepluk (daar was minstens één van 'n honderd nuwe frank by) en dit op haar skoot gegooi.

„Toe. Dè. Is dít wat jy wil hê?"

Sy het die note woordeloos geneem, gladgestryk en netjies op mekaar op die langwerpige teetafeltjie neergesit met 'n asbak bo-op. Toe het sy opgestaan en badkamer toe geloop. Ek het gehoor hoe sy die krane oopdraai en gesit en wag dat sy moet terugkom, want die deur het nog oopgestaan. Maar toe ek my kom kry, was sy klaar in die bad. Daarop het een van dié gekke, kinderagtige soort tonele gevolg wat mens op die oomblik geniet, maar wat jou daarna met 'n nasmaak in die mond laat. Ek het duskant die oop deur gaan staan en half tergend, half brawerig gedreig dat ek gaan inkom.

„Nou hoekom kóm jy nie?"

„Jy sal nie so ongeërg wees as ek dit regtig doen nie."

„Jy's bang."

Moes ek? Durf ek? Sê nou sy bedoel dit? Sê nou sy bedoel dit *nie* – ? Anderkant die deur het die water lustig geklots en op die vloer uitgeplas. Gretig en selfbewus het ek die hele ruk my brandende gesig teen die skreef aan die skarnierkant vasgedruk en my bes probeer om iets te sien.

Ek het nog half gebukkend so gestaan, toe sy sonder enige erg uit die bad wip, nat en kaal by my verbykom en die tousakkie met seep en handdoek kom haal wat op die divan bly lê het. Haar hare was nat slierte. Voor ek behoorlik kon reageer, was sy terug in die badkamer; dié keer het sy die deur tussen ons gesluit. Bekaf het ek weggedraai en 'n sigaret gaan aansteek. Nog voor ek dit uitgerook het, het sy die deur oopgemaak en teruggekom: aangetrek, maar nog met nat hare. Sy het kruisbeen op die bed gaan sit en haar kop begin droog vryf. Ek het haar staan en betrag, my sigaret toe baie nadruklik doodgedruk en na haar toe oorgestap. 'n Rukkie het sy nog voortgegaan met die té vinnige afdroëry, dit toe laat vaar en met die nat handdoek in haar hande na my bly sit en kyk: onseker? spottend? vol bravade? minagtend? Waarskynlik het sy geweet dat dit dié keer nie sou baat om teen te stribbel nie.

Dit was gou verby. Sy het die hele tyd doodstil gelê, met toe oë en sonder dat haar ooglede een keer beweeg het, passief, algeheel passieloos. Ek moes dit seker verwag het. Mense soos sy is glo meermale heeltemal kil.

Maar sy moes tog *iets* doen by wyse van reaksie! Stilbly sou my rasend maak.

„Nou toe?" het ek gevra toe ek opstaan. „Jy kan nie sê dat jy dit nie gesoek het nie!" Ek was aggressief.

„Nee," het sy stil geantwoord en haar rok oor haar knieë afgestryk. Ek het terloops gewaar dat sy 'n bloedrooi stukkie onderklere aan het, vulgêr en goedkoop, 'n banale kleurgrap wat die leuen van wat so pas gebeur het, benadruk het.

„Waarom sê jy niks?" het ek aangedring.

„Wat moet ek sê? Jou gelukwens met die vertoning?" Sy het saggies gelag en haar hare weer begin vryf. „Big boy!" Haar asemhaling was nog ongereeld.

Ek het my hande vasgebal, toe omgedraai en met my rug na haar my knope vasgemaak, bewus van die potsierlike figuur wat ek slaan. En soos ek verwag het, hét sy weldra begin lag.

„Jy kan self nie juis spog met jou vertoning nie!" het ek haar toegesnou.

„Nee." Sy het van die verkreukelde deken af opgestaan en badkamer toe gestap. „Gaan maak vir ons koffie. Ons is altwee yskoud."

Die badkamerdeur het op slot gegaan. Ek het van voor af hoor water tap. Die koffie het al roomvelletjies bo-op gehad toe sy eindelik terugkom, heeltemal beheers, vars, met haar hare gekam. Ons het nie gepraat terwyl ons drink nie. Daarná het sy opgestaan, haar tousakkie geneem, vlugtig na my gekyk, die asbak van die tafeltjie af opgetel en die note uitgehaal. Sy het dit in 'n klein vierkantjie gevou en voor by haar bors ingesteek.

„Nicolette – "

„Tot siens, Stephen."

Ek het haar van bo af sien afklim met die spiraaltrap, elke verdieping nouer as die vorige, tot sy klein tussen die vullisblikke deur na die straat verdwyn het.

4

Party kadette tref dit gelukkig en beland baie vroeg al oorsee. Maar ek moes twee-en-'n-half jaar op Hoofkantoor bly voor ek na Parys verplaas is. Nie dat ek nou daaroor spyt voel nie. Dit het my die geleentheid gebied om grondig in meer as een afdeling van die Diens opgelei te word, om al my vakke af te skrywe, en – wat belangrik is – om heelwat senior manne te leer ken: iets wat mens altyd goed te pas kan kom. Ek was dan ook net 'n maand hier in Parys toe ek bevorder is tot derde sekretaris (ses weke vóór iemand soos Piet Jansen in Bern, wat eintlik my senior is maar wat langer geneem het om sy eksamens af te lê). Die nadeel was egter dat ek ná die lang ruk in die bestendige, bekende lewe van die Uniegebou in Pretoria heeltemal verlore gevoel het in dié immer bewegende stad waar die ambassade die enigste eilandjie was waar mens beskut kon voel tussen ander wat jou taal praat.

Die gebou is nie danig imposant nie. Buite is dit net 'n breë bruin deur teen die Avenue Hoche, met selfs – behalwe op vakansiedae – geen landsvlag as kenteken nie : slegs 'n drietalige koperplaat. Net binnekant die hoofingang loop 'n trap af na die kwartiere van die concierge, Lebon; daarop volg die groot trap na die voordeur van die ampswoning; en 'n paar tree verder steek jy die keisteenbinneplasie oor na die dubbele glasdeur van die kantoorgebou. Uit die leeskamer gaan daar 'n deur links na die tiksters se kantoor en na myne. Regs loop die donker trap op na die kantoor van die registrasieklerke, gevolg deur dié van die ander derde sekretaris, die tweede sekretaris, en die raad; en uiteindelik kom jy by die ruim, deftige kantoor van die ambassadeur. Op die boonste verdieping werk die handels-, militêre en kulturele attachés; ook hul onderskeie sekretaresses en die amptelike vertaler. Alles is taamlik beknop; die gangetjies hinderlik smal en skemerig; en daar is 'n muwwerige boekereuk wat mens die ganse dag omgewe.

Met die personeel het ek – noodgedwonge – gou kennis gemaak : in die ambassade, op 'n paar partytjies, en veral by een skemerpartytjie wat deur Jaap Mouton gereël is om my te verwelkom. Hy was indertyd die ander derde sekretaris, 'n gawe vent wat sedertdien na Keulen verplaas is. Hy is opgevolg deur Theo Harrington, 'n taamlike windlawaai, bewus van sy aantreklikheid vir vroumense (hoewel hy reeds getroud is met 'n stillerige, mooi mensie), maar tog iemand met 'n flair vir die werk. Van die tweede sekretaris, Koos Joubert, het ek reeds melding gemaak: 'n bonkige ‚stoereboer', en 'n verbete regeringsman. Oor dié saak het ons vroeg al potjies geloop. „Hoe kan jy vir 'n regering werk as jy hom nie ondersteun nie?" was sy argument. „Ek is 'n Afrikaner, ou maat. As my regering die dag padgee, dan ék ook. Intussen is ek 'n boerediplomaat: ek neuk my pad oop." Daarteen het ek maar neutraal probeer kwink met die stelling : „Ek dien elke nuwe regering met ewe veel trou en ewe veel minagting." Hoewel dit nie heeltemal waar is nie. Dit sou eerder die filosofie wees van Douglas Masters, die raad. Hy is korrek tot in sy tone; vir hom is alles spel en berekening. Miskien is dit die rede waarom hy tog nooit 'n groot diplomaat sal wees nie, eerder 'n briljante administratiewe amptenaar wat so puntenerig soos 'n ou vrou kan wees. Naas sy filosofie is myne eerder: dié loopbaan is middel tot 'n doel, nie doel in sigself nie. En die doel is: *bo* kom. Ek glo nie dis net 'n reaksie teen my vader se minagting nie. Dis eerder 'n oortuiging dat net die mens wat in elke situasie, én in die laaste toets, ‚bo' uitkom, iets beteken. Survival of the fittest? Miskien. Zarathustra? Uiteindelik, ja.

Koos se vaal muisvroutjie bly gewoonlik tuis om kinders op te pas. Maar Masters se Sylvia is die teenoorgestelde. Sy praat graag oor „fabulous Paree", maar eintlik gee sy geen flenter vir die stad om nie. Bedags slaap sy tot twaalfuur. Smiddae gaan sy uit vir ‚tee'. Twee Spaanse bediendes sorg vir die huishouding. Haar seun is in 'n privaatskool in Engeland. Sylvia is waarskynlik mooi; maar sy is geestelik anemies, en seksueel so opwindend soos 'n nat koerant. My loopbaan maak dit wenslik dat ek vroeër of later trou; maar die hemel bewaar my van 'n Sylvia.

Met die drie attachés kom ek selde in aanraking. Of dan: met twee van hulle. (Ek twyfel of kol. Kotzé *enige* vertrouelinge het: daarvoor sit hy te vas in sy militêre verlede en in die patos van sy huidige papierwerk. En die handelsattaché, Verster, skuil gewoonlik agter sy bril; behalwe sy huis en sy werk bestaan daar vir hom geen werklikheid nie.) Met Victor le Roux het ek egter gou bevriend geraak, miskien omdat hy die enigste ander eenloper op die personeel is. Victor stel belang in skryf, hoewel hy 'n bietjie dilettant is en effens verwyfd; maar in 'n klein geselskap kan hy 'n aangename causeur wees. Ons het al lang aande gesit en redeneer: oor die filosofie, die kuns, godsdiens, en seks.

En dan is daar Anna Smit: die weergalose Anna. Vroeër het sy skoolgehou, en toe getrou; maar haar man is na twee jaar met 'n ander vrou vort (en ek glo nie mens kan hom dit kwalik neem nie), en sy het by Buitelandse Sake kom werk. Anna is lank en lelik, en skraal; en sy beskou haarself as 'n „toneelkenner". Parys het haar kop op hol gejaag: dis hare kap by Alexandre, eet in Maxim's, beweeg in die „regte kringe". Sy praat graag saam met die „jonges", maar eintlik beweeg haar opvattings in 'n baie klein sirkeltjie. (Beweeg? Hulle *staan,* soos Luther.) Aan volk, en taal, en kerk – sy is metodisties – is sy ‚onlosmaaklik verbonde'. Alle nuwe Suid-Afrikaners in Parys beland onder haar vlerk; ek aanvanklik dus ook. Maar ons het die eerste Sondag al gebots toe sy my wou saamneem kerk toe. Ek het haar goed laat verstaan dat ek nie van plan is om by elke onverstaanbaarheidjie of skuldgevoeletjie my oë hemelwaarts te slaan en op die rekening van 'n gerieflike fiksie te lewe nie.

„Maar hoe kan jy daarsonder *bestaan?*" wou sy geskok weet.

„Heeltemal goed. Ek het eenvoudig besluit dat ek hier en nou gaan lewe en nie gaan staatmaak op 'n illusie van ‚eendag' nie."

Sy het nietemin belowe om vir my te bid.

Uiteindelik was daar die ambassadeurspaar self: destyds nog oubaas Jan Theunissen-hulle. Hy was 'n oorblyfsel uit 'n ouer bedeling wat eenvoudig (soos meermale gebeur) deur die stadige werking van die diplomatieke meul al hoër boontoe gestoot is omdat niemand lank in een sending met hom opgeskeep wou sit nie; en uiteindelik het sy liewe, groot bas dan op hierdie sagte stoel te ruste gekom. Hy het uit die staanspoor van my gehou, hoofsaaklik om twee redes: ten eerste het ek byna daagliks ‚simpatiek' (!) geluister na die uiteensetting van sy grootste kwelling – dat die regering hom nie na waarde skat nie omdat hy 'n aanhanger van die vorige regering was; en ten tweede het ek kort na my aankoms in Parys op 'n impuls 'n besending Vrystaatse biltong met hom gedeel. Hy het my skaamteloos voorgetrek, eintlik tot die groot ergernis van Masters se voorganger, Prinsloo. Heelwat belangrike werk wat onder gewone omstandighede nooit aan 'n derde sekretaris toevertrou word nie, is byna geheel en al aan my inisiatief oorgelaat. Dit het later gereeld gebeur dat ek lang briefwisselinge oor netelige sake gevoer het sonder dat hy een van die briewe te siene kry. Wanneer hy wel persoonlik iets moes onderteken, het hy net vlugtig na die inhoud gekyk en dan sy swierige, outydse handtekening onderaan die vel aangebring.

„Die enigste manier waarop 'n jong diplomaat sy werk kan leer, is om self alles te leer hanteer," was sy leuse. Ons het albei geweet dat dit 'n versuikering was van die waarheid: dat sy agterdog teenoor die regering se bedoelings met hom hom lankal alle werklus ontneem het.

Wat amptelike aangeleenthede betref, het ek 'n grondige minagting vir hom gekoester – én vir sy logge vrou, wat by die deftigste geleentheid sou opdaag met die verspotste ou hoed vol frilletjies en blomme en kant en vergulde hoedspelde. Maar bloot as *mense* was hulle een van die hartlikste en opregste pare wat ek ooit teëgekom het.

Daar is 'n baie goeie rede waarom ek so uitvoerig van die Theunissens vertel het, ondanks die feit dat hulle 'n jaar gelede al hier weg is toe hy tot die regering se hartgrondige verligting gepensioeneer kon word. Ek wil naamlik benadruk watter groot verskil daar tussen hulle en hulle opvolgers was. Of spesifiek dan: tussen oubaas Jan Theunissen en ambassadeur Van Heerden.

Die nuwe man se voorkoms het ons almal geïmponeer. Ons het ook al geweet van sy buitengewoon goeie reputasie by sendings soos Wenen (waar hy reeds ambassadeur was) en New York (waar hy Suid-Afrika by die V.V.O. verteenwoordig het). Toe die Boeing se deure op Orly oopgaan en die passasiers begin afstap, sou ons hom onmiddellik herken het, selfs al het hy nie tot die laaste gewag om met die spesiale lughawemotor na die V.I.P-ontvangsvertrek geneem te word nie. Nie besonder lank nie, maar fors gebou, met hare wat net effens grys begin word, 'n stewige neus, ‚arendsoë,' opvallend gesonde wit tande – al die clichés waarmee so iemand beskrywe kan word. Sy vrou en dogter sou eers 'n week later volg.

Hy was drie dae in die ambassade toe hy my een oggend van sy kantoor af skakel en my vra om boontoe te kom. Ek het gou eers die lêer waarmee ek besig was, afgehandel – soos ek onder oubaas Theunissen gewoond was om te doen – en toe na die eerste verdieping opgestap. Hy het net vlugtig opgekyk toe ek binnekom, en aangehou met skryf. Dit het twee volle minute geduur : ek het die tydsame sirkel van die rooi sekondewyster teen die muur die hele tyd gevolg.

„Het ek jou laat wag, Keyter?" het hy skielik gevra, nog sonder om op te kyk.

„Ekskuus, Ambassadeur?" Ek was uit die veld geslaan. „Nee. Natuurlik nie."

Sy mond het effentjies geglimlag. „Natuurlik wèl. Twee minute. Op jou beurt het dit jou sewe minute gekos om die een verdieping uit te klim." Ek het my mond oopgemaak om te antwoord, maar hy het net sy regterhand effens van die papier af opgelig. Nie een van ons het weer daarna verwys nie. Dit was ook nie nodig nie. Ek het dit waarskynlik verdien.

Hy het 'n brief onder 'n kopergewiggie op sy groot lessenaar uitgehaal en gevra : „Het jy dié geskryf?"

Ek het dit dadelik herken. Dit was my jongste brief aan die Minister se sekretaris in Pretoria in verband met bepaalde onderhandelinge met die Banque de France.

„Ja, Ambassadeur," het ek geredelik gesê. „Ek het dit in u mandjie laat opstuur vir ondertekening."

Hy het met die brief tussen sy twee hande gesit en heeltemal vriendelik na my opgekyk. „Dink jy nie dis gerade dat jy met sulke delikate onderhandelinge eers by my of meneer Masters kom verneem wat ons presies in so 'n brief geskryf wil hê nie?"

Ek het bloed in my gesig voel klop. „Maar Ambassadeur, ek is al 'n maand lank besig met hierdie korrespondensie – "

„Dan is dit miskien tyd dat die saak nou in die reine kom. Geen briefwisseling in verband met kontensieuse sake sal voortaan ‚namens' my of ander senior amptenare gevoer word sonder ons goedkeuring nie. Hierdie bepaalde geval sal ek voortaan self hanteer." Hy het die brief toegevou, dit netjies deurgeskeur, opgefrommel en in die snippermandjie laat val. Toe het hy rustig gesê: „Dis dan al, dankie, Keyter."

Daar was ander soortgelyke insidente in die loop van die eerste maand. Algaande het ek ontsteld ontdek dat al die vrye inisiatief wat oubaas Theunissen my gelaat het, nou genadeloos ingeperk is. Sy Eksellensie het gesorg dat sy eie stempel afgedruk word op alles, tot die nietigste ding, wat in die kantoor gebeur. Selfs iets soos die gebruik van skryfpapier met amptelike briefhoofde vir persoonlike korrespondensie is stopgesit. ‚Wanpraktykies' seker, maar die soort ding wat in elke ambassade gebeur. Daar was 'n hinderlike oorbewussyn van gesag oor en rondom mens. En uit die aard van die saak het ek dit erger gevoel as die meeste van die ander, wat nie oubaas Theunissen se vertroue in dieselfde mate as ek geniet het nie. Om alles te kroon, is ek aan die end van die eerste maand heeltemal onthef van my gewone bedrywighede in die politieke afdeling en oorgeplaas na konsulêre werk, wat uiteraard bitter saai is in vergelyking met die opstel of ontsyfer van kodetelegramme, die opsom van vertroulike memorandums, of die voer van korrespondensie oor netelige kwessies.

Die swaarste pil om te sluk, was dat die Ambassadeur inderdaad ‚reg' gehandel het, en dat hy veel meer as 'n knap administrateur was. In amptelike kringe is hy aanvaar as 'n ‚man van formaat'; en binne twee maande na sy aankoms was daar 'n merkbare verandering te bespeur in die houding wat lede van ander sendings in Parys teenoor ons aangeneem het. Maar as oubaas Theunissen geen ambassadeur was nie, wel *mens*, dan is dit bykans onmoontlik om jou Sy Eksellensie in ‚private hoedanigheid' voor te stel. Hy hét geen twee lewens – 'n amptelike en 'n persoonlike – soos ander diplomate nie. Hy kan die hartlikheid self wees op 'n onthaal, maar mens ontdek weldra dat selfs dít die hartlikheid van 'n geoefende man is wat presies bereken watter luim die beste uitwerking sal hê. Dis nie dat hy hom ‚voordoen' as 'n amptelike wese, met die indruk dat hy iets daaragter verskuil hou nie: die ontsenuende is juis dat hy so *is*. Ek kan hom my byvoorbeeld glad nie in enige intieme situasie met 'n vrou voorstel nie: nie eens met sy eie vrou nie, wat nog te sê met Nicolette – Maar ek loop dit nou vooruit.

Die ambassadeursvrou – Erika – het 'n week ná Sy Eksellensie eers saam met haar dogter opgedaag. Sy moet heelwat jonger as die Ambassadeur wees (waarskynlik nog nie vyftig nie), en was klaarblyklik vroeër ‚beeldskoon', soos dit lui. Selfs nou het sy iets van die soort grasie wat eintlik met die jare eerder toeneem as verminder. Tog is daar soms – as mens haar onverwags betrap – 'n amper skokkende vermoeienis in haar oë, wat 'n toestand van aftakeling suggereer.

Sy het dadelik 'n dinee gereël om al die personeellede, selfs die tiksters, te ontmoet; en sy is ongetwyfeld die beste gasvrou wat ek nog teëgekom het. Van die manier waarop haar dogter, Annette, tussen die gaste deur beweeg en gesprekke aangeknoop het, was dit duidelik dat ook sy van kleins af vir 'n dergelike taak opgelei was.

Ná die eerste dinee is die personeellede telkens nog paar-paar oorgenooi. Die atmosfeer was altyd taamlik formeel, en tog gesellig.

Dis moeilik om nou vas te stel waarom ek aan Annette begin aandag gee het. Die feit dat die verhouding tussen my en Nicolette juis weer 'n periodieke doodlooppunt bereik het, het moontlik iets daarmee te doen gehad. Maar ek dink dat dit my eintlik net skielik opgeval het dat ek deur Annette kon vergoed vir die magteloosheid van my ondergeskikte posisie teenoor die Ambassadeur. Hy kon met my maak wat hy wou; maar as ek Annette kon verower, hoef ék nie die spit af te byt nie. Die blote bevrediging en leedvermaak van die besef dat ek met sy dogter 'n verhouding het, sou daarvoor vergoed. Daarby was sy baie jonk – agtien – en klaarblyklik onervare : dit behoort dus nie te moeilik te wees om haar te verower nie. En buitendien : daar was iets so uitdagends omtrent haar jeugdige selfversekerdheid, haar koel beskermde soort maagdelikheid, dat ek graag *wou* weet hoe sy daarágter lyk.

Ons het 'n paar maal saam uitgegaan. En eintlik het sy my verras : sodra sy van haar ma weg was, het sy kante van verset, eie wil, en spontane geesdrif geopenbaar wat mens nooit in die mooi sosiale robotjie sou verwag nie.

En toe was ons een aand in my woonstel, laat; en albei moeg. Ek het haar 'n kussing aangebied om makliker agteroor te leun; en terwyl ek oor haar buig, het ek skielik gedink : vanaand sal sy nie teëstribbel nie. Sy het vakerig geglimlag en gesê : „Eintlik moet jy my huis toe neem."

„Nee." Ek het haar skouers styf vasgevat. Sy het geskrik. Ek het haar begin soen. Sy het probeer losruk en aanmekaar gesê : „Moenie. Moenie. Moenie."

Haar verset het my ontstel. Ek móés eenvoudig slaag. Anders sou sy tuis daaroor praat, en as die Ambassadeur – Ek het paniekerig begin raak. My hande het losgegly.

Sy het haar rug styf, regop teen die muur gedruk, hygend, geskok, verslae.

„Ek – is jammer," het ek hortend gesê.

„Neem my huis toe. Neem my dadelik huis toe." Sy het haar deurmekaar hare probeer wegvee. En toe het sy haar selfbeheer herwin en kwetsend gesê: „Gaan drink eers 'n glas melk dat jy kan afkoel."

Dit was die laaste vernedering. Ek het deur toe gestap, nie omgekyk nie, en gesê: „Kom." Op pad terug het ons nie gepraat nie. Ek wou haar smeek, haar hande vasvat en soebat dat sy nie moet vertel nie. Maar ek kon nie. En terselfdertyd was ek woedend oor die mislukking.

Ek het die nag nie geslaap nie. Ek het dae lank in angs gelewe. Niks het gebeur nie. Ek het geruster begin voel. Sy het nie vertel nie. Sy *sou* nie vertel nie. Alles het weer normaal begin voortgaan. Maar diep agter alles in my sou dié kwets en dié vrees altyd bly lewe.

Met Haar Eksellensie het ek egter nie rekening gehou nie. Teen die end van Februarie – 'n maand ná die gebeurtenis in my woonstel – het sy my onverwags werk toe gebel en gevra of ek saam met haar en Annette na 'n Anouilh-stuk in die *Gaîté-Montparnasse* sou gaan kyk: hulle het komplimentêre kaartjies gehad, maar haar man sou die aand besig wees en hulle twee wou nie graag alleen gaan nie.

Ek het eenvoudig nie durf weier nie, hoewel ek die stuk al gesien het. Die saak was te netelig. Buitendien moes ek seker ‚gevlei' gevoel het. Ek het nie geweet wat om te verwag nie. Maar die aand het verbasend vlot verloop en Annette het geen blyke gegee van verset of ergerlikheid nie. Ná die opvoering het mev. Van Heerden daarop aangedring dat ek eers saam teruggaan om 'n koppie koffie te drink. Sou daar dalk nou iets gebeur – ?

Maar met die intrap in die ampswoning het Annette verskoning gemaak dat sy hoofpyn het. Dit was 'n danig deursigtige voorwendsel, maar sy het inderdaad 'n bietjie bleek gelyk.

Mev. Van Heerden het geaarsel, en my toe gevra: „Jy sien seker nie kans om met my alleen opgeskeep te sit nie?"

„Inteendeel!" het ek so galant as moontlik betuig.

Sy het nie geantwoord nie; maar sy het tog laat blyk dat sy deur die oppervlakkige ridderlikheid sien.

Die diensmeisie het 'n skinkbord met koppies ingedra en die gasvrou het dit self gerangskik, en geskink. Onder die wit lamplig kon ek vermoeienis deur haar grimering sien dring: 'n patos amper, 'n indruk van leegtes en ervaringe wat eintlik anderkant my beperkte horison lê. (Of dink ek maar nou eers agterná so daaraan?)

Ons het 'n rukkie die gewone betekenislose gesprekkie aan die gang gehou; oor hoe ons van Parys hou; oor Suid-Afrika; oor Franse gewoontes; oor skindernuus in die koerant.

In die middel van 'n sin – oor die vooruitsigte van 'n vroeë lente, as ek reg onthou – het sy haar koppie onverwags neergesit en gevra: „Waarom doen ons dit?"

Ek het nie dadelik gesnap wat sy bedoel nie en op 'n verduideliking gewag.

„Stel ons regtig belang in die weer, Stephen? Is dit werklik só belangrik dat daar *niks* anders is om oor te praat nie?" Ek het tevore al agtergekom dat sy soms uitermate gespanne kon raak. Dit was nou duideliker as by enige ander geleentheid, moontlik juis omdat daar niemand anders by was nie. Boonop het dit my getref hoe ook sy, nes Annette, anders is wanneer sy alleen is, asof hulle by mekaar twee liefhebbende maar giftige plante was wat nie bedoel was om saam te groei nie, maar nou noodlottig niemand anders gehad het as mekaar nie. (En hoe sou die Ambassadeur daar inpas?)

„Ons kan oor enigiets anders praat," het ek inskiklik gesê.

„Ja. Ek kan jou vertel van die klere wat ek vir my en Annette bestel het. Of jy kan my vertel van 'n film wat jy gesien het." Die bitterheid het sy nie eens meer probeer wegsteek nie. „God, hoe verveeld moet jy nie wees nie, Stephen!" Sy het agteroorgeleun en die gordyn voor die venster skuins agter haar weggepluk. Ek kon die beweging van haar borste onder die lig sien, verbaas oor die volgehoue jeugdigheid daarvan. „Dáár is die stad, die ganse lewende stad. Vyf miljoen mense besig, agter verligte of donker vensters, om te lewe: ‚mooi' of ‚pervers', wat maak dit op stuk van sake sáák? Selfs die boemelaars wat op metroroosters lê en slaap, het hulle eie manier van lewe. Hulle voel die hitte van onder af opwalm, en die koue nagwind wat van bo af aan hulle vat. Hulle *voel*. Hulle is buite. Hulle is deel van iets. En hier sit ons, veilig tussen ons vier mooi mure, beskut teen dié snaakse spektakel, lewe, waarvan ons al gehoor het, maar wat ons skaars ken." Sy het 'n oomblik haar weggedraaide kop op haar skouer laat rus. Haar hande was toegeklem, die een op 'n knie, die ander aan 'n punt van die half-oop gordyn. Toe het sy haar kop teruggedraai met 'n laggie om haar mond. „Verskoon my dat ek van ‚ons' praat: dis 'n illusie wat dit makliker maak. Ons maak dit maar: 'n ‚royal we'. Maar jy moenie bly nie. Jy verveel jou gruwelik." Dit het gelyk of sy nog iets wou sê, maar eers wou wag op my reaksie.

„Wat laat u so dink?" het ek werktuiglik gevra.

„Ek weet." Sy het haar kop agteroor laat leun en 'n oomblik het die skaduwees haar vermoeienis versag en gesuggereer hoe sy jonk moes gelyk het: met 'n fyn neus en 'n vol mond en 'n ferm, koppige lyn van die kakebeen, 'n uitdaging in die oë. Toe het sy haar kop weer lig toe gedraai. Sy het nie meer direk met my gepraat nie: „Jy is jonk; en een van die dae trou jy. En dan? Dan word jy werklik diplomaat. Jy word bevorder en bevorder. Tot waar? En eendag? Eendag is jy – hoogstens nie meer jonk nie." Sy het opgestaan en na 'n mooi outydse kabinet geloop, die houtgesnede deur oopgemaak en gevra: „Kan ek vir jou iets sterkers bring?"

Ek was nie werklik lus nie, maar ek wou haar nie teleurstel nie en sy het vir ons albei whisky geskink.

„Gesondheid."

Hare het sy vinnig gedrink.

„U praat asof u oud is," het ek eindelik gesê. „Daar is tog geen sprake van nie."

Sy het net geglimlag. „Jy komplimenteer te maklik, Stephen. Dit word 'n gewoonte. Mens maak van so *baie* dinge 'n gewoonte. Om aan die lewe te bly, byvoorbeeld." Sy het weer haar glas gaan volskink, daarmee na die venster geloop en die gordyn vasberade toegetrek; en gevra: „En Annette?"

Die skok het my 'n oomblik lam laat voel. Toe het ek so neutraal as moontlik gevra: „Wat bedoel u?"

„Here, Stephen." Sy het haar glas vinnig leeggedrink en haar skouers opgehaal. „Ek weet nie wat daardie aand gebeur het nie – "

„Niks!" het ek vinnig gesê, glad te heftig. „Het sy gesê – ?"

„Sy het niks gesê nie. En jy hoef nie om verskoning te vra nie. Dís nie wat ek bedoel nie. Jy wou haar iets ‚leer', neem ek aan. Dis seker goed. Dis dalk nodig. Ek weet nie. Sy's nog jonk."

Ek het nie geantwoord nie. Ek was ontsteld en verlig tegelyk.

„Ek was wakker toe sy terugkom, soos gewoonlik. Sy't dit geweet, maar sy't verbygeloop na haar kamer toe en nooit 'n woord daaroor gesê nie. Vroeër het sy my met alles in haar vertroue geneem. Jy sien, ons het altyd probeer om eerder maats te wees as ma en dogter. Dis net 'n bietjie ontnugterend om te ontdek dat nou dat sy besig is om ‚groot te word' en nader aan my te groei, sy in werklikheid veel verder van my af is as tevore."

Sy het weer na die kabinet begin stap.

„Ek glo nie u moet meer drink nie," het ek gesê. Hoekom ek dié vermetelheid aan die dag gelê het, het ek self nie geweet nie.

Sy het omgedraai en geknik. „Ek moenie. Jy's reg. Maar: hoekom nie?" 'n Minagtende snuif. Toe, vinnig en kontradiktories: „Ek is nie oud nie, Stephen. Ek wil nie oud wees nie."

„U moenie – oordryf wat daar gebeur het nie." Ek het met groot inspanning normaal probeer praat. „Miskien moet u haar meer kans gee om haar eie koers te kry."

„Neem jy my kwalik dat ek haar beskermd grootgemaak het?"

„Nee. Maar u kan dalk vergeet dat u self – én sy – 'n lewe het."

Sy het nie dadelik gereageer nie. Dit was nou 'n moeilike keerpunt, het ek besef. Na 'n ruk het sy net gesê: „Jy het antwoorde vir alles." Daar was iets kwetsends in; en tog 'n toeskietlikheid wat my verlig laat voel het.

Kort daarna het ek opgestaan om te gaan. Soos enige vriendelike gasvrou het sy my deur toe begelei. Maar daar het sy onverwags haar hande op my arm gelê en gesê: „Ek is bly dat jy vanaand gekom het, Stephen." Daar was niks van die gewone formaliteit in die frase nie.

Soos een maal, vroeër die aand, het ek bewus – byna té bewus? – geraak van die feit dat sy nie Haar Eksellensie is nie, maar vrou. Ek sou dit vir haar wou sê, maar dit sou òf vermetel klink, òf na 'n gedwonge kompliment. Buitendien het die gedagte my eintlik van stryk gebring. Dit was te akuut, te onveilig. Tog het ek 'n vermoede dat sy my gedagtes geraai het.

Gedurende die daaropvolgende maande het ons mekaar dikwels gesien, meestal op geselligehede, partytjies, onthale; 'n paar keer was ek ook wel by hulle aan huis, maar dan gewoonlik saam met 'n kollega – asof sy opsetlik dié voorsorg wou tref. Ons verhouding was formeel. Dit wil sê: aan die oppervlak. Die formaliteit was egter eintlik net 'n beleefde bedekking vir wat die Franse 'n *sympathie* sou noem. Dit was vir ons albei veiliger so. Maar ek dink ons het albei ook aangevoel dat dit vroeër of later na 'n punt gedwing sou moes word – selfs al sou dit jammer wees as dit gebeur.

Teen Mei moes die Ambassadeur 'n konferensie in Brussel bywoon. Victor was met tuisverlof in Suid-Afrika en ek was dus die enigste ongetroude op die personeel. Daarom was dit doodnatuurlik dat hy my die môre op die trap terloops sou vra of ek die volgende week in die ampswoning sou slaap om „'n ogie te hou en die vroumense op te pas". Tog kon ek nie help om te wonder nie: was dit sy gedagte, of hare? En as dit hare was: wat skuil daaragter? Ek sou verkies het om nie te gaan nie, maar dít kon nie. Daarom was dit met heelwat bedugtheid dat ek die volgende middag ná werk 'n klompie goed in 'n tas in Neuilly gaan haal en my intrek in die ampswoning geneem het.

Ek het my egter skynbaar verniet sorge gemaak oor die situasie. Ek is koninklik onthaal; Annette was gereeld teenwoordig; 'n paar keer is ander gaste oorgenooi. Dit het gelyk asof sy doelbewus probeer het om my nie net verleentheid te bespaar nie, maar my verblyf so aangenaam en ongedwonge as moontlik te maak. Dit wil sê : tot die laaste aand.

Ek het die middag al die verskoning van 'n „afspraak" aangevoer, aandete by Valentin in die Rue Marbeuf genuttig, en toe na die Rue de Condé gery. Nicolette was tuis; maar oudergewoonte het die aand verloop in nietighede, in die gebruiklike weiering, en die daaropvolgende rusie. Miskien was dit selfs heftiger as gewoonlik, omdat die voorafgaande week tóg my senuwees subtiel beïnvloed het. Onvergenoeg, terneergedruk en wrokkig het ek teen elfuur by die ambassade teruggekom, in die smal rylaning teenaan die Avenue Hoche geparkeer, Lebon se klokkie gedruk en by die ampswoning ingegaan. Skynbaar was almal al in die bed. Maar toe ek by die onderste ontvangsaal verbykom, het Haar Eksellensie geroep : „Is dit jy, Stephen?"

Sy het alleen by een van die lang tafels gesit en rook. Ek weet nie of sy dit opsetlik gedoen het om die indruk van verlatenheid te verhoog nie (ek het al ontdek dat sy 'n taamlik suiwer, intuïtiewe – maar soms melodramatiese? – talent vir toneelspel het).

„Het jy die aand geniet?" Dit was 'n voor die hand liggende vraag; maar sy het dit nie so bedoel nie.

„So-so." Ek was nie lus vir 'n gesprek nie.

„'n Meisie? Of is ek nou net 'n nuuskierige ou vrou?" Sy moet geweet het dat sy dié aand allermins middeljarig gelyk het.

„Dis geen geheim nie," het ek hoflik geantwoord. „En seker ook niks buitengewoons nie."

„Allermins. Ek sou dink dat daar heelwat meisies is – " Sy het die sin (opsetlik?) onvoltooid gelaat.

„Ongelukkig nié." Teen my sin het ek in die situasie betrokke begin raak. „Ek besit blykbaar 'n gawe om mense eerder af te stoot as aan te trek."

„Jy is bitter vanaand, Stephen."

„Ek het seker rede."

Dis moeilik om *nou* vas te stel hoe dit juis gebeur het. Ek weet dat ek enersyds heeltemal serebraal en nugter haar verwens het oor die ongevraagde snuffelary. Maar daarby was dalk 'n onvermydelike dosis masochisme : ek wou graag my wonde 'n slag in die openbaar lek. (Of het mens in *elk* geval 'n ingebore drang wat jou tot bieg dryf? Dis waarop die religie teer.) By alles was ek bewus van ons afgesonderdheid in die groot barokvertrek, van die leë skemerruimte rondom ons; en van die warmte, rypheid en simpatie in haar, wat my onredelik jonk en veronreg en hunkerend laat voel het – en tog heeltemal sonder die onsekere selfbewustheid wat my by jonger vroue, selfs by Annette, oorval het. Ek het by haar gaan sit en willekeurig, onsamehangend, van Nicolette vertel. Ek het die intiemste besonderhede verklap. Dit het by die verlede uitgekom: by die paar ontnugterings ná my aankoms in Parys; by my jeug, en my ouers, en by al die Sondagaande ná my vader se lang plegtige gebed by die huisgodsdiens, omgewe van die donker; by die hele paradoks van walg en begeer, wil en niewil. Die aand het om ons nag geword. En toe het alles in 'n onvoorsiene, maar onontkombare omhelsing geëindig, waarin daar niks van kind-en-moeder was nie: daarvoor was die nood te groot, en die vervulling te groot, en die liggaamlike bewussyn te groot.

Daar was 'n swyende ooreenkoms omtrent die hele saak, reeds terwyl ons nog bedaard net daarna uit klein kristalglasies likeur sit en drink het: om geeneen, ooit, met woord of gebaar daarna te verwys nie. So iets sou dit dadelik definieerbaar maak, en daarom beperk. Die waarde daarvan was juis dat dit nie geformuleer dúrf word nie, omdat dit dan sigself sou vernietig. Daarom het ons eindelik net ons glasies neergesit, en opgestaan om te gaan slaap, en ek het vir haar gesê: „Nag, Erika."

Ek het lank in my kamer gelê en dink. Van iets so eenvoudig soos ‚skuld' was daar geen sprake nie. Ek het eenvoudig probeer uitpluis hoe dit gebeur het: die ironie daarvan – eers die vernederende episode met die dogter; en nou, onverwags, die aansluiting by die moeder. Alles was so onmoontlik verwikkeld. Tog was alles herleibaar na één enkele vraag: „Wat sal gebeur as die Ambassadeur weet – ?" Dit was vanselfsprekend 'n hipotetiese vraag: daar was geen sprake dat hy dit ooit *durf* weet nie.

Maar juis dít het mettertyd veroorsaak dat ek in hom 'n bedreiging begin sien het: omdat hy nie geweet het nie maar kón weet. En omdat, buite ons albei se doen en late om, hy my hele lot beheer het.

Niks het gedurende die volgende maande verander, of rede tot kommer of besondere vreugde gegee nie. Dit was net, sonder dat dit ooit so gerasionaliseer is, 'n tydperk van ewewig en tevredenheid. En eintlik is daar net een enkele verdere episode wat van betekenis was, onder meer omdat dit dié periode van vervuld-leef afgesluit en alles 'n veel komplekser aanskyn gegee het.

Dit was teen die middel van Oktober vanjaar. Iemand het tienuur die aand aan my deur geklop ('n ongure, winderige aand). Nicolette? Dit sou die eerste keer wees dat sy weer hier aankom ná die aand van die bad en die bed, drie weke tevore. Want net daarna het sy weer weggeraak op haar gewone manier. Daarom het ek haastig gaan oopmaak. Dit was Erika, teen die kosyn. Sy was nie dronk nie, maar dit was duidelik dat sy te veel gedrink het. Dit het my geskok dat sy haar in dié toestand buite die ambassade gewaag het. Ek was wel bewus van dié neiging in haar, maar tot dusver was dit streng tot die ampswoning beperk.

„Het jy – gaste?"

Ek het my kop geskud en haar laat binnekom.

„Aaklige aand," het ek gesê.

„Aaklig? Ja. Ek het my sigarette tuis laat lê. Het jy?" Sy was bewerig toe ek die vlam nader bring. Naderhand het sy gesê: „Ek wou sommer 'n bietjie oorkom. Paul is by die Britse Ambassadeur. Annette is uit met 'n student."

Dit wou nie vlot nie. Die oppervlakkige gesprekkie het ons albei geïrriteer, maar dit was een van dié geleenthede wanneer jy net nie daar kan verbykom nie. Sy het vier, vyf sigarette gerook, die laaste een halfpad laat lê en die lui rook sit en dophou.

„Het jy iets om te drink?" het sy reguit gevra.

Ek het geskerm: „Is dit verstandig?"

Sy het 'n snuiflaggie gegee. „Ek weet. Ek drink te veel. Ek rook te veel. Maar ek kan jou verseker: dis ál waarvan ek te veel doen."

Die sigaret in die asbak het bly rook en rook.

Onverwags: „Ek was toe by die dokter."

„Dokter? Maar waarom? Ek het nie geweet –."

„Ek wou net seker maak. Mens ja vir jouself spoke op. Of sou julle ook sê, soos van Anna Smit se gereelde doktersbesoeke: „Sy laat haar elke drie weke ondersoek omdat dit ál kans is wat sy het om 'n man wettig aan haar te laat vat?' "

„Wat makeer dan eintlik?" Haar laaste opmerking het ek doelbewus geïgnoreer.

„Niks tasbaars nie. Ek kon net nie meer so aanhou nie. Die kleinste dingetjie jaag my op hol. Ek wou eintlik net gerusgestel word."

„En – ?"

„'n Operasie is blykbaar nodig. Amper dringend, glo."

„Maar wáárom tog?"

Haar oë het op myne gebly. „Ek sal net nie meer 'n vrou wees daarna nie, dis al," het sy skaamteloos gesê. Toe – die enigste keer dat ek haar heeltemal onbeheers gesien het: „Jy weet hoe mens met 'n katwyfie laat maak."

„Erika, om vadersnaam – !"

Toe het die histerie, wat lankal aan die dreig was, eers gekom. Sy het haar in my arms uitgehuil. Ek het niks kon sê of dink wat dit vir enigeen van ons makliker kon maak nie, en maar probeer vergoed deur haar hare en arms te streel. Naderhand het sy bedaar, maar nog nie van my wegbeweeg nie. Dit was die intiemste aanraking wat ek met enige vrou gehad het: die gesprek wat ons so gevoer het. Of die monoloog, want ék het nie veel daartoe bygedra nie. Dit was taamlik verward, die náklanke van die skok wat geabsorbeer moes word. Eensaamheid. Frustrasie. Die verwydering van Annette.

„ – Ek *ken* haar nie meer nie. Sy gaan voortdurend uit. Die meeste mense ken ek nie eens nie. Sy self is bitter ongelukkig, maar sy verseg om hulp te vra. Dit kan nie so aanhou nie, nie vir een van ons nie."

En later ook: „Dis vir jóú maklik om hier te wees, weg van jou land en mense. Mens raak blasé daaroor. Maar iets in my dwing deesdae terug. Ek weet nie hoekom nie: met elke tuisverlof wil ek daar weggaan so gou as ek kan. Daar is niks wat my meer dáár bind nie. Niks hier nie. Ek het net losgeraak, drywend iewers heen. Ek glo nie jy kan dit verstaan nie, Stephen. En tog is jy die enigste mens na wie toe ek kan kom."

„Maar hoe kan ék help? Dis so onmoontlik – in ons posisie. Dink aan wat – ."

„Ek weet." Sy het dit amper bars gesê, en opgestaan.

Dit was die eerste keer dat een van ons met woorde aan die saak geraak het. En oombliklik was alles – soos ek vooraf geweet het – berekenbaar, aantoonbaar: 'n amper-goedkoop verhouding.

Sy het my dit nie verwyt nie, maar ek weet dat ek op daardie oomblik teenoor haar gefaal het. (Is dit dan 'n noodlot wat ek met my saamdra? *Moet* dit altyd so gebeur?)

„Ek lyk seker soos 'n voëlverskrikker," het sy gemaak-lig gesê. „Ek moet probeer om iets te red terwyl dit nog kan." En daarmee is sy badkamer toe om haar hare te kam. Grimeersel het sy nie saamgebring nie.

Toe sy terugkom, het sy amper terloops gesê: „Ek het besluit – nou, in jou badkamer – dat ek gaan vakansie hou. Annette moet saam. Dalk klaar dit iets op. Ek glo nie. Maar ek moet probeer."

„Waarheen?"

„Italië," het sy geantwoord, asof sy dit lank oorweeg het. „Dis minstens warm daar. Ek het die koue altyd gehaat, en hier word dit vanjaar te vroeg koud. Alles word koud, alles, alles!"

(Skaars drie weke tevore het Nicolette in hierdie selfde kamer gesê: „Ons is altwee yskoud – ")

Terwyl ons deur toe gaan, het ek gevra: „Hoe lank sal julle weg wees?"

„Weet nie. Ek gaan my aan niks bind nie. Noem dit 'n soort bedevaart." Toe, spottend by die oop deur: „Jy sien: ek word sentimenteel. Op my oudag."

Ek het haar gesoen, of sy my. Dit was soos 'n vraag wat nie beantwoord durf word nie. En toe is sy weg.

5

Wat my verslag betref, hoef ek geensins op gissing of vermoede staat te maak nie – dit sou trouens geen gewig dra by die Minister nie – maar uitsluitlik op bewysbare feite.

Ongelukkig kon ek op geen manier vasstel wanneer die flirtasie tussen die Ambassadeur en Nicolette presies begin het nie. Daar is heelwat aanduidings, meen ek, dat dit al geruime tyd aan die gang was toe ek die eerste maal daarvan bewus geword het - dus reeds vóór Erika se vertrek. Omdat ek my net by feite gaan bepaal, sal ek egter moet begin by die ontdekking wat ek die middag van 6 November gemaak het. Van dié datum is ek baie seker, want dit was die dag net ná die partytjie in my woonstel waar die finale breuk met Nicolette gekom het.

Dit sou die eerste keer sedert ons avontuurtjie wees dat sy weer haar opwagting by my maak. Intussen was ek wel 'n keer of wat by haar, maar dit het nie gevlot nie. Eintlik het dit my verras dat sy hoegenaamd ingewillig het om die aand te kom, maar ek was ook al gewoond aan haar onvoorspelbare luimwisselinge; buitendien was sy versot op sulke partytjies.

Hoewel daar gans te veel mense vir my beknopte woonstelletjie was, het die aand uit die staanspoor geslaag. Dalk was daar by almal 'n amper fatalistiese oorgawe aan die joligheid: 'n ,eet en drink en vrolik wees, want môre – ?' Want vir Suid-Afrika was dit 'n beklemmende tyd, ná die onverwagte wending wat die staking in die omgewing van die Kaap die vorige dag geneem het. Die staking self het lankal gedreig en het soos gewoonlik sy ontstaan in 'n onbenulligheid gehad. Die verskil was dat dit dié keer nie by oor-en-weer dreigemente gebly het nie en dat daar vinnig 'n gevaarlike spanning begin oplaai het tussen die stakers in hulle lokasie en die polisiekordon rondom. Op een tydstip was daar baie amper 'n openlike botsing. Daar was sprake dat die inwoners van ander nie-blanke gebiede ook sou begin staak en desnoods die eerste groep te hulp sou kom. Leërversterkings is aangebring om die polisie by te staan. Die nietigste insidentjie – 'n arrestasie vir 'n pasoortreding; 'n vermaning aan 'n oormoedige dronke – kon onvoorsienbare gevolge hê. En te midde van dié dreigende toestand het 'n paar leiers van die versetbeweging daarin geslaag om kabelgramme aan verteenwoordigers van Afro-Asiatiese lande by die V.V.O. te stuur en ingryping te eis. Dit het die hele saak oombliklik 'n dreigende internasionale kleur gegee.

Ons moes ons verlaat op die verslae in die Paryse koerante en op die onheilspellende flitsberigte wat met ongereelde tussenposes oor die Inligtingsdiens se Hellschreiber gesein is. Dag en nag moes daar iemand in die ambassade op diens bly ingeval die poskantoor sou bel om ons van die aankoms van 'n telegram te verwittig. Die Ambassadeur self was byna sestien uur per dag op kantoor. Die vorige nag was dit my beurt. Dit was een rede waarom ek die aand se fuif soveel as moontlik wou geniet.

Maar Nicolette was ontwykend (wat tussen al die mense nie moeilik was nie). Daarby was sy uitermate verleidelik in haar nousluitende Jerseystofklere. (Kry sy nie koud nie? het ek nog gewonder. Want buite was alles nat en glibberig, met 'n dun windjie.) Dit was amper elfuur toe ek haar vir die eerste keer alleen kry, in die deurmekaar kombuisie. Ek het 'n paar glase kom uitspoel; sy het aartappelskyfies kom soek.

„Hoekom kruip jy so vir my weg?"

„Jy verbeel jou dit." Maar sy was klaar op pad deur toe.

Ek het my vererg vir haar nonchalance en haar aan die arm gegryp.

„Los my, Stephen!" het sy boos gesê. „Jy is dronk." ('n Leuen!) En toe klap sy my.

As ons alleen in die woonstel was, sou ek haar teruggeklap het. Maar daar kon enige oomblik van die ander gaste opdaag, en 'n scène van dié aard kon maklik die Ambassadeur se ore bereik. (Alewig die vervloekte ‚professionele gedrag' wat onthou moet word.)

Sy het van my momentele huiwering gebruik gemaak om los te ruk en bleek, woedend voordeur toe te loop. 'n Oomblik later het dit agter haar toegeklap. Ek het 'n oomblik met toegeklemde hande in die kombuis bly staan om my tot kalmte te dwing. Van één ding was ek seker: dit was die einde, nou was dit *klaar*.

Hoewel niemand na die insident verwys het nie, het dit tog die vrolikheid 'n bietjie gedemp en ondanks heelwat goedbedoelde pogings uit verskillende oorde, wou dit net nie weer vlot nie. Teen middernag was ek alleen oor tussen die oorvol asbakkies en die vuil glase. Binne was dit grys van die rook; buite het dit koud gereën.

Dit was dan die aand van 5 November. En dit was die volgende middag teen drie-uur dat ek Nicolette in die ambassade raakgeloop het. Ek was op pad van die Ambassadeur se kantoor af terug na my eie. Naby die trap se onderpunt het sy by my verbygekom. Ek het styf gegroet. Sy het gemaak of sy my nie sien nie. Dít was egter nie wat my laat vassteek het nie. Maar oor haar regterskouer het sy 'n baadjie van die Ambassadeur gedra. Daar bestaan nie die minste twyfel nie: daardie donkerblou materiaal met die effense grys strepie sou niemand in die personeel ooit miskyk nie. Ek het doodstil op die onderste trappie bly staan en gesien hoe sy verder klim na die eerste verdieping, en daar by die registrasiekantoor verbystap na die Ambassadeur s'n.

Ek was lankal terug in my kantoor voor die volle implikasie van die insidentjie tot my deurgedring het. Ek het gedink aan Erika. Sou dít een van die redes wees waarom sy so oorspanne was? Veral die koelbloedigheid daarvan het my geskok. Terwyl sy in háár verslae toestand deur Italië swerf, skroom hy nie om –. En dit hý: die gesiene diplomaat wat so onverbiddelik eis dat protokol tot in die nietigste besonderheid gehoorsaam word! En juis met Nicolette! Was dít waarom sy die vorige aand so teenoor my opgetree het?

Hoe swaar dit ook al was, ek het besluit om van die hele insident te vergeet. Daar kon hoegenaamd geen heil in wees om my neus daarin te steek nie.

Maar minder as 'n week later, Maandag 12 November – ek het dit aangeteken – was ek besig om 'n nuwe program van werkverdeling met die bodes te bespreek, toe sy weer by die voordeur inkom. Net 'n oomblik het sy vasgesteek, toe uit die hoogte geglimlag en met selfbewuste uitdaging sonder groet met die trap opgestap boontoe. Ek het die kartel van haar rok om haar bene agternagekyk tot sy bo verdwyn het. Sy laat haar dus nie eers deur die bodes aanmeld soos wat selfs die belangrikste besoekers moet doen nie. Sy stap sommer in; en sy doen dit oop en bloot, só seker is sy van haar saak! Ek het meganies die laaste paar instruksies uitgereik en na my kantoor teruggegaan.

Veel werk het ek die res van die dag nie gedoen nie. Maar teen die aand het ek besluit: ek gaan uitvind wat die volle waarheid is. Ek het geen bybedoeling daarmee gehad nie. Dit was net onvermydelik dat ek *moes* weet.

Nog dieselfde aand het ek begin om Nicolette se doen en late dop te hou. Altesaam het ek vier dae aan haar bewegings bestee – sonder dat dit op enigiets uitgeloop het. Toe ek die eerste middag laat, ná werk, in die Rue de Condé aankom, was sy nie tuis nie. (Uit die aangrensende Rue de l'Odéon kan mens haar venster bo op die vyfde verdieping sien.) Ek het in die buurt geëet en tot halfelf die aand versuim, maar daar was geen teken van haar nie. Ek was ook te moeg om langer te wag : hoewel die spanning in Suid-Afrika na 'n paar gevaarlike dae bedaar het (danksy samesprekings tussen die stakerleiers en die regering), het ons nog ons hande vol gehad met al die werk wat daardeur veroorsaak is : onderhoude met persmanne en beleggers, en onderhandelings met die Franse regering in verband met steun in die Veiligheidsraad van die V.V.O. téén die pogings van die Afro-Asiate om die voorval buitensporig uit te buit.

Die tweede aand het ek sowat 'n halfuur daar rondgedrentel voor sy by die voordeur uitgekom en in die rigting van die Boulevard St. Germain begin aanstap het. Ek het haar tot by die metro gevolg, maar in die drukte van dié mal uur het ek haar tussen die mense verloor. Ek kon hoogstens vasstel dat sy in die rigting van die Porte d'Orléans reis, wat my bloedmin gehelp het, aangesien sy op enige volgende stasie op 'n ander lyn kon oorstap. Al wat ek wel kon aflei, was dat dié roete haar nie naby die ambassade sou bring nie. Daarop is ek huis toe, maar teen elfuur het ek op 'n ingewing teruggekom en uit die Rue de l'Odéon gesien dat daar lig bo in haar venster brand. Ek het met die voos ou trap opgeklim tot by haar deur en daar gaan luister. Daar was stemme binne, maar ek kon niks herken nie, want die deur van die klein portaaltjie tussenin was waarskynlik ook toe. Ek het weer buite gaan wag. Haar lig het naderhand doodgegaan, maar niemand het onder by die voordeur uitgekom nie. Ek was nog niks nader aan 'n ontdekking nie. Dit het inspanning gekos om nie weer boontoe te klim en aan haar deur te gaan klop nie. Die blote gedagte aan wat daar aan die gang kon wees, het my koorsig laat gloei. Dit was egter nie meer ék wat op die spel was nie, en ek moes haar maar laat begaan en self kom slaap (!). Die volgende dag het ek verneem dat die Ambassadeur my die aand telkens gebel het in verband met 'n dringende memorandum. Daarvan kon ek aflei – tensy dit 'n set was – dat ek in ieder geval op 'n dwaalspoor was.

Die derde aand het 'n onverwagte en navrante ontdekking gebring, hoewel nie van die soort waarop ek gehoop het nie. Ek het haar teen sewe-uur op 'n veilige afstand gevolg terwyl sy deur die labirint van straatjies in dié buurt aanstap. In die Rue Hautefeuille het sy – klaarblyklik volgens afspraak (en ewe klaarblyklik laat) – 'n vreemde jong man ontmoet. 'n Student waarskynlik, wat ek in ieder geval nie weer sal herken nie. Hulle het in 'n goedkoop restaurantjie gaan eet (die *Acropole* in die Rue de l'École de Médicine) en daarna na haar verblyfplek teruggekeer. Ek het my klaargemaak vir 'n herhaling van die vorige aand se gebeure, maar tot my verbasing het hy teen nege-uur alleen uitgekom en in die rigting van die Luxembourgtuin weggeloop. In haar venster – dit het ek gou gaan vasstel – was daar nog lig. Sou dit beteken dat sy wag op 'n ander besoeker? Of sou sy doodeenvoudig die aand tuisbly? Dit het begin lyk of laasgenoemde die geval was. Maar kort ná tien het sy self by die voordeur uitgekom en sonder 'n oomblik se aarseling na die metro begin stap. Dié keer het ek gesorg dat ek ná genoeg aan haar bly. Nou moes die kaartjieknipster net nie die groen deurtjie tussen ons toeswaai as 'n trein ontydig uit die tonnel peul nie. Ek was byna fatalisties daarvan oortuig dat daar wél iets van die aard sou gebeur, of dan dat Nicolette my sou gewaar (hoewel ek my so goed as moontlik agter 'n koerant weggesteek het). Dit was 'n waagstuk om saam met haar in dieselfde wa te klim, maar die risiko was te groot dat ek haar sou verloor as dit nie gebeur nie. Gelukkig het sy blykbaar geen belang in haar onmiddellike omgewing gestel nie. Die rit was sonder einde. Cité, Châtelet en verder. By elke moontlike aansluitingstasie het ons verbygesteek. Eers op Barbès-Rochechouart het sy vinnig opgestaan – 'n paar sekondes voordat die deure weer sou toeklap – en op die perron uitgestap. Ek het net betyds agternagespring. Sy het na die Porte Dauphine-perron begin koers vat. Toe, vir die eerste keer, het ek 'n vae vermoede begin kry van wat dalk voorlê. Dit het soos 'n swaar klont pap in my maag gelê. Nie dít nie. Here, Nicolette, wees los, wees mal, wees 'n teef: maar nie *dit* nie!

'n Oomblik het ek moed geskep toe ons tóg by Pigalle verbyry sonder dat sy aanstalte maak om af te klim. Maar nog voor Place Blanche het ek gesien dat dít ons bestemming sou wees. Sy het by die deur gaan staan en wag, met haar skraal hande op die blink handvatsel en haar voorkop teen die ruit vasgedruk om die tonnelwande te sien, soos wat 'n kind deur 'n winkelvenster staar. (Maar wat was *hier* om na te kyk?)

Ná die dowwe hitte en knoffeldamp van die metro, was die koue lug bo by die uitgang amper 'n skok. Dit het begin reën terwyl ons onder was. Mense het koes-koes onder sambrele of in dik jaskrae gedrafstap. Motorbande het eentonig gesjor oor die nat. Maar Nicolette het geen oomblik geaarsel nie. Sy ken die pad, het ek gedink. Af in die Rue Blanche, toe in 'n amper onverligte systraatjie op; en tussen twee strepe lig was sy eensklaps – net weg. Ek het vasgesteek. Koue druppels het in my kraag afgeloop. In die skaduwee vlakby my het iets beweeg en 'n heserige stem het gevra: „*Chéri* – ?" Ek het amper vervaard die wit klou van my pols afgeskud en aangestap. Daar was 'n smal donker deurtjie tussen twee geboue. Dáár het sy dus in verdwyn. Ek het rondgekyk. Hier wou ek dit nie sommer in waag nie. Tien tree verder was daar 'n ingang tot 'n sesderangse stripklub. 'n Dik portier met 'n geskifte rooi uniform het my soos 'n aasvoël gestaan en dophou. Aan weerskante van die deur, soos by alle dergelike klubs, was daar 'n verligte raam met foto's van meisies in verskillende stadiums van ontkleding.

„'n Uitstekende vertoning, meneer," het die man begin aframmel. „Die beste in Parys. Kom kyk self. Spotgoedkoop."

Ek het net 'n oomblik gehuiwer, hom toe sy fooi betaal en in die rokerige skemerte ingestap na een van die baie leë tafeltjies. Die hele saal was maar so groot soos 'n kleinerige vertrek. Alles was muwwerig en op die goedkoopste manier denkbaar opgesmuk. 'n Kelner het sjampanje gebring waarvoor ek teen wil en dank 'n onmoontlike prys moes betaal. Oorverdowende musiek het by 'n luidspreker uitgegalm. Tien volle minute het dit voortgeduur. Nog vyf, ses klante het binnegekom – almal mans, en almal middeljarig. By die kroegtoonbank agter het 'n paar plomp hoere soos henne op 'n stellasie gesit en telkens te skel gelag. Om elfuur het die ‚show' begin. Vulgêre, lomp bokkesprongetjies; tweedehandse kostuums wat waarskynlik teen 'n appel en 'n ei op die vlooimark gekoop is; geen koördinasie of ritme nie. Ná sowat 'n halfuur het 'n olierige seremoniemeester die aand se ‚ster' aangekondig. Die fabelagtige, weergalose, unieke, sexy Lulu – of so iets.

'n Verskeidenheid gekleurde volstruisvere het op die verhogie verskyn. En in die middelpunt, soos 'n blomhart, Nicolette, met sensuele rooi lippe, dikgeverfde oë en 'n blonde pruik. Die res was voorspelbaar: die vere het verminder tot sy oplaas met net 'n klein blink *cache-sexe* begin rondbeweeg het. Sy het nie juis sleg gedans nie, hoewel dit niks besonders was nie. Die ligte het beurtelings al die kleure van die reënboog aangeneem. Die musiek het wilder geword. Sy het hard asemgehaal, asof die inspanning ongewoon was. Vir die eerste keer het ek haar heeltemal onpersoonlik beskou, nét as liggaam: met haar lang arms, en haar klein, stywe borste, opwaarts gepunt asof daar twee bye op sit, haar effens hoekige heupe en skraal bene. Was sy dan reduseerbaar tot dít? En waarom dan my melancholie? Dit was ongevraag, want in háár was daar geen blyke van skaam-wees nie. Eerder: 'n onbedekte minagting vir die versameling impotente ou here wat haar sit en aangaap; 'n uitdagende verset teen die klein rokerige saaltjie, 'n vry-wees soos van iemand wat net aan haarself behoort. Húlle glo nog die illusie! het ek wrang gedink. Hulle tel die ledemate, en wat die flappie bedek, bymekaar en bereken die ekstase daarvan. Maar ék – ek hét haar som al gemáák; ek ken haar koue antwoord. *Quod erat demonstrandum.*

Maar hoekom het ek, toe sy van haar verhogie afspring en tussen die tafeltjies begin deurloop, opgestaan en gevlug? Nie omdat ek dit nie meer kon uitstaan of omdat ek bang was nie; nie omdat ek háár enige verleentheid wou bespaar nie. Maar dalk – ek moet dit erken – omdat dit nie *kon* gebeur dat sy van my weet, en dat ek wéét sy weet nie.

In die taxi terug na waar ek my motor gelaat het, het ek opsetlik probeer om niks te dink wat onmiddellik verband hou met wat ek so-ewe gesien het nie. Behalwe: „Hoeveel sou sy kry vir die aand?" Daar was natuurlik ook die moontlikheid dat die aand nie vir haar met die ‚show' eindig nie. Baie van dié hole maak spesiaal voorsiening vir belangstellende klante daarná –

Maar waarom sou ek my daaraan steur? Waarskynlik geniet sy dit. Ons was niks aan mekaar verskuldig nie. Al wat saak gemaak het, was: as dit moes uitlek dat die Ambassadeur juis met só iemand rondflenter, dan was dit ineens veel gevaarliker as wat ek vantevore gedink het.

Drie aande het dus niks opgelewer nie. Dit het tot my deurgedring dat ek waarskynlik die saak van die verkeerde kant af benader: dit was nie vir háár wat ek moes dophou nie, maar die Ambassadeur self. Dit sou gevaarliker wees; en dit was meer vernederend. Teenoor haar sou ek my nog kon regverdig as ek betrap word. Teenoor hom nié.

Maar dit het tog begin lyk asof ek in 'n cul de sac beland het: die eerste aand het die Ambassadeur tuisgebly. Die tweede aand het hy 'n amptelike dinee bygewoon en direk daarvandaan huis toe gekom; die derde aand het hy ná 'n besoek aan die Australiese Ambassadeur weer eens reguit na die Avenue Hoche teruggekeer.

Dit was laat Sondagmiddag 18 November dat hy die eerste verdagte stap gedoen het. Van waar ek 'n entjie laer af in die Avenue Hoche aan die oorkant van die straat geparkeer was, het ek hom by die buitedeur sien uitkom. Hy het begin aanstap na die Place de l'Étoile. Ek het my motor aangeskakel en stadig nader gery totdat ek hom in 'n taxi sien klim het. Om die behendige taxibestuurder te probeer volg, sou ongerade of selfs onmoontlik wees. Ek moes eenvoudig maar hoop dat my vermoede korrek was en sorg dat ek self so gou as moontlik in die Rue de Condé kom. Die verkeer was nie danig druk nie, maar die ligte was reeds aan sonder dat dit al stikdonker was, sodat mens moeilik kon sien. Anderkant die Pont de la Concorde het dit makliker gegaan, omdat ek byna blindelings die helder geel ligte van die Boulevard St. Germain kon volg.

Ek het eers gaan kyk of haar lig brand. Die venster was donker. Dit in sigself het nog niks bewys nie. Ook nie die aangaan van die lig omtrent vyf minute later nie. Op die hoek van die Rue Saint-Sulpice het ek teen 'n muur gaan leun, en gewag. Elke tien minute het ek net gaan seker maak dat die lig nog brand. Dit was amper 'n uur later, juis met die terugkom van een van dié klein ekspedisies, dat ek haar onverwags uit die rigting van die Boulevard sien aankom het: tydsaam, met 'n doekie om haar donker hare, besig om frites uit 'n vetbesmeerde kardoes te eet. Het ek dan al die tyd die verkeerde venster dopgehou? Ek het haastig padgegee sodat sy my nie moes sien nie, en my gaan vergewis. Onmoontlik. Sou dit beteken dat hy intussen maar in haar kamer gesit en wag het? Maar hoe het hy dan ingekom (mits dit natuurlik wel hy was) – tensy hy 'n sleutel van sy eie gehad het? Eindelik was my bietjie speurwerk besig om op iets af te stuur. Maar daar was skaars opwinding in my: eerder 'n amper-nausea oor wat ek dalk sou ontdek, en oor die wyse waarop dit my onvermydelik daarby sou betrek. Ek wou los bly. Maar ek glo nie ek kon meer nie. Die blote wéét sou my al vasvang. En weet, dit *moes* ek.

Dit was byna sewe-uur toe die gebou se voordeur skielik oopgaan. Dis 'n pragtige, hoewel verwaarloosde, ou deur met handgesnede motiewe daarop: appels, druiwetrosse, 'n faun en 'n nimf. Ek het om die hoek weggekoes. Eers toe hulle aan die oorkant van die Carrefour de l'Odéon kom, het ek finaal besef dat dit wél Sy Eksellensie was wat daar langs haar ongeërgde meisiesfiguurtjie stap.

Daarmee het ek eintlik genoeg verdoemende getuienis vir my doel gehad. Maar ek wou dubbel seker maak: ek kon my nie in so 'n saak waag voordat ek van elke greintjie twyfel ontslae was nie. (En bowendien het ek destyds nog geen bewuste voorneme gehad om 'n verslag op te stel nie.)

Op Vrydag 23 November het hy haar weer besoek. Dit was ongeveer 8 nm. Ek het 'n driekwartier soos die vorige keer op die hoek van die Rue Saint-Sulpice gewag. Hierdie keer het dit taamlik sterk gereën. Waarskynlik was dit een van die redes waarom ek op 'n gegewe oomblik – sonder om enigsins iets so duidelik soos 'n ‚besluit' te neem – die knoppie gaan druk het wat die knip van die ou versierde deur laat oopgaan, en binnegestap het. Toe eers het ek besef, en aanvaar, dat ek op pad na haar toe was. Ek het stadig met die stukkende trap opgeklim: stadig, omdat daar gewoonlik net op elke tweede verdieping 'n flou gloeilampie brand. Buitendien werk die tydskakelaar sleg en kort-kort gaan die lig uit terwyl mens halfpad teen 'n stel trappe is. Dan moet jy maar voel-voel verder, al teen die mure langs, tot jy weer by 'n skakelaar kom, en weer hoër klim. Hier en daar is gebreekte treetjies; die meeste het ek egter al geken.

Ek het seker goed vyf minute voor haar deur bly staan. Binne kon ek niks hoor nie. Ek het gevoel dat die vel stywer as gewoonlik oor my slape en kake span. (Sou hulle – ?) Toe het ek geklop. Daar was geen antwoord nie. Ek het weer geklop.

Na 'n rukkie het ek 'n geskuifel gehoor. Sy het kaalvoet, en in haar onderklere, op die drumpel verskyn. Die middeldeur agter haar was toe. Haar hare was los. Dit het gelyk of sy skrik toe sy my sien.

„Wat wil jy hê?"

„Ek het kom kuier."

„Ons is uitgekuier."

„Het jy dalk – 'n ander gas?"

„Nee."

„Hoekom kan ek dan nie inkom nie?"

„Omdat ek nie wil nie."

Ek sou wel die deur kon oopdwing, maar waarom? Ek het genoeg geweet. Een ding kon ek darem nie nalaat nie. Net voor ek weg is, het ek haar vas aangekyk en gesê: „Jy speel met vuur, Nicolette." Sy het agter my uitgekom en by die trap se boonste reling bly staan toe ek afgaan; ek het vermoed dat sy onrustig voel oor wat ek gesê het, maar het opsetlik nie opgekyk nie. Terselfdertyd het ek nie geweet of ek 'n oorwinning behaal of 'n nederlaag gely het nie.

Onder het ek weer gaan stelling inneem. Soos ek voorsien het, het die Ambassadeur kort daarna by die voordeur uitgekom. Hy het 'n rukkie daar bly rondstaan, opgekyk asof hy haar bokant hom verwag het, toe stellig onthou dat haar venster aan die agterkant van die gebou sit, en in my rigting begin aankom. (Ek het betyds om die hoek geretireer.) By die Carrefour het hy weer gaan staan, toe blykbaar iets besluit en na die Boulevard St. Michel begin aanstryk. Daar het ek tien minute later binne die glasafskorting van 'n kafeeterras langs sy tafeltjie kom staan en gesê:

„Goeienaand, Ambassadeur. Ek het nie verwag om u hier te sien nie."

Hy was klaarblyklik uit die veld geslaan, maar het my tog genooi om te sit. In die loop van die volgende kwartier, terwyl hy sy koffie en ek my grog sit en drink het, het ek vooraf berekende vrae gestel, soos: „Kom u meermale in dié deel van die stad?" „Dis 'n nare aand om buite te wees, nie waar nie?" Ensovoorts. Dit was 'n kat-en-muisspeletjie waarin ek heelwat behae geskep het. Miskien is dit nie baie ‚edel' van my om dit te erken nie (maar dan ten minste eerlik: en hoeveel van mens se optrede is ooit edel? Ons is nie 'n edel spesie nie). Dit was die eerste keer dat ek in my verhouding met hom die hef in hande gehad het, en dit was byna 'n ervaring van bevryding. Nie dat hy selfs met die geringste gebaar laat blyk het dat ek hom op die verkeerde voet betrap het nie. Daarvoor was hy te goed geskool as diplomaat. En op my ‚onskuldige' vrae het hy gewoonweg geantwoord dat hy die stad stelselmatig probeer verken; en dat hy daarvan hou om in reënweer buite te wees. („Mens raak vermuf in 'n bedompige kantoor.") Later is ons saam in 'n taxi terug. Nadat hy by die ambassade afgeklim het, het ek die bestuurder laat terugry na die Rue Monsieur le Prince waar my eie motor nog gestaan het.

Nog steeds het ek niks gedoen met die inligting waarmee ek opgeskeep gesit het nie. Ek het eenvoudig – tydelik – in 'n kolk beland waaruit ek nie kon kom nie. En minder as 'n week later (Woensdagaand die 28ste) is die volgende velletjie getuienis tot my legger toegevoeg. Die militêre attaché het dié aand 'n onthaal in die ambassadeurswoning aangebied. Dit was 'n gewone, saaie, formele skemergeklets. Maar tussen die gaste was daar skielik: mej. Nicolette Alford. Dit was die eerste keer dat ek haar ooit op 'n amptelike onthaal gesien het. In sigself was daar niks mee verkeerd nie: verskeie Suid-Afrikaners het gewoonlik by sulke gesellighede opgedaag. Maar Nicolette se onverwagte belangstelling – veral ná haar meermale uitgesproke afkeer van enige amptelike gedoe – was sekerlik nie heeltemal onskuldig nie. En waar sou die ambassade eensklaps aan haar adres gekom het om 'n uitnodiging te stuur, nadat sy al die jare kentang gespeel het? Ek het my voorgeneem om haar in die oog te hou. Maar halfpad deur die aand is ek bygedam deur die vrou van 'n Franse generaal, en toe sy uiteindelik padgee, was Nicolette skoonveld. Letterlik skoonveld, nie net tydelik weg tussen die mense nie. So gou as wat die protokol dit veroorloof, het ek self vertrek.

Lebon, die concierge, was op sy pos by die voordeur, effens verkreukel soos gewoonlik. (Mens kry die indruk dat hy altyd so pas saam met 'n vrou in die bed was.) Ek was al halfpad verby, toe ek skielik 'n ingewing kry en terugdraai.

„Het jy juffrou Alford sien uitkom, Lebon?"

„Alford?"

Ek het haar vlugtig beskryf.

Hy het geglimlag op 'n manier wat te kenne wou gee dat hy veel meer van haar weet as ek, en gesê dat hy haar nie gesien het nie. Dit was moontlik dat sy saam met 'n groep ander gaste uit is, maar hy kon niks met sekerheid sê nie.

Die volgende dag kort voor die teepouse het hy na my kantoor toe gekom. Ek was nie lus vir sy praatjies nie.

„Ja, Lebon?" het ek kortaf gevra. „Wat is dit?"

„U't gisteraand na juffrou Alford verneem." Sy kleinerige ogies het geblink agter die brilglase.

„Wat van haar?"

„Sy't toe eers heelwat later huis toe gegaan."

„O." Ek het die teleurstelling nie probeer wegsteek nie.

„Héélwat later." Hy het hom met sy hande op my lessenaar gestut en oorgeleun sodat hy sagter kon byvoeg: „Drie-uur, om die waarheid te sê."

Ek het hom begin uitvra, maar hy kon niks van waarde daaraan toevoeg nie. Nie dat bykomende inligting eintlik nodig was nie. ‚Inligting', ‚getuienis', ‚bewyse': van alles het ek meer as genoeg gehad; vir my gemoedsrus eintlik te veel. Maar genoeg of te veel wáárvoor? Selfs op daardie laat tydstip het ek nog geen vaste doel of plan daarmee gehad nie. Totdat Lebon die oggend in my kantoor verskyn het – ek moet dit weer benadruk – was dit 'n versamel van waarnemings as doel-op-sigself. Die enigste verskil wat sy bykomende brokkie gebring het, was dat ek nou bewus begin raak het van die louter gewig, die las, die ballás van alles wat aan die lig gekom het. Dit was geen skuldgevoel nie; bloot 'n bedruktheid, 'n onrustigheid, 'n opgeskeeptheid – daarmee en met myself. Ek het pertinent begin wonder: waarheen mik hy? Waarheen is ék aan die beweeg? Waar, en hoe, gaan ek ontslae raak van alles?

Onder ander (‚normale'?) omstandighede sou die voorvalletjie by die onthaal van die Doyen van die Diplomatieke Korps in die Hôtel de Ville op die aand van Vrydag 30 November hoogstens 'n momentele ergernis veroorsaak het. Maar op daardie tydstip was dit die vernouing in die stroom wat alles onherroeplik laat vaart kry het.

Dit was 'n mistroostige dag. Die stad se eeue het swaar op hom gelê. Vroegoggend toe ek deur die triestige mis oor die sypaadjie na die ambassade se voordeur stap, het 'n begrafnisbus in die straat verbygekom, met formele rytjies mense in roudrag binnein. In die mis was daar 'n geluidloosheid omtrent die verkeer wat alles onwerklik laat voorkom het: 'n makabere dodevaart, met die vaalswart gebouelyne weerskante van die straat soos verkoolde rivieroewers. Die onverklaarbare misère, die cafard, die siekte-met-'n-duisend-name het genestel in my binneste. In die loop van die dag het 'n honderd nietighede daartoe bygedra om alles te vererger. 'n Tikster wat 'n paar flaters gemaak het met die afronding van 'n verslag waarop die Ambassadeur dringend gewag het, sodat ék vir die versuim berispe is. Anna Smit wat háár terneergedruktheid 'n driekwartier lank met my kom ‚deel' het. Die besoekende eggenote van 'n Suid-Afrikaanse volksraadslid wat 'n uur lank allerlei snedighede sit en kwytraak het oor die ondoeltreffendheid van ‚sommige' amptenare, wat sy gewis deur haar man onder die Minister se aandag sou laat bring. En daarby: 'n knaende sinuspyn wat neus en oë en voorkop eentonig laat klop het.

In die loop van die middag het 'n lêer spoorloos verdwyn. En in die soektog daarna het ek – ongevraag en onvoorbereid – iewers in 'n laai op die vel papier afgekom waarop ek die eerste dag 'n paar besonderhede in verband met Nicolette se verlore paspoort aangestip het. Agtien maande het my daarvan geskei. Agtien maande waarin ek wát bereik het, wáár uitgekom het? Die futiliteit van die hele affêre, van álles, het my oorval. Dit was of ek 'n oomblik genadeloos objektief na myself kon kyk. Wat ek ontdek het, was 'n soort nagmerrie: 'n klein wit wesentjie in 'n klein donker kamertjie met net 'n toe deur en 'n sleutelgat; en 'n hele lewe wat daaraan gewy word om deur dié sleutelgat na buite te loer, hoofsaaklik omdat daar in die klein kamertjie self niks te siene was nie. Maar dit is ook geen uitloer na 'n buitelandskap nie. Anderkant die sleutelgat is daar net 'n slaapkamer: 'n bed. En al wat die wesentjie doen, is om met 'n gloeiende rooi oog te staar na 'n nimmereindigende reeks intieme, perverse taferele op die bed, almal variasies van dieselfde oorspronklike toneel. Die wesentjie verfoei dit en skreeu allerhande obsene belediginge aan die swyende, hygende figurante op die bed, maar hulle hoor hom nie omdat geen klank deur die sleutelgat kan dring nie. Hy durf ook nie die sleutelgat toestop nie, omdat hy dan sal verstik in sy eie kamertjie. Hy sal graag die deur wil oopbreek, maar hy weet dat dit nag is buitekant die kamer-met-die-bed, en hy is bang vir die donker.

Ek het onbedaarlik daarna verlang om by Nicolette uit te kom; 'n oomblik het ek selfs besluit om onmiddellik ná die werk na haar toe te gaan. Maar ek het my dryfvere probeer ontleed en die uitloop van so 'n besoek bepaal – en daarteen besluit. Wat sou ek vir haar sê? Dat ek haar wil hê? Sy sou my uitlag. En belangriker: sou dit waar wees – *wou* ek haar hê? Of wou ek haar hoofsaaklik kwets, haar sê dat ek ‚alles weet'? Sy sou hoogstens sê: „So what?" en uitvind hoe dit kom dat ek weet; ek kon my voorstel hoe sy op dié variasie van die sleutelgatloerdery sou reageer. Dalk sou ek – tóg – graag reguit vir haar wou sê: „Nou weet ek wat jy is. 'n Doodgewone stripteasertjie in 'n oes nagklub." Maar sou dit haar juis skok? En hoekom sou ek haar *wou* skok? Ensovoorts. En die enigste resultaat van al die gepieker was dat dit my hoofpyn vererger het.

Toe ek half-ses in die donker buite die ambassade kom, is ek reguit woonstel toe. Ek het op 'n hoek van die divan gaan sit met 'n glas brandewyn. Stephen Keyter, derde sekretaris, budding young diplomat, godsalige mislukking: prosit. Buite was daar min verkeer. My straat is stil. In dié buurt sonder die mense hulle tussen hulle mure af. Gebou op gebou, blok op blok – dit het my eensklaps skrikwekkend vasgevat –, verdieping op verdieping met eenderse deure en vensters. Here, en al die mense wat daar binne aan die wroet en wriemel en teel is. In die keiserlike Rome, in Babilon was daar al sulke geboueblokke. En nog gaan dit voort: beweeg, gesels, vreet, en paar. Geslag op geslag, geslag ná geslag. En *homo sum* –. Ek het weer my glas volgeskink, die kussings regop teen die muur opgeskuif en my daarteen gestut. Ek drink te veel, het ek afgetrokke gedink. So iets het Erika ook gesê, een aand hier. Nou is sy, soos haar woorde, weg; op soek na êrens waar dit warm is. 'n „Bedevaart" het sy dit self, sinies, genoem. Was daar wesenlik verskil tussen dié optrede van haar en Nicolette se spel-om-die-bed? Albei is eintlik selfbegogeling, 'n kammalieliespeletjie om aan die beweeg te bly, die bloedsomloop gaande te hou, die uiteindelike kilte af te weer; 'n soort patetiese inkantasiedansie voor die dooie gode. Die een op haar mekkareisie; die ander 'n perfunktoriese hetere van Aphrodite. (En tot wanneer hou dit aan? Tot die tam hart vanself gaan staan, of tot jy op 'n dag jou man se rewolwer ‚skoonmaak' en nie meer omgee oor jou kinders nie?) En tussenin – of eenkant – : ek. Wat van my pelgrimstoggie, nie na 'n ‚ewigheid' nie, maar na 'n ambassadeurskap oor twintig of vyf-en-twintig jaar? Maar ék lewe ten minste binne berekenbare perke; ek probeer niks besweer nie; ek bestaan duskant illusie. Ek weet nie of dit meer of minder troosteloos is nie. Maar dan: sou dit selfs ter sake wees?

Ek het my leë glas neergesit, opgestaan en begin aantrek vir die onthaal. As daar enige voorwendsel versin kon word wat my kon laat wegbly, sou ek dit sonder aarseling gedoen het. Terwyl dit nie kon nie, het ek my volgens voorskrif geklee, 'n paar pille gesluk wat geen verskil aan my hoofpyn sou maak nie, my in 'n jas verskans en afgestap na my motor onder.

Daar was 'n hele paar honderd mense in die imposante saal met die kristallugters en die barok muurversierings. Oënskynlik was almal die wellewendheid self; maar 'n mens ontdek gou dat dit eintlik net 'n manier is om kollektiewe verveling so hoflik as moontlik te uit. Die pers sou oudergewoonte die volgende dag berig van „keurigheid", „gedistingeerdheid" en „sjarme", met foto's van die paar opvallendste vroue en die paar buitensporigste uitrustings; maar dis 'n luister wat net buitentoe straal. Nie dat dit nie op 'n eienaardige manier ook – soms – 'n bekoring het nie. Dit hou 'n uitdaging in om die spel so behendig as moontlik te speel; dis 'n ballet van gebare, uitsprake, verhoudings. By wyle werk dit selfs verdowend op mens in, word op die duur amper 'n sncesige verskansing. Op weinig ander maniere word dit aan jou tuisgebring dat jy só ingeskakel is in 'n delikate verband met 'n ontsaglike organisme, só volkome aangewys is op 'n *geheel*. Dis meer as net 'n ontkenning van individualiteit: dis 'n oplos daarvan, 'n ontslae-raak daarvan, ter wille van 'n harmoniese simbiose waar alle ‚laer drifte' mirakuleus uitgeskakel is, die Id nie meetel nie. Maar dié aand het dit my net geïrriteer, sy dit as gevolg van my morose selfbetragting vooraf, of as gevolg van die paar glase drank. Ek het die nodige korrekte gebare uitgevoer, selfs bygedra tot 'n gesprek of wat, maar geen verband met die geheel aangevoel nie. Uitkomkans was daar egter nie: ek sou teen wil en dank moes bly totdat die Ambassadeur besluit om te loop. En aangesien dit die eerste werklik belangrike samekoms van al die stad se diplomate was sedert die moeilikhede in Suid-Afrika vier weke tevore begin het, sou hy sekerlik die kans benut om aan soveel mense as moontlik die ‚ware toedrag van sake' tuis te bring. Ek self het gelukkig daarin geslaag om gedurende die eerste helfte van die aand dergelike gesprekke te vermy. Maar toe het die verwaande sekretarissie van die Indiese ambassade, met wie ek tevore al taamlik heftige meningsverskille gehad het, digby my iets gesê soos: „This is only the beginning for the South Africans"; daarna het hy vol neerbuigende vriendelikheid na my omgedraai – asof hy toe eers van my teenwoordigheid bewus geraak het – en soetjies gevra: „Or doesn't Mr. Keyter agree?"

Op enige ander aand sou ek my òf taktvol daaruit losgepraat het, òf met professionele geduld en onpartydigheid die saak bespreek het. Maar dié aand was ek nie lus vir die fariseërspeletjie nie.

„Dit kan my nie skeel wat jy dink nie," het ek kortaf gesê. „Dink jy jou bevooroordeelde opinietjie sal enige verskil aan die saak maak?"

Hy het met onverstoorbare beleefdheid gereageer. Ná my aanvanklike uitbarsting het ek ook binne die perke van hoflikheid gebly; maar waarskynlik tog effens harder en driftiger gepraat as wat wenslik was. Ek het in elk geval heeltemal van die ander omstanders vergeet – en ook, tydelik, dat dit my taak as junior lid van die ambassade was (Harrington is tans met tuisverlof in Suid-Afrika) om 'n ogie oor die Ambassadeur te hou ingeval hy iets nodig het.

Daarom het dit my heeltemal onklaar gevang toe Sy Eksellensie onverwags langs my verskyn, hoflik maar onpersoonlik vir die ander mense in ons groepie knik, en sonder enige blyke van sy ware gevoelens vir my sê: „Dit spyt my om te steur, Keyter, maar ek het net daaraan gedink dat daar moontlik vanaand 'n kabel in verband met die Eerste Minister se verklaring in Kaapstad sal kom. Sal jy asseblief ambassade toe gaan en daar 'n ogie hou tot ek kom?" Hy het Engels gepraat sodat die omstanders wat nuuskierig of onbeleefd genoeg was om te luister, dit kon verstaan. Maar nóg ek nóg hulle kon werklik getwyfel het aan die ware rede vir sy tussenkoms. Sy Eksellensie kon ewe goed maar gesê het: „Sorg asseblief dat jy onmiddellik hier padgee."

Ek het probeer om geen gesigspier te verroer nie, gesê: „Seker, Ambassadeur," die kringetjie debatterendes gegroet en so onopsigtelik as moontlik vertrek.

Die vreemde was dat ek geen woede gevoel het terwyl ek op pad was na die ambassade toe nie. Ek het letterlik niks gedink nie. Selfs die drie leë ure wat ek – vergeefs, natuurlik – in my kantoor gesit en wag het, het ek geen verset gevoel nie. Hoewel ek moet erken dat ek my toe *opsetlik* weerhou het van enige gedagte aan die insident.

Daarom kon ek hom betreklik onpersoonlik aanhoor toe hy laat die aand na my toe kom en skynbaar gesellig vra: „Geen telegram nie?"

„Nee, Ambassadeur." Ek het in sy oë gekyk.

„Jy besef natuurlik dat jou optrede vanaand hoogs onprofessioneel was?"

Ek het nie geantwoord nie.

„Ek weet nie wat jy werklik alles gesê het nie," het hy vervolg. „Ek vertrou dat jy genoeg verantwoordelikheidsbesef sou gehad het om niks buitensporigs kwyt te raak nie. Maar die blote toon waarop jy gepraat het, is iets wat ek nie weer sal duld nie."

„Ek is jammer, Ambassadeur," het ek gesê, omdat dit van my verwag was.

„Onder gewone omstandighede regverdig jou optrede 'n rapport aan Hoofkantoor." Sy grys oë was onwrikbaar. „Ek sal dit hierdie keer nie doen nie. Maar in die vervolg moet jy onthou dat daar op jou gedrag gelet word."

Daarmee was die onderhoud verby. Behalwe dat hy onder by die voordeur bygevoeg het: „Ek het 'n goeie dunk van jou bekwaamheid, Keyter. Anders sou ek vanaand se gebeure nie in so 'n ernstige lig beskou het nie."

Kort daarna was ek tuis. Ek kon – en wou – niks omtrent die hele aangeleentheid rasionaliseer nie. Tog het ek net, heeltemal onlogies, aangevoel: dít is dan waarheen alles beweeg het. Dalk is dit goed dat dit dan ten minste bereik is. So planloos kon dit nie voortgaan nie.

As ek daardie aand, of die volgende dag, sou begin het om my verslag op te stel en die formele klag teen die Ambassadeur aanhangig te maak, sou my optrede nie vrygespreek kon word van persoonlike wrokkigheid nie. Maar nou het ek tyd gehad om te besin en alles uit te sorteer. En gister het daar 'n kodetelegram van die Minister van Buitelandse Sake aangekom met die opdrag dat vroeëre tentatiewe onderhandelings met die Franse regering in verband met wapenaankope dringend hervat moet word. Die onlangse moeilikhede in Suid-Afrika sal dié saak uiteraard kompliseer. En as die Ambassadeur se persoonlike gedrag in hierdie stadium verdenking op sy integriteit sou plaas, kan alles skipbreuk ly. Dáárom gaan dit nou. En: om die skynheiligheid van sy dubbele lewe.

Daar is niks anders wat ek kan of durf doen nie. Ek het dit oorweeg om die saak met Masters te bespreek, maar ek weet vooraf waarop dit sal uitloop: òf alles sal onmiddellik doodgeswyg word, met 'n swaard wat oor my sal bly hang; òf hy sal op eie inisiatief optree en my in die donker laat bly. Daarvoor sien ek nie kans nie. Ek het nog nooit 'n geleentheid gehad soos dié nie.

Die apostel kon sy klein nag verlig met geloof, hoop en liefde. Ek het geen geloof in geloof nie, en skaars hoop op hoop. En van liefde weet ek nie. Ek het net my verslag. Ek het met alle ander dinge misluk. Maar hiermee nié.

KRONIEK

I

Sy het aan die einde van 'n amptelike dag na hom gekom.

Dit was asof onsigbare strale uit die hele Europa en uit die ver suidland almal gekonvergeer het op dié swaar lessenaar, dié telefoon, dié memorandumblok, dié vaste en versorgde hand. Die vorige dag, 4 November, het die berig van die onverwagte wending in die Kaapse staking gebring. Uiteraard was die Hellschreiber se inligting saaklik, kursories, in meer as een opsig kripties. Die aandkoerante het dit op hul voorblaaie uitgeplets, nes die vorige keer in 1960, opgeluister met radiofoto's van die leiers en die polisiekordon om die lokasie. Die toestand was glo, soos dit lui, „onder beheer", maar vir die pers was dit net die begin. Daar is gepraat van „komende botsing", „bloedbad", „rassehaat", „tweede Sharpeville".

Spesiale verteenwoordigers van die vernaamste Franse koerante is aangesê om onverwyld na Suid-Afrika te vertrek. Dié mense moes almal onder die soeklig kom voordat visums uitgereik kon word. Vanweë die neteligheid van die saak, moes elke geval deur die Ambassadeur persoonlik nagegaan word vir aanbevelings aan die Departement van Binnelandse Sake in Pretoria. Nog voordat die ambassade die oggend van die vyfde amptelik oop was, het verteenwoordigers van linkse en regse groepe al voor die deur begin saamdrom: die linkses om te protesteer, die regses om hulp aan te bied. Daar was sprake van 'n betoging deur Afrika-studente dié middag in die Avenue Hoche. Vroegtydig moes daar met die polisie reëlings getref word om ter bestemder tyd 'n kordon om die blok te vorm.

Dringende kabelgramme moes geformuleer word om na Londen en Pretoria te gaan: eersgenoemde in verband met eenvormigheid van optrede, laasgenoemde om dringend volledige besonderhede en instruksies aan te vra. Want vier-en-twintig uur ná die begin van die staking was die Suid-Afrikaanse regering nog steeds besig om die toestand dop te hou voordat 'n amptelike interpretasie aan die buitelandse sendings gestuur kon word. In die loop van die dag was daar 'n besoek van 'n afgevaardigde van die Franse ministerie van Buitelandse Sake; 'n persoonlike navraag van die Britse Ambassadeur; telegramme uit Rome en Den Haag; verteenwoordigers van firmas met uitgebreide beleggings in Suid-Afrika. En elk was gesteld op die belangrikheid van sy saak. Elk wou persoonlik gerusgestel word.

Die Ambassadeur het uiterlik geen teken van irritasie of onsekerheid getoon nie. Stelselmatig het hy sy werk verrig, mense te woord gestaan, gemoedere gekalmeer. Dié voordeel het hy gehad dat hy ná dertig jaar in die Diens 'n taamlik suiwer vermoë ontwikkel het om die kern van 'n saak te snap, om bykomstighede te ignoreer en by die wesenlike uit te kom. Maar hy kon hom nie onbepaald op intuïsie verlaat nie. Dit het ook nie in sy aard gelê om net wal te gooi nie: hy het geglo aan positiewe, oortuigende optrede. Maar daarvoor moes hy eers oor die volledige feite van die saak beskik. Veral sedert die aankondiging van die stakers se telegramme aan Afro-Asiatiese afgevaardigdes by die V.V., het dit dringend geword.

Kort na middagete het die eerste telegram opgedaag. Dit is baie vinnig ontsyfer en na hom gebring. Klaarblyklik was dit die Minister se eie handewerk, herkenbaar aan die toon van formele omslagtigheid (iets wat die Ambassadeur nooit kon veel nie en wat hom al meermale laat besluit het dat die man klaarblyklik geen beroepsdiplomaat was nie; dit het tevore al tot 'n mate van spanning tussen hulle gelei). Die telegram het kortliks die gebeure volgens die Minister se siening geïnterpreteer en 'n aantal riglyne verskaf waarvolgens die buitelandse verteenwoordigers kon handel.

Die tweede telegram het teen half-vier by die ambassade aangekom. Dié een was kort en saaklik (dus die werk van die Minister se sekretaris): *Vra onmiddellik onderhoud met Franse Minister van Buitelandse Sake aan in poging om Afro-Asiatiese voorstel uit Veiligheidsraad te hou.* 'n Halfuur daarna, nadat die Ambassadeur reeds telefonies 'n afspraak met die Franse Minister laat maak het, is die derde telegram afgelewer, met uitvoerige instruksies in verband met die komende onderhoud. Die Ambassadeur het hom in sy kantoor afgesonder en onmiddellik begin werk aan 'n konsepmemorandum vir 'n onderhoud.

Want met die reaksie van die Afro-Asiatiese lande het die saak nou 'n bedenklike wending geneem, hoewel dit natuurlik uit die staanspoor 'n voorsienbare moontlikheid was. As dié lande daarin sou slaag om hierdie keer 'n drastiese voorstel deur die Raad te loods – en die omstandighede het in hulle guns getel – kon dit noodlottige gevolge hê.

Teen sewe-uur, terwyl hy nog besig was met sy memorandum, het die raad. Masters, binnegekom met 'n telegram uit Londen wat hy so pas ontsyfer het.

Trafalgar Square staan bankvas van betogers. Openbare mening so gaande dat Britse premier beswaarlik sy wankelende regering durf verswak deur Suid-Afrika by V.V. te steun. Volgens kabel uit Washington het Staatsekretaris Gouws se eerste poging tot onderhoud taktvol geweier.

Die Ambassadeur het 'n oomblik nadenkend bly sit en toe met 'n effense glimlag na Masters opgekyk. „Dus – ?" het hy gesê.

Die raad het bekommerd geknik. „Dus hang dit af van wat u môre by die Quai d'Orsay kan uitrig."

Die Ambassadeur het nie geantwoord nie, net opgestaan en sy dokumente gaan wegsluit. „Ek glo nie daar sal vanaand nog iets opdaag nie, Masters," het hy gesê toe hy die sleutels in sy sak steek. „Jy kan dus maar gaan."

Hulle stap saam af. By die deur van die ampswoning groet Masters en gaan alleen verder. Die Ambassadeur stap binne om iets te eet.

Maar teen agtuur was hy reeds terug in sy kantoor in die donker, verlate ambassade, om voort te gaan met die uitwerk van die fynste besonderhede van die volgende dag se onderhoud. Niks kon aan die toeval oorgelaat word nie. En ten spyte van die sterk besef van futiliteit wat hy te bowe moes kom omdat die kanse op sukses so gering was, was daar, terwyl hy tydsaam en met onverbiddelike konsentrasie voortwerk, byna 'n gevoel van mag in hom, inderdaad van onvervangbaarheid. Dit was 'n soort ekstase, maar dan: 'n beheerste ekstase, planmatig gekanaliseer in argument na argument, paragraaf na paragraaf. Dit was 'n toets, 'n uitdaging: hy teen die wêreld in – 'n amper heroïese stryd, in die afsondering van sy verligte kantoor. Elke woord wat swart en onweerlegbaar uit sy penpunt op die wit papier gestalte gekry het, was 'n brokkie bouwerk teen die niet. Dit was nie aan ‚land' of ‚volk' nie, en beswaarlik aan 'n bykans fiktiewe Minister, dat hy gedink het terwyl hy werk. Want dié dinge vervaag so gou tot abstraksies, kry gestalte bloot in koerantopskrifte, in ontliggaamde Hellschreiberberigte wat iewers uit die eter vandaan kom, in esoteriese telegramme wat te goeder trou ontsyfer word sonder dat mens die herkoms daarvan werklik kan bewys of glo. ‚Regering', ‚land', ‚volk' word so gou komponente van 'n god wat homself manifesteer in opdragte, sonder dat dié dinge herleibaar is tot enige oorsprong of selfs as bewyse daarvoor kan dien. En op só 'n fiksie kan hy nie reageer nie – behalwe in dié mate waarin alle reaksies later tóg vanselfsprekend en refleksmatig word. Wat hy doen, doen hy omdat daar vir hom geen ander vorm van bestaan denkbaar is nie; omdat dit die enigste manier is waarop hy aan homself uiting kan gee, of homself kan verwesenlik.

Van tyd is hy hom beswaarlik bewus. Dit kan enigiets tussen tienuur en middernag wees toe hy die ligte geluid in die gang buite sy kantoor hoor. Gesteurd kyk hy op. Wie sou dié tyd van die nag hierheen kom? Een van sy personeellede? Dis tog onwaarskynlik. Lebon? Maar die concierge sit nooit sy voet hier nie – tensy hy ontbied word, en selfs dán teësinnig. 'n Oomblik voel hy onrustig. Maar hy het te veel vertroue in homself om daaraan toe te gee. Hy sluit net sy aantekeninge netjies in 'n laai weg, leun dan agteroor teen die opgestopte leuning van sy swaar, hoë stoel, en maak 'n oomblik sy oë moeg toe. Dit was 'n lang dag, en hy was in die hart van alles wat gebeur het. Al wat hy nou daarvan oorhou, is 'n ligte, kloppende hoofpyn en brandende oë.

Toe beweeg die deur. Hy maak sy oë oop, maar bly origens roerloos sit.

En uit die donker gang verskyn sy skielik en knip haar oë teen die lig: die vreemde meisie met die los, deurmekaar, nat, swart hare, met haar klere druipend van die reën en haar hande – skraal hande met kort naels, amper soos 'n seun s'n – blekerig teen die lapel van haar deftige, nat, ontoereikende jas.

Toe sy hom sien, vee sy 'n slag vinnig haar hare voor haar oë weg en sê vlug: „U moet my huis toe neem, asseblief.

Hy staan, uit gewoonte, hoflik op, maar sê niks, asof hy wag op 'n verduideliking.

„Ek weet u is baie besig," hervat sy. „Maar ek was – by 'n vriend anderkant die Porte Maillot, en hy het my uitgegooi, en ek het nie geld om by die huis te kom nie."

„Waar bly jy?"

„Rue de Condé." Sy moet sy vraende blik gemerk het, want sy voeg by: „In die Latynse buurt, net onderkant die Odéon."

„Ek sien. Dis 'n hele entjie."

„As dit mooiweer is –" Sy haal haar skraal skouers op en klappertand effens. „Maar dit reën."

„So sien ek." Teen wil en dank is daar 'n effense laggie om sy mond, bloot oor die ongerymde van haar verskyning in sy drukke, aansienlike wêreld.

„Dis nie juis iets wat normaalweg onder my pligte val nie," sê hy ernstig, maar met ligte bedoeling.

„Ek vra nie 'n guns nie!" antwoord sy kwaai. „Ek sal u betaal – later." Haar mond trek effens. „Of vannag, as u verkies." Daar is 'n bybedoeling in haar stem wat hy aanvanklik – weens die blote onverwagte daarvan – nie snap nie. Met koue vingers vat sy na die knope van haar jas in die te-klein knoopsgate. Dan kyk sy na hom. 'n Oomblik is albei bewegingloos op die duur dik tapyt.

Agter haar sien hy die gang se duisternis. Sy probeer een knoop loswring.

„Moenie!" sê hy saaklik.

Haar hande kom tot stilstand. Dit skok hom nou eers om te sien hoe die klere aan haar kleef.

„Kom," sê hy opsetlik kalm. „Ons gaan vir jou 'n taxi soek."

Sy skud haar hare met 'n vinnige beweging agteroor en loop dan voor hom uit, die donker in.

„Wie is die hartelose kêrel?" vra hy en probeer minder bedruk klink.

„Waarom wil u weet?" Haar stem suggereer geen verset nie: dis 'n doodgewone vraag.

„Jy hoef nie te sê as jy nie wil nie. Trouens, dit ís seker 'n onnodige vraag. Hier is vyf miljoen Franse in Parys."

„Dis nie 'n Fransman nie." Toe hulle by die onderpunt van die trap kom, in die leeskamer waar daar net een lig brand, sê sy: „Stephen Keyter."

„Ek sien." Sy stem bly gelykmatig, maar sy volgende woorde verraai dat alles verander het: „Wag hier in die leeskamer," sê hy. „Ek sal my motor uitstoot."

„Maar – ."

„Dis veiliger én goedkoper as 'n taxi." Hy kry dit selfs reg om te glimlag. Sy gaan op die leuning van 'n groot stoel sit. Hy stap deur die reën na Lebon se kwartiere. Die concierge sit in sy kombuis en koerant lees.

„Maak asseblief die buitedeur oop," vra hy. „Ek gaan met my motor uit."

„Goed, meneer." Lebon is die enigste persoon in sy ampsbestaan hier wat hom gewoon „meneer" noem en nie „U Eksellensie" of „Ambassadeur" nie.

Terwyl die concierge die buitedeur oopgrendel, gaan die Ambassadeur die motor uittrek. Nadat Lebon verdwyn het, maak hy die deur vir die nat meisie oop; sy klim met gesofistikeerde grasie in en trek haar rok sorgvuldig oor haar knieë. Hulle stoot agteruit na die sylaning, wag daar op 'n opening in die verkeer, en pyl na die oorkant van die Avenue Hoche.

„Jy moet maar beduie," sê die Ambassadeur, toeskietliker as vroeër. „Ek ken die pad sleg."

Sy knik net. Afwisselende stroke lig en skaduwee speel oor haar gesig. Daar is iets omtrent haar wat raak aan halfvergete herinneringe: 'n gebaartjie, 'n trekkie van die mond, iets onbepaalbaars. En dit pla hom. Maar sy sit reg voor haar en uitkyk, skynbaar onbewus van die soektog van sy oë.

„Ek hoop nie Keyter het jou in 'n verleentheid laat beland nie," sê hy toe hulle van die Place de l'Étoile in die Champs-Élysées inswaai. „Ek sal hom voor stok kry."

„Waarom?" vra sy. „Mansmense is mos maar so. Of was u nie so toe u jonk was nie?" Haar kop is nou na hom toe gedraai en sy sit hom tydsaam en bestudeer.

„Moontlik," ontwyk hy geslote, en vra wyslik niks meer nie.

By die Place de la Concorde vergeet sy om hom betyds te laat regs draai en hulle is al by die punt van die Tuilerietuin toe sy uitroep: „Stop, ons moes daar gedraai het!"

Hy trap vinnig rem. Agter hom toet 'n motor verwoed en kom dan duime van hulle af verby.

„Moet ons nou terugdraai?" vra hy.

„Nee, hou reguit aan. Ons kan by die Place du Châtelet afdraai en oor die eiland ry."

„Dit klink of jy die stad ken."

„Ek is lank genoeg hier."

„So op jou eentjie?"

„Ek is mondig." Sy sê dit amper met bravade, sodat hy glimlag.

Die veërs snor eentonig die reëndruppels van die ruite weg. 'n Mens is nie so daarvan bewus terwyl die motor beweeg nie; maar toe hulle 'n hele ruk regoor die Pont du Caroussel by 'n robot staan en wag, is dit 'n amper akute besef, asof albei juis op iets onbenulligs probeer konsentreer. Want waaroor kan hulle praat? Daar is soveel jare en wêrelde tussen hulle.

Toe die robot groen knip, sê hy: „Die wêreld lyk maar sleg in Suid-Afrika."

„Hoekom?"

„Weet jy nie van die staking nie?" Hy kyk skerp na haar.

„Ek het nie gesien nie."

„Maar al die koerante –."

„Ek lees nie koerant nie. Buitendien: maak dit soveel saak? Ons is nie nou daar nie."

„Ek vrees ek kan dit nie so maklik van my afskud nie," sê hy uit die hoogte; en tóg geamuseer.

„Natuurlik," gee sy toe. „Vir u maak sulke dinge seker saak."

Hy probeer haar takseer, probeer uitvind wat sy kon bedoel het, en waarom sy dit gesê het asof sy hom bejammer. Maar al wat tot hom deurdring, is haar neutrale koelte; en dit weerspreek eintlik die suggestie van naïwiteit wat daar telkens in haar opmerkings skuil.

„Hier regs," herinner sy hom – dié keer betyds.

Die rivier is 'n trae, oliedonker strook onder die ligte van die brug verby. Teen een van die lamppale, omgewe van fyn reën wat soos 'n gloeiende net om haar span, staan 'n vrou met haar gesig weggekeer na die nag.

„Môre-oormôre haal hulle haar uit die water uit," sê die vreemde meisie skielik. Haar hande roer onrustig.

„Waar kom jy daaraan?"

„Die rivier máák so met 'n mens, veral in die donker. Sy staan glad te alleen daar. En dit reën boonop."

„Jy's te jonk om so morbied te wees," maan hy – maar loer tóg in sy truspieëltjie om die vrou weer te probeer sien. Sy is weg in die donker reën anderkant die motorligte agter hulle. „Hoe weet jy sy wag nie vir iemand nie?"

„U ken Parys maar sleg."

Dis waar. Net nadat hy hier aangekom het, 'n jaar gelede, het hy 'n week lank daagliks saam met Masters deur die stad gery, die vernaamste monumente en gedenkwaardighede besoek en 'n algemene indruk probeer vorm. Sedertdien was daar weinig kans (behalwe enkele Sondae in die Louvre) om met die stad kennis te maak, met uitsondering natuurlik van die vaste roetes na ander ambassades. Die stad sélf was nog altyd beperk tot 'n gedreun agter geboue, 'n bewussyn van mense en verkeer, en hoogstens die sien van die ligtentakels waarmee die Eiffeltoring snags lug-in tas.

By die oorkantste robot van die Pont St. Michel moet hulle weer 'n rukkie wag. Die boulevard lê skynbaar eindeloos, nat en ligryk, soos 'n breë kanaal voor hulle. Dít ken hy. Maar weerskante vermoed hy net die bestaan van tientalle, honderde straatjies en stegies, reguit en krom, verwilderd vasgekeer tussen hoë geboue: en dié ryk, 'n nuwe mirakelhof, is vir hom volkome vreemd. Op een van sy togte saam met Masters was hy vlugtig daardeur, maar meer as 'n verwarde indruk het hy nie oorgehou nie, en dit het buitendien helder oordag in oop herfsson geskied. Nou, in die donker, met die onsekere liglyne wat omgekeerd in die nat strate weerkaats, is dit amper beklemmend. En tog is dit háár wêreld dié, juis hier waar hy hom so gans ontuis voel. Vir die heel eerste keer sedert sy aankoms in Parys ervaar hy die stad as vreemd, iets wat anderkant sy daaglikse horison aanhoudend voortleef.

En namate sy sekerheid afneem, is dit of hare groei. Sy begin makliker praat, ontwyk minder, verloor iets van haar sinisme.

„Jy kry koud," sê hy terloops, toe hy een keer na haar kyk.

„Dit maak nie saak nie. Ek hou van koue. Draai hier af. Nee, dis 'n eenrigting. Probeer die volgende straat." Algaande kom dit inspanningloos, vanself: „Dis jammer dat dit hier so min sneeu. Laasjaar was hier glad niks. Maar die eerste jaar toe ek hier was, het dit vroeg Desember al begin. En ek onthou ek het een middag – laterig al, net voor die hekke gesluit word – op 'n groen bank in die Luxembourgtuin gesit. Nie by die oopte nie: tussen die bome. Hulle was pikswart, met spierwit strepe op al die takke, maar al die lyne skóón, óóp, u weet, soos Japanse tekeninge op ryspapier. En ek het doodstil daar gesit terwyl die sneeu sif-sif oor my skouers en my hare en my skoot, tot ek heeltemal wit was en amper self vergeet het dat ek daar was. En 'n ou boemelaar het langs my kom sit – ek glo nie hy't my eers gesien nie, só stil het ek gesit – en 'n seilsakkie oopgeknoop en 'n bottel wyn uitgehaal. Rooiwyn, goedkoop wyn, swaar en donkerrooi, pragtig so in die sneeu. Hy het die prop met sy duim afgedruk en begin drink, lang klokslukke, en toe hygend 'n rukkie bly sit, met die rooi druppels nog om sy mond, en sy asem het wit wolkies voor hom uitgeblaas. En toe het ek skielik lus gekry om óók te drink en die ou gevra of hy sal omgee as ek 'n sluk uit sy bottel neem. Ek dink hy't geskrik toe hy sien daar sit iemand langs hom. Hy't net gesê: *Salope!* en weer gedrink. Dit was asof hy alleen daar wou nagmaal hou terwyl die wêreld en ons al witter sit en word. Toe het ek maar geloop en in 'n bistrot in die Rue Vavin by die toonbank gaan staan en my eie glas bestel, ook rooi en swaar, maar dit was anders. En toe ek weer uitkom, was die hekke al toe en ek moes ómloop om by my blyplek te kom. Die sneeu het nie meer geval nie en die hele wêreld het anders gelyk, donker en onvriendelik, en ek het gevoel soos die arme man wat uitgesmyt is omdat hy nie 'n bruilofskleed gehad het nie en buite in die donker moes kerm en sy tande kners. Dit moet verskriklik wees: om altyd in die donker te kerm en tande te kners. Ons het nou te ver gery. Draai weer hier."

Hulle begin deur klein en dikwels donker straatjies vleg. Sy ken klaarblyklik elke draai; maar sy hou nie rekening met eenrigtingstrate nie, sodat hulle op die duur onmoontlike ompaaie moet ry. Blykbaar ontstel dit haar egter nie.

„Dit klink seker verspot," sê sy onverwags na 'n ruk – en hy moet maar raai dat sy aansluit by haar vertelling van so-ewe. „Maar ek dink wat my eintlik bang gemaak het, was die feit dat ek van kleins af baie nagte die één nagmerrie gehad het: dat ek buitekant 'n groot tuin of 'n donker gebou staan, met die hekke en deure toe, en dat ek om en om loop en huil en nêrens 'n plek kry waar ek kan ingaan nie. Hou nou hier met die Rue Saint-Sulpice aan tot by die Carrefour de l'Odéon. Kyk net die reën! Dit val nou al harder. Dink u dit beteken iets as mens so baie maal dieselfde ding droom?"

„Waarskynlik het hulle jou net met die storie bang gemaak toe jy klein was," sê hy paaiend.

Sy sit nadenkend voor haar en uitkyk. En vra dan weer: „Het u geweet hulle gebruik nie rooiwyn by die Mis nie, maar wit? Ek wonder hoekom."

„Waarom sou dít jou pla?" vra hy amper vaderlik.

„Ek dink dis belangrik dat dit rooi moet wees. Dit word tog bloed. *Word* dit?" En sy begin monotoon by haarself resiteer: *„Da nobis per huius aquae et vini mysterium* – Die res ken ek nie. Maar dis mooi. Dink u nie so nie? *Per huius aquae et vini mysterium* –"

„Is jy Katoliek?" vra hy, enigsins verbaas.

„Nee!" Sy sê dit vinnig. Dan: „Hier is ons nou. Dis my deur, daardie een met die uitsnywerk." Sy druk die deurknip oop.

„Jy kan nie in dié reën oor die straat kom nie," sê hy streng. „Môre is jy doodsiek. Neem my baadjie."

„Dis nie nodig nie."

„Hier." Hy hang dit beslis oor haar skouers, en maak dan aanstalte om ook uit te klim.

„Moenie," sê sy. „Dis onnodig dat ons altwee nat word." Tog talm sy 'n oomblik, spring dan uit, pluk haar skoene af en hardloop kaalvoet oor die glibberige straat met sy baadjie oor haar kop. By die ingang druk sy die knip se skakelaar, beur met haar hele gewig om die deur oop te stoot, draai dan om na hom, roep „Dankie!" en waai 'n impulsiewe soen. Die deur val met 'n swaar slag agter haar toe.

2

Met 'n skraps glimlaggie bly die Ambassadeur nog 'n hele rukkie daar sit. Hy hou die vensters van die verdiepings bokant die deur dop, maar geen lig gaan aan nie.

Dan druk hy die rathefboompie in posisie en begin terugry. Telkens moet hy omweë soek as hy teen eenrigtingstrate stuit, maar uiteindelik bereik hy 'n groot verkeerstroom wat al langs die linkeroewer van die Seine afloop. Daarmee ry hy tot hy 'n brug gewaar wat naasteby bekend lyk en steek die rivier oor.

En daarmee is dié episodetjie ook verby, dink hy. Daar is selfs geen teken dat dit ooit gebeur het nie. Wat het hy uit dit alles gekry? 'n Bietjie ontspanning miskien; sekerlik 'n onvoorsiene afleiding te midde van die dag se ongehoorde drukte. Dis ál. En tog: iets bly in hom náfluister, 'n ou herinnering wat hy net nie kan opspoor nie. En dis vir hom nog deurentyd asof hy haar eintlik tog ken – al weet hy nie eens wat haar naam is nie. (En sy is vort met sy baadjie – !)

Hy moet al naby die Étoile wees toe hy met 'n skok 'n naam vind vir die vae, onrustige herinnering.

Gillian.

Nou dat hy dit hét, is dit vir hom moeilik om die aanknopingspunt met vanaand se vreemdeling te vind. Gillian was tog lig. Gillian was korter. Hy kan aan 'n honderd verskille tussen hulle dink – en verbaas hom daaroor, want soveel jare lê daar tussenin. Dis die eerste keer in al dié tyd dat iets spesifieks omtrent haar na hom toe terugsluip, hoewel hy onvermydelik telkens – maar algaande tog minder en minder – in 'n skare hom verbeel het dat hy die swaai van 'n rokpant herken, of 'n lag, of die manier waarop 'n meisie by 'n winkelspieël in die verbygaan aan haar hare raak: nietighede wat hom 'n oomblik laat weet of wonder het: sy? Maar méér was dit nooit. Durf dit ook nooit gewees het nie. Daarvoor het hy dit te sorgvuldig weggedwing – totdat dit naderhand vanself weggebly het.

Maar nou is dit terug: die Kaapse aand met wind, die strate moeg gewaai, die berg swaar en tam, die see 'n onsigbare bedreiging in die donkerte. Hy was op pad na sy woonstel, laat, kortby middernag; en omdat hy moeg was, haastig. 'n Twintig tree voor hom, in een van die hoër strate, het 'n skaduwee niksvermoedend van die donker sypad af reg voor die motor in begin beweeg, aangedryf deur die wind, krom gebuig deur 'n groot swaar tas. Sy remme het geskree tussen die geboue; gelukkig was daar geen ander verkeer op die oomblik nie. Toe hy skuins aan die regterkant van die straat tot stilstand kom en boos by sy venster uitleun, het die skaduwee in die halfdonker rondom sy motorligte in 'n vrou verander: 'n meisie, eerder, met verwaaide hare en 'n groot jas.

Sy het ontsteld bly staan, met die koffer op die grond langs haar. „Ek – is jammer. Ek het eerlik nie die motor gehoor nie –"

Hy het uitgeklim. Daar was iets afwerends in haar houding toe hy naderkom, maar hy het hom nie daaraan gesteur nie. Later het hy gemerk dat sy blykbaar kort tevore gehuil het, en afgelei dat sy dáárom sku en aggressief teenoor hom was.

„Waar op aarde is jy dié tyd van die nag op pad heen?" het hy gevra, nog effens bars na die skok. „Is jy nie bang nie?"

Sy het haar skouers opgetrek. Haar hare het bly waai en waai in die wind.

Hy het aangebied om haar op te laai, maar sy het net haar kop geskud. Sonder meer het hy gebuk en haar tas opgetel. Dit het 'n oomblik gelyk of sy hom wou teëgaan, maar toe het sy klaarblyklik in die onvermydelike berus en agterna gekom na die motor toe.

„As jy my by die stasie kan aflaai – ”

„Goed. Klim in.” Op dié oomblik het dit hom nog nie vreemd voorgekom dat sy juis soontoe wou gaan nie.

Hulle het nie gepraat in die motor nie. Sy het heeltemal weg van hom in haar hoek gesit en afgetrokke aan 'n puntjie hare gesuig. Hy het 'n keer of wat na haar gekyk, dit oorweeg om iets te sê, en toe weer voor hom uitgetuur.

Eers nadat hy haar met tas en al by die stasie afgelaai het, en bewus geraak het van 'n spoorwegkonstabel wat hulle taamlik agterdogtig staan en dophou, het hy gevra : „Maar watter trein moet jy dié tyd van die nag haal?”

„Ek kan wag tot môre.”

„Waarheen gáán jy tog?” Hy het ergerlik begin voel, want hy het gedink aan die volgende dag : daar het 'n belangrike saak voorgelê (hy was toe nog prokureur) en hy moes slaap kry.

„Weg,” het sy geantwoord. „Maak dit saak waarheen? Ek wil net weg.”

„Weet jou mense hiervan?” het hy aangedring, met die skielike ontdekking dat sy eintlik baie jonk is.

„My pa is gister dood,” het sy geantwoord.

Dié saaklike bekentenis het hom onseker en selfbewus laat aarsel. „Ek is jammer. Ek het nie besef dat – ” Dit het tot hom deurgedring dat sy tog nie luister na wat hy sê nie.

„Kan jy dalk êrens vir my plek kry?” het sy skielik dwarsweg gevra.

„Ons sal sien. Klim in.”

'n Paar hotelle was al donker en niemand wou kom oopmaak nie.

„Het jy nêrens om heen terug te gaan nie?” het hy eindelik moedeloos gevra.

„Ek wil nie alleen by die huis wees nie.”

„Ek het nie bedoel om – .” Hy het lomp na trooswoorde gesoek. „Ek is jammer. Ek weet hoe ellendig jy moet voel.”

„Hou tog op met sanik!” het sy ergerlik gesê. „Het jy al daaraan gedink dat ek dalk *bly* kan wees dat my pa dood is?”

Hy het by nog 'n hotel probeer. Daar was geen antwoord toe hy die klokkie druk nie.

„Het jý nie vir my slaapplek nie?” het sy doodmoeg en ongeduldig gevra toe hy by die motor terugkom.

Hy het geaarsel.

Hy kon haar gesig sinies sien vertrek. „Jy's bang,” het sy stilweg beskuldig. „Natuurlik : dis mos ‚ongehoord'.” En toe met onverwagte heftigheid: „My Here, jy hoef nie by my te *slaap* as jy my saamneem nie!"

Sy het die motordeur oopgeruk en probeer uitklim. Dit het hom vinnig laat besluit. Hy het omgeloop na haar kant en gesê: „Klim in."

„Dis nie ek wat jou gevra het om my op te laai nie!"

Hy het haar met gedwonge kalmte, maar taamlik kragtig, in die motor teruggehelp. Sy het kwaai losgeruk en begin huil; maar toegelaat dat hy die deur toemaak.

En terwyl sy hard teen die kussing lê en ruk-huil, het hy kwaad en amper halsoorkop sy motor teruggeswaai in die rigting van Seepunt en haar na sy woonstel geneem. Daar was niks wat hy haar kon ingee nie; net, oplaas, 'n koppie sterk koffie. Sy het dit met klein bakhande toegevat en gedrink sonder om een keer na hom op te kyk. Toe haar ligte hare ongeduldig teruggedruk, oor haar gesig gevee, opgestaan, en beleefd gevra: „Waar kan ek slaap?"

Hy het sy bed aan haar afgestaan en self op die rusbank in die klein sitkamertjie gaan slaap. Of: gaan lê, want hy kon nie slaap nie en het ure lank gelê en luister hoe sy in die kamer langsaan omdraai. Eenkeer het sy gesug. En hy het bly wonder: oor haar, oor waar sy vandaan kom, oor haar smeulende oë en vinnige reaksies, oor haar tengerheid, oor wat van haar gaan word – en van húlle.

Want hy het reg voorsien: dit was nie maar 'n ietwat ongewone ontmoeting wat daar sou eindig nie. Dit was die begin van 'n storm wat op die duur ál sy sekerhede sou vernietig: die eerste, die *enigste* onbesonnenheid wat hy in sy voorbeeldige lewe ooit begaan het.

Hy bereik die Place de l'Étoile en ry om die sirkel na die Avenue Hoche.

Die kort vertroebeling is verby. Daar kan géén gevolge wees van vannag se gebeure nie. En die oproep van Gillian kan hoogstens 'n klein onrus in die gemoed veroorsaak en dan weer bedaar. Hy is nie meer vyf-en-twintig nie, maar ses-en-vyftig; nie meer 'n jong prokureur nie, maar ambassadeur: en hy is besig met belangrike werk. Vanaand se meisietjie is immers maar één van die stad se honderdduisende soortgelykes. Sy sélf is onbenullig; dalk selfs tussen die ander van haar generasie. Hoeveel te meer nie in sy lewe van belangrike mense, belangrike besluite, belangrike kringe-binne-kringe nie.

Net anderkant die B.B.C. se gebou draai hy regs en gaan druk Lebon se klokkie. Die concierge kom oorhaastig oopmaak, sy hare deurmekaar, sy baadjie verkreukel, en die fyn pers aartjies om sy neus en oë genadeloos in die skerp lig geteken.

3

Die Ambassadeur ry net tot in die binneplaas en laat die motor in die concierge se sorg. Dan, omdat hy koud kry sonder baadjie, stap hy vinnig by die ambassadegebou se voordeur in en gaan op na sy kantoor. Twee-uur val die lig nog uit oor die fyn strepies reën in die donker. Die onmiddellike geluide verstil algaande, maar hy bly bewus van 'n sonore klankbord in die agtergrond wat bly dreun : soos 'n see, maar dringender. En dit hinder hom vannag in sy konsentrasie, omdat hy dit voorheen skaars opgemerk het. Want dis 'n bewus-wees nie net van geluid nie, maar van die ganse stad se lig en donker, lane en steë, étalages en donker verkrummelde gehugte, vreemdelinge en boorlinge, mense soos hy – en mense soos die jong kind wat ongevraag uit die anonieme skare verskyn het; én die herinnering wat deur haar losgeraak het, soos 'n waterrimpel 'n blasie van 'n week stingel laat opslinger. Een wat slaap; en een wat – slaap. Hy moet self ook gaan inkruip. Die pyn sit agter sy tam oë. Hy staan op, skik sy papiere sorgvuldig op die lessenaar reg, sluit ander in die brandkas toe, skakel die lig af en gaan stadig in die donker ondertoe, sluit die voordeur agter hom en stap daarvandaan vinnig deur die koue veegreëntjie na die ampswoning se ingang.

Dis groot en stil binne. Die bediendes slaap lankal. Verby formele boogdeure, muurornamente en die glimming van lugters in donker kamerruimtes stap hy na die trap. Bo steek hy 'n oomblik vas, asof hy wonder : Erika – ? Maar besef dan : Erika is ver, sy is in Italië. Sonder glimlag stap hy na sy slaapkamer. Erika is ver, al is sy hier. Waarom sou die stilte hom vanaand pla? Sy het jare al haar aparte kamer, hy syne. Hy kan hom nie eens herinner wanneer dit die eerste keer gebeur het nie. So iets is op die duur so 'n voor die hand liggende klein treetjie-verder op 'n weg wat baie lank al aangevoor is, dat dit beswaarlik in sigself nog betekenis het. Eers die ervaring van die bed as gewoonte; die wakkerlê in die nag ná die aand se onvermydelike samekoms, met die onbeantwoorde vraag : Hoekom juis? Is dit nie – eintlik – saai en 'n bietjie vernederend nie? Daarna die bewuste, later ónbewuste, afneem van die tempo tot by die vriendelike saamlewe sonder die beslommernis van geslag : gereedmaak, spasma, badkamer, en slaap. Dit sou troostend wees om selfs te kon dink dat dit vroeër, dalk vóór Annette, anders was. Maar weinig meer as formele troos is dit ook nie. Sou dit wees omdat 'n huwelik tussen hulle eintlik van ,altyd' af aanvaar was, sodat dit 'n gewoonte geword het nog voordat dit voltrek was? Dit het ,so gehoort'. Dit het hulle ouers tevrede gestel. Dit kon die Afrikaanse saak bevorder. Sy vader: Afrikaanse skoolhoof in Johannesburg, onvermoeide ,kultuurleier' in 'n tyd toe ,taal' en ,volk' eintlik nog in 'n minderwaardige posisie was. Háre: een van die eerstes van sy mense om 'n gedugte staanplek as nyweraar oop te dwing. Wat was natuurliker as dat seun en dogter vir mekaar ,bestem' sou wees – ewe goddelik as al die ander lotgevalle van die volk?

Al wat ooit daar tussenin gekom het, was Gillian. Maar van Gillian het Erika en haar ouers en syne nooit eens geweet nie. Erika sou dit moontlik kon vermoed het. Hoe anders sou sy sy skielike weggaan oorsee kon verstaan, ses maande voordat die troue sou plaasvind (sonder dat daar ooit bewustelik oor 'n datum gepraat is: dit was sommer ,bepaal')? Hy het agtien maande weggebly; agtien maande gelewe. Toe teruggekom en die bande wat hy so onverantwoordelik van hom probeer losmaak het, opnuut opgeneem, met Erika getrou soos dit hoort, en by die diplomatieke diens aangesluit.

En nou, uiteindelik, is hy hier. Dit is die top. Nou het hy voldoen aan al die eise wat enigiemand, ook hy self, aan hom kon stel, en aan al die ideale wat wie ook al vir hom kon gekoester het: sy mense; sy regering; én Erika.

Maar daar is – soos gewoonlik – nie nou tyd om hom aan die willekeurige gang van sy gedagtes oor te gee nie. Die paar uur slaap wat voorlê, is kosbaar. Hy trek uit, klim in die bed, en skakel die lig af. Namate die slaap kom, flakker waterbeelde traag oor mekaar. Die kol lig op sy lessenaar. 'n Gesig met nat swart hare en reëndruppels op die wange – maar dis onherkenbaar en verander in ander gesigte, vervloë en vaag. 'n Tuin – dis soos 'n herinnering, en tog nie sy eie nie – en iemand wat buite-om deur die donker dwaal. 'n Stasietoneel. 'n Stad; stede; mense –

Daarenteen is sy wakkerword oombliklik. Dis nog donker, sesuur volgens die glim van sy horlosie, maar dis 'n duister vol beweging en rumoer. Hy skakel die lig aan, bad, skeer, trek aan en gaan uit. Buite is dit nog betrokke, maar die reën het opgehou. Sy voetstappe weerklink tussen die mure van die binneplaas toe hy oorstap na die ambassadegebou. 'n Oomblik geniet hy die koel donkerte; dan sluit hy die voordeur oop, loop op na sy kantoor, en rangskik sy papiere onder die onpersoonlike lig. Agtuur gaan hy eet. Onmiddelik daarná, nog voor die personeel opdaag, begin hy weer werk aan die dokumente wat gister met die voorbereiding van sy memorandum opgehoop het.

Anna Smit daag die eerste op en verskyn – nog steeds met hoed en reënjas – hinderlik beskeie in sy deur, om te hoor of daar enige verdere tyding is. Hy stel haar gerus.

„Dit ontstel my só om te sien wat die mense van ons land sê, meneer die Ambassadeur. As mens net iets kan *doen* –."

Hy knik formeel en vra na 'n oomblik: „Is daar nog iets, mevrou?"

„Eintlik ja, meneer die Ambassadeur. Maar ek weet nie of ek u nou daarmee behoort lastig te val nie. Dis 'n effens – moeilike saak. Maar ek het tog gereken u behoort dit te weet."

„Ja?" vra hy geduldig.

„Dis een van die bodes, meneer die Ambassadeur: die jongste enetjie, wat laasmaand aangestel is: Pierre."

„Personeelkwessies is tog meneer Masters se werk, nie waar nie?" herinner hy beleefd.

„Ja, meneer die Ambassadeur. Maar dis nie eintlik 'n gewone soort kwessie nie. U sien, ek het verneem dat Pierre – nou, hoe kan ek dit nou sê? – dat hy – dis nou wat ek gehoor het – met *mans,* begryp u? Nie soos ander jong seuns wat met meisies uitgaan nie. Ek bedoel –"

„Meen u dat dit hom in die uitvoering van sy pligte pla?" vra hy onverstoord.

„O nee, glad nie, dis net –"

„U het dus geen klagte oor sy werk as bode nie?"

„Nee, meneer die Ambassadeur."

Hy vou sy hande op die lessenaar. „Dan kan ons hom seker maar toelaat om sy persoonlike lewe te lei soos hy dit verkies, of hoe?"

Sy bloos en sê haastig: „Natuurlik. U moet tog nie dink dat ek –"

„Ek dink dit beslis nie, mevrou Smit," sê hy.

Sy gaan uit na haar eie kantoor. Hy bly besig met sy eie werk tot vyf oor nege; dan stap hy oudergewoonte 'n draai deur die ambassade om seker te maak dat almal betyds op kantoor is. Net toe hy onder in die leeskamer aankom op pad na die onderste kantore, maak Keyter die voordeur oop, steek skuldig vas, groet dan vlugtig, en vra om verskoning – maar dit bly by formele woorde, sonder enige spyt in die donker oë wat brand in die jong man se skraal gesig.

Die Ambassadeur draai om en gaan met die trap op, bewus daarvan dat Keyter hom nog agternakyk. Ambisie, dink hy: dit in sigself is prysenswaardig. Maar Keyter het daar 'n ongesonde maat van; dit kan fanaties raak – en daarom moet dit in 'n baan gedwing en voortdurend getemper word. Só word mens diplomaat; so moes hy self leer. Keyter laat hom soms aan sy eie jeug dink. Maar by hóm was daar meer berekening, 'n stelselmatige doen-wat-jou-hand-vind in die oortuiging dat dit mens op die duur noodwendig bring waar jy wil wees. In Keyter is daar 'n groter impulsiwiteit, 'n onrustigheid wat nie uiting kan kry nie. Die man behoort 'n goeie, sorgsame vrou te trou. En daarmee onthou die Ambassadeur sy vreemde besoekster van die vorige aand. Keyter het haar uitgegooi, het sy gesê. Hy frons effens. Sou die derde sekretaris dalk té los en vas te kere gaan? Dit sou by sy aard pas om òf asketies te leef, òf buitensporig.

Hy begin weer werk, ontbied kort daarna die raad om meer besonderhede te verkry omtrent onderhandelinge met die Franse lugowerheid – wetend dat Masters soos gewoonlik elke nietigheid op sy vingerpunte sal ken. As die man net groot gehele kon hanteer soos hy met ingewikkelde besonderhede werk, sou hy 'n besondere diplomaat uitgemaak het.

Tien minute voor elf staan hy op; en asof hy maar net nóg een van die dag se reeks take aanpak, knip hy sy memorandum in 'n aktetassie toe en gaan af na waar die chauffeur, Farnham, reeds volgens instruksies die ampsmotor gereed het. Farnham raak aan sy pet toe die Ambassadeur inklim, en kry 'n kort groet terug. Die rit verloop in stilte. Toe hulle in die Quai d'Orsay voor die Franse ministerie van Buitelandse Sake stilhou, sê die Ambassadeur net: „Wag maar hier." Daarna loop hy met die breë trap op en word bo by die deur verbygelaat.

Die onderhoud begin formeel, 'n byna suiwer intellektuele aksie. Die minister bly neutraal sit en luister, sy wangbeen gestut op 'n fyn versorgde hand met 'n smal goue ring aan een vinger, sy oë uitdrukkingloos.

Uiteindelik herinner hy die Ambassadeur net stilweg aan Frankryk se aansienlike internasionale verpligtinge wat swaarder weeg as sake waarby die regering nie so direk gemoeid is nie.

Daarmee begin die subtieler spel; die verwysing na verhoudinge en optrede in die verlede en die implikasies daarvan vir die toekoms; uiteindelik verg dit – vir die soveelste keer – 'n delikate uiteensetting van beleid, rasseverhoudinge, bedoelinge. Na afloop van die onderhoud is daar geen aanduiding van enige resultaat nie. Behalwe 'n klein glimlag om die Minister se lippe en 'n kriptiese groet: „Ek waardeer u uiteensetting. Ek sal graag weer met u in verbinding tree."

Maar dit in sigself hou 'n moontlikheid van sukses in, en die Ambassadeur weet hoe om te reageer op sulke nuanses. Toe hy weer in die swart Austin klim, lyk sy gesig byna ontspanne.

Kort nadat hy terug op kantoor is, daag Koos Joubert met 'n paar konsepbriewe op. Maar sonder veel omhaal opper hy die eintlike doel van sy koms: „Het u die Minister toe darem oortuig, Ambassadeur?"

„Hy moet eers met sy regering oorleg pleeg."

„Ek hoop daar steek darem meer in hulle as in die klomp Engelse en Amerikaners," sê Joubert ontstoke. „Dis tyd dat die verdomde spul swartes in die V.V.O. op hulle herrie kry."

„Ons hoop hulle kan gekeer word, meneer Joubert," sê die Ambassadeur.

Pas ná Koos Joubert uit is, sluit hy sy dokumente weg en vertrek in die ampsmotor om volgens afspraak saam met die Britse Ambassadeur te gaan eet.

By sy terugkeer, teen halfdrie, is die dag se koerantknipsels reeds deur Victor le Roux op sy lessenaar gelaat en hy kan begin om hulle vlugtig deur te blaai. Hy is nog daarmee besig toe Keyter met 'n paar konsepbriewe binnekom.

Vlugtig kyk die Ambassadeur daarna, knik, en sê: „Dankie, Keyter." En, amper toeskietlik: „Dit lyk deeglik."

Keyter reageer skaars. Soos telkens tevore raak die Ambassadeur amper onaangenaam bewus van die man se besonder lang, maer hande. Dan word hy weer alleen gelaat.

Maar dit duur skaars vyf minute. Toe is daar 'n effense klop aan sy deur, en nog voor hy kan antwoord, gaan dit oop en skielik, net soos die vorige aand, staan sy voor hom: met haar skewe, afgetrokke, siniese glimlaggie en haar groen oë en (daarvan was hy tevore nie bewus nie) die skaars merkbare aanraking van haar borsies teen haar groot trui. Sy is langer as wat hy gisteraand gemeen het. Veral haar bene. Dit alles neem hy eintlik terloops waar, terwyl hy amper ongeduldig wag dat sy haar koms moet verduidelik.

„U is alweer besig," sê sy, asof dit haar verbaas.

„Ons het nie almal tyd om rond te slenter nie," betig hy.

„Dis jammer," sê die meisie. „Die strate *lewe* vandag." Sy kom ongenooid nader. „Ek het u baadjie teruggebring." Sy haal dit van haar linkerskouer af en hang dit oor die leuning van die stoel oorkant die lessenaar.

Hy voel sy hande vasdruk teen die donker houtblad voor hom.

„Jy moes nie so oop en bloot daarmee hier aangekom het nie!" sê hy met skaars bedekte woede. „Besef jy dat – "

„Hoekom?"

Sou haar naïwiteit eg wees, of 'n pose? Dit kan hom eintlik glad nie skeel nie. Hy gaan dit nie duld dat 'n onverantwoordelike klein meisiekind op dié manier haar kop volg nie.

„Ek sou self die baadjie laat haal het," sê hy streng. „Dit was heeltemal onnodig om dit terug te bring."

„Ek moes tóg kom," sê sy luiters. „Ek moes kom dankie sê vir gisteraand: dat u my nie ook uitgegooi het nie. Mens kan nie op 'n metrorooster slaap as dit reën nie. Buitendien is dit nie baie veilig vir 'n meisie nie."

„Daar was in elk geval tog geen sprake van nie," sê hy kortaf asof dit sy dogter is wat hy berispe. Maar hy onthou hoe sy gisteraand bereid – of skynbaar bereid – was om hom vir die guns te ‚betaal' en voel iets van 'n wee in hom opkom. Daarom probeer hy haar aandag (en sy eie) aflei deur oënskynlik ontevrede te vra: „Waarom het jy jou nie deur 'n bode laat aanmeld soos dit hoort nie?"

„Moes ek?" vra sy. Lag effens. „U is kwaai vandag." Kom dan verby na die venster en kyk nuuskierig uit na buite. „Dis maar 'n troostelose uitsig," sê sy met haar rug na hom. „Net 'n binneplasie en hoë mure. Dit lyk soos 'n tronk. En weet u hoe bedompig is dit as mens van buite af inkom?"

„Ek is gewoonlik besig, juffrou," sê hy nadruklik. „Daar is nie tyd om my aan onvermydelike klein ongeriefies te steur nie."

„O, ek is jammer," sê sy heeltemal opreg. „Ek pla u. Is dit baie belangrike werk?"

„Dit is."

Sy kom weer verby die lessenaar, op pad terug, steek vas by 'n almanak met 'n kleurvolle Suid-Afrikaanse toneel daarop en sê: „O dis mooi!" Haar groen oë kyk op na hom. „U werk seker baie lekker in hierdie kantoor?"

Hy antwoord nie.

Sy draai deur toe, talm by die stoel om 'n kreukel uit die baadjie te stryk, en kyk oor haar skouer terug. „U is 'n goeie mens," sê sy. „Tot siens."

„Tot siens."

Hy wil om die lessenaar stap om die deur oop te maak, maar sy is al uit. Hy hoor geen voetstappe nie. *'n Meisie trap nie op die aarde nie* – êrens is daar 'n gedig met só 'n reël, dink hy; waarskynlik met meer poësie daarin as die blote stelling wat hy onthou, maar dis wel iets van dié aard. Sy is weg; en hy bly staan met die nugter feit dat sy – glo – daar wás, ondanks sy verset, sy ergernis, sy werk, en sy uitdruklike woorde.

Op 'n impuls draai hy terug en gaan by die venster staan. Deur die ruit staar hy in 'n dubbelsinnige wêreld in: die „troostelose uitsig" van die binneplasie, met die interieur van sy kantoor, waar 'n gelerige gloeilamp brand, lineêr daaroor afgetrek. En watter een, vra hy hom af, is juis die reëelste? Of is hulle self maar 'n skematiese voorstelling van iets wat tot in die oneindige voortgesit word? Die voordeur van die leeskamer klap, en deur sy gedagtes en deur albei tonele in die glas stap sy oor die glibberige ronde keisteentjies. Lebon kom om die hoek van die rylaan net voor sy daarin verdwyn. Die Ambassadeur sien hom sy pet lig; dan gaan hy staan en sê iets onhoorbaars. Sy antwoord, lag, en loop verder.

Die Ambassadeur keer terug na die ordelike sekerheid van sy ruim kantoor. Die groot persiese mat wat alle geluid eerbiedig absorbeer. Die skilderye teen die kleurlose mure: 'n Pierneef; 'n Maggie Laubscher; 'n akwarel van Wenning. Die groot swaar stinkhoutlessenaar met die Van Wouw-beeldjie op een van die verste hoeke. Die boekrak met glasdeure. Die paar swaar leunstoele met donker leerbekleedsel (oor die een hang 'n baadjie). Imposante eenvoud; die dienlikheid wat tuishoort by onbetwiste gesag.

Hy tel die almanak op waarna sy vaneffe gekyk het, bestudeer afgetrokke die rye datums, dwars en regaf, waarmee elke dag se ervaring so afdoende opgesom en ingepas word in die konvensionele ketting van chronologie. Die tyd skielik hokgeslaan en op skrif gestel: die besef, swart (en soms rooi) op wit, van wat gaande is, wat verby; en wat nog voorlê om later verby te wees. Hier en daar is 'n klein merkie by 'n datum gemaak.

Die 22ste Oktober het hy Erika en Annette na die Gare de Lyon geneem. Om die een of ander rede het hulle hulle vergis met die vertrektyd van die trein en 'n halfuur te vroeg daar aangekom. Dit was maar omtrent agtuur, maar die betrokke herfsweer het dit laat lyk na 'n uur wat baie diep in die nag verdwaal het.

„Jy hoef regtig nie te wag nie," het Erika gesê. „Ons sal regkom."

„Dis tog nie so lank nie."

Hulle het heen en weer oor die eindelose, vuil perron gestap en niks gevind om oor te praat nie. Daar was iets neerdrukkends omtrent die afskeid. 'n Trein oorvol soldate het op vertrek gestaan. Hier en daar het 'n groep luidrugtig by venster uitgetros, vals gesing of vir verbygangers gefluit. Ander het in die deur plat op die vloer tussen hulle bondels gaan sit en lydsaam voor hulle uitgestaar. Teen 'n verlate paal het 'n enkele paartjie nog gestaan en afskeid neem, betrokke in 'n hartstogtelike, skaamtelose verknogting aan mekaar se monde en liggame.

Annette het verleërig gelag en onopsigtelik na hulle probeer terugloer. Erika het afkeurend iets oor die „onuitstaanbare openbare vryery" gesê.

„Hulle is jonk," het hy geduldig teëgewerp en self nie begryp waarom hy hulle probeer verdedig nie. „Wie weet waarheen is hy op pad? Dalk kom hy nie weer terug nie."

„Sou dit verskil maak?" het sy ontevrede gevra.

„Seker nie."

'n Klok het gelui. Uit die verte het 'n luidsprekerstem krakerig en ontliggaam gepraat. Die jong soldaat het hom by 'n deurtjie ingewurm. Die meisietjie het bly staan en huil asof haar hart wou breek. Toe is die trein vort in die donker. En die wyster op die stasiehorlosie het tydsaam, ruk-ruk met elke minuut verder gespring.

Kort daarna het hulle trein langs die perron verskyn.

„Ek hoop julle tref dit goed met die weer," het hy amper formeel gesê.

„Ons sal. Hoofsaak is dat ons 'n rukkie wegkom. Ek wens ons kon huis toe gaan."

„Huis toe?"

„Suid-Afrika." Sy het vinnig na hom gekyk, toe weer weg. „Ek is moeg vir vreemde mense, Paul."

„Jy behoort na amper dertig jaar daaraan gewoond te wees!"

„Dis juis dat ek ná amper dertig jaar ontdek het dat ek dit nié is nie. En dit vang mens onvoorbereid."

„Wat probeer jy sê, Erika?"

Sy het haar kop geskud. „Ek weet nie. Ek is net – op soek na iets. Ek weet nie of Italië sal help nie. Ons soort lewe het 'n doodlooppad geword, Paul."

„Dis jy wat dit altyd so wou hê."

„Sê dan maar dis my skuld."

In geen jare het hy só akuut besef watter vreemdeling sy eintlik vir hom was nie; hoe ondeurdringbaar sy geword het nie. En hulle was tog ‚gelukkig', soos dit heet!

Die trein moes haas vertrek.

„Is daar nog iets wat ons moet sê voordat jy gaan?" het hy gevra.

Dis tóe dat sy bitter gesê het: „Is daar ooit nog *enigiets* wat ons vir mekaar kan sê?"

„Wat makéér tog?" Hy het onrustig haar hand in syne vasgevat.

Toe het die trein geruk. Hy het haar oorhaastig gesoen, Annette se wang skrams met sy lippe geraak, en agtergebly, alleen, toe hulle suidwaarts in die nag verdwyn.

Hy sit die almanak vasbeslote op die lessenaar terug. Daar is nie tyd vir sulke gedagtes nie. Hy moet nog 'n kodetelegram formuleer om Pretoria toe afgestuur te word, en 'n volledige verslag van die oggend se onderhandelinge opstel.

Net, toe hy gaan sit, onthou hy 'n bietjie wrang: „*U is 'n goeie mens –*" Hy vra hom af wat sy kon bedoel het; en waarom – dié ongenooide kind wie se naam hy nie eens ken nie.

4

Hy was nie daarop voorbereid dat sy weer sou kom nie. Daar was geen rede om so iets aan te neem of – in 'n weker oomblik – daarop te hoop nie. In die loop van die week wat op haar tweede verskyning gevolg het, het hy haar af en toe onthou (dit was seker onvermydelik), gewoonlik in die vorm van 'n vraag of 'n glimlag, hoogstens as 'n episode; miskien was daar by wyle iets spytigs by dat alles op so 'n efemere wyse afgeloop het, maar hy het dit uit die staanspoor nooit anders voorsien nie. En as hy oor haar gewonder het – gewoonlik saans laat, alleen in die groot huis – was dit eintlik net: *Wat sou haar naam wees? Wat sou sy so alleen in die stad maak?*

Sondag 11 November is hy onverhoeds weer na die Franse Minister van Buitelandse Sake ontbied. Die onderhoud het nie baie lank geduur nie, maar die uitslag was bo verwagting: Frankryk het wel nie sy weg oopgesien om in die Veiligheidsraad self die Suid-Afrikaanse kwessie te veto nie ,maar hoofsaaklik omdat die Kaapse moeilikhede sonder 'n uitbarsting beëindig is, was die regering bereid om agter die skerms druk op die Afro-Asiatiese lande uit te oefen om hulle voorstel te temper'.

Die volgende oggend, terwyl hy met die nuwe verslag besig was – met uitdruklike instruksies dat niemand hom durf steur nie – klop iemand aan sy deur en kom ongenooid binne. Sy.

Hy wil haar onmiddellik streng betig oor die ongeoorloofde besoek. Terselfdertyd vang dit hom dié keer so onvoorbereid, ná 'n week waarin sy – hoe vlugtig ook al – meermale in sy gedagtes was, dat hy niks kan sê nie.

„Goeiemôre," groet sy, asof sy hom uitlag. En by die stoel waaroor sy die vorige keer die baadjie gehang het, aarsel sy. „Mag ek sit?" Sonder om op sy toestemming te wag, neem sy plaas en trek haar rok preuts oor haar knieë reg. „Ek weet u is baie besig, maar ek het oor sake gekom."

Sy het geld nodig, verduidelik sy onomwonde. In daardie geval behoort sy met die konsulêre sekretaris te praat, antwoord hy streng. Daarby stel die ambassade in die reël net in die dringendste gevalle geld beskikbaar aan Suid-Afrikaners wat in die moeilikheid beland. Maar, werp sy teë, haar hospita het gedreig dat sy môre op straat uitgegooi sal word tensy sy iets op haar agterstallige huur afbetaal. En sy kry eers Vrydag weer geld. Waar werk sy? By 'n nagklub. Toe hy frons, verduidelik sy gou : sy sing; en dis heeltemal 'n respektabele plek, hoewel hulle skandelik min betaal.

„Gaan in elk geval na die konsulêre kantoor toe," sê hy ten slotte baie ferm. „Dan kan die saak volgens meriete beoordeel word. En ek wil dit nie wéér 'n keer sê nie : as jy voortaan hierheen kom, laat jy jou deur 'n bode aanmeld."

Sy ignoreer sy laaste woorde. „As ek na die konsul toe gaan, is dit net weer 'n spul vorms. Dis hoekom ek na u toe gekom het. Ek het gedink – "

Hy staan vasbeslote op. „Juffrou," sê hy, „dis nie iets wat ek graag doen nie, maar ek sal jou hierdie keer self 'n honderd nuwe frank gee."

„Ek het nie kom bedel nie!" sê sy, met 'n heftigheid wat hom verras.

„Ek het nie bedoel om jou te beledig nie," antwoord hy geduldig. „Maar as ek dit vir jou leen, dan het jy weer 'n rede om terug te kom."

„En ek moet liewers wegbly, want ek plaas u net in 'n verleentheid!"

Hy loop om die lessenaar, ergerlik, maar 'n bietjie verslae daarby. „My liewe kind –," sê hy paaiend.

„Ek is nie 'n kind nie." Sy sê dit koppig, maar nie meer bitsig nie.

„Wat is jou naam?"

Sy kyk eers afwerend en agterdogtig na hom. Daarna antwoord sy so vinnig dat sy dit moet herhaal voor hy dit snap.

Dit verg sy uiterste inspanning om haar verset te oorkom. So geduldig as moontlik benadruk hy dit dat daar ten ene male nie sonder reëls en regulasies gelewe mag word nie. Sy gee net 'n effense snuiflaggie; sonder dat sy 'n woord sê, kan hy die minagting in haar aanvoel. En teen sy sin moet hy toegee dat sy waarskynlik sou versmoor in sy gereglementeerde bestaan. (Soos Gillian – ?) Juis ómdat hy daarvan bewus is, probeer hy dit so aanvaarbaar as moontlik voorstel. Maar in die middel van sy verduideliking sê sy onverhoeds net – heeltemal sonder enige bedoeling om ongeskik te wees – : „U behoort nie so 'n das by dié pak te dra nie. Dit lyk te somber."

„Ek sal nie weer nie," sê hy met 'n effense glimlag, en 'n sug.

„Kan ek nou my geld kry, asseblief?"

Hy gee haar die noot. „Sal dit genoeg wees?"

Sy knik, maak die boonste knopie van haar trui los en steek dit voor by haar bors in.

„Ek sal eendag kom luister hoe jy sing," sê hy opsetlik lig.

Haar groen oë lag.

„Waar is die klub?" vra hy.

„Ag, u sal dit nooit kry nie," terg sy en gaan deur toe. „Tot siens. En baie dankie."

„Tot siens, Nicolette."

Opnuut bly hy sit met die indruk dat sy dalk weer net 'n speletjie gespeel het waarin hy steeds aan die kortste end trek. Só maklik het niemand nog 'n honderd nuwe frank van hom afgerokkel nie. En moet hy nou terugkeer na die verslag wat opnuut sal bevestig watter diplomaat-van-formaat hy is? Die regering moet hom maar nie aansê om eendag met Nicolette Alford te onderhandel nie, spot hy met homself.

Hierdie twintig minute het iets subtiels aan die saak verander: dit moet hy uiteindelik erken. Dis miskien nie te rasionaliseer nie. Hoogstens is dit 'n aanvoeling dat daar nou iewers 'n bres geslaan is. En waarom? Omdat sy daarin geslaag het om hom skuldig te laat voel oor sy optrede? Dis tog sinloos. En hy het haar uitdruklik gesê om nie weer te kom nie; sy sal haar daarby hou. Maar sy *hoef* ook nie meer self te kom nie. Sy het haar naam laat bly, en 'n indruk, en 'n oop deur – iewers heen.

Dit maak hom ongeduldig om hierdie wondbaarheid in homself te erken; en daarom is hy kortgebakerd teenoor die personeellede met wie hy die res van die dag in aanraking kom, selfs teenoor Masters, met wie hy nog altyd uitstekend klaargekom het. Maar Masters skryf dit toe aan sy reaksie op die buitengewone sukses wat behaal is met die onderhandelinge en steur hom nie verder daaraan nie.

5

Hy probeer dit die aand opsetlik uitpluis. Want dis ontstemmend en onmoontlik dat die verskyning van 'n eiewillige, los, klein kind enige verskil aan hom en sy lewenswyse kan maak. Goed: sy is nie, soos almal in sy omgewing, geïmponeer deur sy status of sy persoon nie; en sy steur haar (onbewus, of willens en wetens) nie aan sy voorskrifte of reëls nie. Dit in sigself is egter geen rede waarom sy enigiets meer as 'n lastige herinnering hoef te wees nie. Dus moet hy tot die gevolgtrekking kom dat dit hoegenaamd nie om haar as sodanig gaan nie. Die enigste rede waarom sy sy gereëlde lewe enigsins kom versteur het, is omdat sy die herinnering aan Gillian teruggebring het. En dit sélf is gek. Gillian behoort tot die verlede; sy enigste dwaasheid. Maar dan – tog! – die soort dwaasheid wat 'n eie bestaansreg en onvermydelikheid kry –

Die hele episode het minder as twee maande geduur: vandat sy die nag verwaaid in sy motor geklim het todat hy op die skip weg is (sonder dat sy hom kom groet het) met al die geld wat hy vir sy troue gespaar het. Haar vader, deur wie se dood sy by hom uitgekom het, was 'n pastoor van die een of ander sekte. Sy wou nooit oor hom praat nie. Nog nooit het hy só 'n intense vorm van haat in enige mens teëgekom nie. Uit wat sy af en toe snedig laat val het, het hy net afgelei dat sy genadeloos streng grootgemaak is. Dat die pastoor se godsdiens bowenal een van vuur en swael en hellevrees was, wat vanaf haar prilste jeug haar nagte verskrik en haar lewe een saamgeperste bondel verset en angs gemaak het. Een keer het sy glo probeer wegloop. Haar vader het byna van sy verstand geraak en belowe om haar nooit weer met enigiets te dwing of op sy doeltreffende manier te straf nie. (Vir die kleinste misstap of blyk van „ydelheid", is sy glo eers gestraf – asof sy godsdienstige fanatisme met heelwat sadisme gemeng was – en daarna is sy onderwerp aan ure van Bybel lees en hartstogtelike gebed ter wille van haar „sondige en verlore siel".) En toe is hy dood, sonder die minste waarskuwing, nog nie vyftig jaar oud nie. 'n Hartaanval, blykbaar. En met één skok was sy vry, skrikwekkend vry: 'n vryheid wat sy teen almal en alles gerig het. „Lewe, lewe, lewe, lewe, *lewe!*" het sy een aand uitgeroep. „Dís wat ek wil hê. Jy sal dit nie verstaan nie. Nie jy met jou burgerlike, gehoorsame sieletjie nie. Maar jy sal my ook nie keer nie. Niks sal my keer nie. Ek sal álles doen, ek gee nie om wát nie. Laat ek dan in die hel kom daarvoor: dan het ek dit ten minste *verdien!*"

Dit was 'n fanatiese, fantastiese verlorenheid, anderkant alle konvensionele grense. 'n Brandende lewensdrang wat só positief was dat dit die grense van die alledaagse lewe oorskry en in 'n dimensie beland het waar elke ding as sy eie paradoks bestaan. So het haar drif om te lewe, om „*Ja*" te sê aan die lewe, in die praktyk daarop uitgeloop dat sy alle skyn, alle konvensionele waardes, dus alle vorme van ‚beskaafde lewe' vernietigend ontken het – iets wat op die duur ook haarself sou moes verteer; en almal wat ná aan haar gestaan het.

En vir háár moes hy liefkry. Veertig dae lank. Die tyd wat die sondvloed oor die aarde uitgesak het. Die tyd tussen opstanding en hemelvaart. Alles waaraan hy geglo het, alles wat seker en vanselfsprekend was, het sy onder hom uitgekalwer totdat hy uiteindelik net met 'n ontsaglike wanhoop bly sit het. En daaroor het sy, die succubus, hom uitgelag, hom getart omdat hy nie durf agternakom waar sy die pad aanwys nie.

Maar by dit alles was sy 'n kind wat geen benul van die ‚wêreld' gehad het nie. Sy het telkens verslae gestaan voor haar eie ontdekkings; maar sy kon nooit terugdraai nie, omdat sy te trots en driftig was daarvoor. Sy wou alles ‚beproef' –

Hy sluit opsetlik sy gedagtes af omdat hy weier om aan die besonderhede te dink. Daar kan geen nut in skuil, nou, na soveel jare nie.

En tussenin kon daar eilande van stilte wees. Sy kon huil oor 'n treurige boek. Sy het 'n siek duif gedokter; en altyd teen die berg plantjies gaan uitgrawe om tuis te vertroetel. Sy het 'n teemus gebrei vir 'n ou man wat alleen gewoon het. Met kinders kon sy lief en geduldig wees; baie dae het sy Tuine toe gegaan net om met hulle – én die eekhorinkies – te speel. Sy kon rustig, soet sit en klavierspeel.

Maar ná 'n skynbaar vrome *Jesus min my, salig lot* kon sy sonder waarskuwing weer begin donder op die klawers, uiteindelik die klap met geweld neersmyt en begin huil. Hy het soms gedink dat sy werklik ongebalanseerd was; maar tog goed geweet dat dit nie was nie. Sy was net nie opgewasse teen die drif in haar nie. En hy kon nie vir haar gee waarna sy gesoek het nie.

Ná die veertig dae is hy weg. Hy het agtien maande lank alle kontak met sy mense verbreek en die opgekropte dinge wat sy in hom losgemaak het, in Europa uitgelewe. Toe het hy op 'n dag 'n verdwaalde brief ontvang – maande nadat dit gepos was – van 'n kennis (nie eers 'n vriend nie) in Kaapstad. Met, heeltemal terloops, die reëltjie daarin: *„Jy weet seker dat die meisie, Gillian dink ek, met wie jy 'n ruk uitgegaan het, in Durban dood is?"* Die volgende dag het hy op sy eerste skof na Suid-Afrika teruggekeer.

6

Die week is 'n legkaart van bedrywighede. Tot hy een aand besluit terwyl hy in sy kantoor sit, telkens bewus van haar eerste verskyning uit die donker, en telkens luisterend asof hy haar wéér verwag): só kan dit tog nie voortgaan nie. Hy moet 'n keer na haar toe gaan, sodat hy meer van haar kan weet, rustig kan gesels, illusies van hom kan afskud; sodat hy ontslae kan raak van Gillian; en van háár, die vreemde Nicolette, desnoods deur haar willens en wetens as 'n dogter te behandel. En nadat hy die besluit geneem het, voel hy rustiger, asof 'n las van sy skouers af is.

Vrydagaand is daar egter weer 'n onthaal by die Nederlandse ambassade. Saterdagaand het hy 'n afspraak met die Australiese chargé d'affaires. Maar vroeg die Sondagaand stap hy, asof hy skielik vrygelaat is, in die Avenue Hoche op, haal 'n taxi aan die bopunt van die Avenue Wagram, en ry na die Rue de Condé. Daar betaal hy die bestuurder, laat hom die kleingeld van die tien nuwe frank hou, en loop na die deur waar sy die aand ingegaan het. 'n Oomblik beskou hy dit aandagtig, amper geamuseerd: 'n verweerde poort tot 'n vervloë paradys? As hy die slot se skakelaar druk en die soliede deur oopstoot, is dit met 'n sonderlinge gelatenheid – asof hy op dié moment volledig besef wáár hy is, wát hy doen; en asof dit 'n gebaar is waarmee hy baie dinge (miskien ook hoop?) van hom afdoen, 'n kort oomblik amper fatalisties: nou moet daar maar gebeur wat daar moet –

Hy skakel die lig binne aan. Daar staan 'n vyftal geduikte grys vullisblikke onderkant die ry posbussies wat mankoliek teen die muur hang. Een is naamloos, en hy veronderstel dat dit Nicolette s'n sal wees. Die vyfde verdieping, so skyn dit, want vir al die ander verdiepings is daar name. Hy kyk boontoe en sien hoe die vervalle ou trap boontoe kinkel. Dan gaan die lig uit. Die Ambassadeur frons, voel-voel weer na die tydskakelaar en klop aan die vuil glasdeur van die concierge se kwartier; maar daar is geen antwoord nie en hy begin maar boontoe klim. Die volgende verdieping se gloeilamp makeer en hy struikel 'n paar keer oor gate in die trap. Daar is 'n muwwe reuk van ou kos en jarelange menslike bedrywigheid oral in die skemer om hom. Dis die eerste keer dat die Ambassadeur in een van dié ou geboue kom, en hy oorweeg dit byna om maar terug te draai. Die lig wat opnuut uitgaan, sterk hom in die voorneme. Inderdaad gaan hy 'n oomblik staan. Maar dan haal hy 'n sigaretaansteker uit sy sak en gebruik dit as lig terwyl hy stadig verder klim. Op die vyfde verdieping druk hy weer die tydskakelaar. Daar is twee deure: die een regs, aan die voorkant van die gebou, het 'n vuilerige naamkaartjie: *Mme. Cosson.* Die linkerkantse een is naamloos. Hy gaan soontoe, oorweeg die saak 'n laaste keer, en druk dan die klokkie. Ietwat tot sy verbasing lui dit nie net binne nie, maar ook aan Mme. Cosson se kant. En dit is dan ook háár deur wat oopgaan. 'n Slonsige ou vrou met 'n los japon en deurmekaar hare loer uit.

„Wie soek u?" vra sy sonder omhaal.

„Is juffrou Alford nie tuis nie?" vra die Ambassadeur styf.

Die ou vrou giggel aanstootlik. „Nee," sê sy. „Maar ek glo nie sy sal lank bly nie. Nie dat mens ooit weet nie."

„Dankie." Hy maak aanstalte om te gaan.

„Ek sal vir u oopsluit," bied die ou vrou aan en kom ongenooid nader. Uit haar japon se sak haal sy 'n bos sleutels.

„Dis nie nodig nie," keer die Ambassadeur. „Ek kan later weer kom."

Sonder om haar aan hom te steur, sluit sy die anonieme grysgeverfde deur oop. „Daar," sê sy. „Wag nou maar binne."

Hy oorweeg dit steeds wrewelig om te loop, glad nie gediend met die ou hospita se vrypostigheid nie. Maar waarheen sal hy tog gaan? Terug huis toe? „Dankie," sê hy kortaf en stap binne. Daar is 'n minuskule portaaltjie met twee deure. Die eerste lei na 'n kombuisie met skuins dak en mure. Daar staan ook 'n stoel, maar dit lyk nie danig gesellig nie en dis buitendien koud. Die ander deur bring hom in haar kamer. Hy staan skuldig op die drumpel, voel soos 'n oortreder in 'n vreemde huis, en tog ook ondanks homself benieud. Daar heers 'n onmoontlike wanorde in die kamertjie. Die smal, ongemaklike enkelbedjie (klapperhaarmatras, uitgeslaap en vol bulte) is onopgemaak, met een stuk blou slaapklere oor die kussing uitgesprei, die ander op die growwe matjie voor die bed. Tussen die oop klerekas en die venster is 'n stuk tou met 'n paar lasplekke gespan, behang met twee paar kouse, 'n onderrok, 'n bra, 'n paar broekies en 'n manshemp. Oor 'n stoelleuning hang 'n klam handdoek. Daar is 'n tafel met 'n helder geruite kleedjie, 'n stapel geïllustreerde vrouetydskrifte (die meeste ou nommers van vorige jare, waarskynlik tweedehands by 'n bouquiniste gekoop), 'n klein draagbare radiostelletjie, 'n skoen, ongewaste skottelgoed, lipstiffie en 'n mooi leeslampie. Op die oop klerekas staan 'n koffer; langsaan, op die vloer, nog een, oop, met deurmekaar klere daarin, asof dit net 'n tydelike verblyf is. Teen die mure is 'n paar tydskrifprente vasgeplak. Skuins bokant die bed hand – tot sy verbasing – 'n kruisbeeldjie, effens verweer, maar nog 'n fyn houtsneewerkie van besondere vakmanskap. Op die vloer, langs 'n groot rottangstoel, staan 'n goedkoop draaitafel en 'n stapeltjie plate, die meeste uit hul omslae. Op die stoel self lê 'n goedkoop fluit.

Hy stap tydsaam van die een ding na die ander; en namate hy ontslae raak van die gevoel dat hy 'n oortreder en 'n indringer is, beskou hy elke voorwerp aandagtig, asof hy hoop dat dit hom 'n sleutel sal verskaf tot die vreemde mens wat in dié wanorde woon. Maar alles bly geslote, losstaande, sonder eie lewe. Amper driftig wil hy daar deurdring, dit as simbole gebruik om die betekenis te kan verstaan van dié meisieslewe wat so anders as sy eie ordelike, geordende bestaan is. En terselfdertyd voel hy skuldig, asof hy besig is om deur iemand se dagboek te blaai.

Hy is net besig om vergeefs hitte by die koue verwarmer te soek, toe hy 'n sleutel in die buitedeur hoor. 'n Oomblik later kom sy binne, met haar hare los oor haar skouers.

„O," sê sy, nie verbaas nie. „Dis u. Naand." Sy frommel 'n papierkardoes op, vee haar vetterige vingers daaraan af en gooi dit dan in 'n kartondoos wat in die hoek langs die tafel staan. „Het u lank gewag?" Sy suig haar vingers tydsaam een vir een af.

„Dit maak nie saak nie," sê hy. „Ek het niks besonders te doen nie."

„Soe." Sy ril effens en kom oor na die verwarmer. „Dis koud. Ek weet nie wat ek dié winter gaan maak nie. So 'n ding maak mos nie 'n plek warm nie. Mens moet 'n kaggel hê." Sy draai aan die knop. „Hoekom het u dit nie aangedraai nie?"

„Ek het nie geweet of jy terugkom nie."

Sy bly daar staan tot 'n dowwe hittewalm deur die kamer begin stoot. Dan begin sy met 'n paar vlugtige bewegings die bed regtrek.

„Het ou Cochon vir u oopgesluit?"

Hy knik, en glimlag oor die gepaste manier waarop sy die vadsige hospita se naam verdraai.

Sy gaan op die bed sit, trek haar bene onder haar in en gooi 'n kombers oor haar skouers.

„Hoekom het u gekom?" vra sy reguit.

Dit neem die wind uit sy seile. Hy trek sy skouers op. „Ek – wou sommer," sê hy versigtig.

Haar mond plooi effens, ongelowig.

„Jy kan nie in dié kamer bly nie," sê hy meer vasberade.

„Waarom nie?" vra sy verbaas.

„Dis alles so voos en gedaan. Jy kan nooit gelukkig wees hier nie."

„U is te gewoond aan ánder dinge," sê sy sober.

Hy word effens ergerlik. „Is jy seker ek kan jou nie help nie?"

„Waarmee?"

„Enigiets. Geld –."

„Ek is nie te koop nie."

Hy voel sy slape klop. „Ek het niks van die aard gesê nie!" sê hy kwaad. „Wat laat jou dink dat –"

„Jy is 'n man." Die verandering van aanspreekvorm is byna onmerkbaar. „Julle probeer altyd ‚help'. Julle glo self dat julle onselfsugtig is. Dan, skielik, nes mens heeltemal vasgevang is, wil julle op 'n dag ‚betaling' hê."

Haar woorde maak hom oorbewus van die vermoeienis in hom, van die afstand tussen hulle. „Sal jy nooit kan verstaan dat ek jou wil help omdat ek glo dat jy dit nodig het – omdat ek jou selfs jammer het nie?" Sonder dat hy dit so bedoel het, word dit 'n pleit.

„Jammer?" Sy vra dit sonder agterdog, louter verbaas. „Waarom sou enigiemand my jammer kry?"

„Ek glo nie jy lewe maklik nie."

Sy leun met haar ken op haar opgetrekte knieë en met die bekende trekkie van haar mondhoek sê sy voor haar uit: „Ek is op 'n Woensdag gebore."

„Wat het dít met die saak te doen?" vra hy uit die veld geslaan.

Sy kyk nog nie na hom nie. Sê net half vir haarself die ou rympie op:

„Monday's child is fair of face.
Tuesday's child is full of grace.
Wednesday's child is full of woe –"

Hy antwoord nie. Die warmte trek in stilte deur die kamer, lui, amper onmerkbaar, maar tog daar. En geleidelik word hy bewus daarvan – én sy – dat dit warmer is binne as buite agter die venster; dat hier 'n klein bietjie genade en troos in die lig skuil, wondbaar maar kosbaar. En hulle gesels makliker, sonder dat daar 'n doel agter elke sin skuil, sonder om te veel vrae te vra of te veel antwoorde te verwag. Die nodigheid daarvoor het verdwyn. Dit sal later, in die koue buite, weer terugkeer; maar nou, hier, bymekaar, hy op die voetenent van die bed en sy in die middel, is hulle selfgenoegsaam. Met die uitsprei van die hitte skud sy die kombers van haar af; knoop later haar groot trui oor haar bloese oop; maar bly origens so sit, met haar kop op haar knieë en haar hande op haar kaal voete. Skraal hande, sien hy: met 'n effense oneweredigheid in die vingers, en die naels baie kort; haar voete is klein, smal vir hul lengte, maar nie benerig nie. Sy is jonk, meer as kind, amper-vrou. Só naby was hy nog nooit aan die vreemde wêreld van die jongmeisie nie. Sou dit inderdaad sy sélf wees wat speel met sy gedagtes, wonder hy vlugtig; of sou dit so gewees het met enigiemand van haar soort, geslag en jare? En dié twyfel laat hom effens terugtrek.

„Wat *doen* jy eintlik?" vra hy.

„Niks besonders nie." 'n Oomblik is sy weer verwyderd. Sy sit en beskou haar tone. „Aan die begin, vier jaar gelede, het ek 'n ruk lank sommer enigiets gedoen, los en vas, net om aan die lewe te bly. Toe het dit winter geword. My geld het opgeraak. Een oggend het ek my jas gaan verkoop. Dit was verskriklik koud. Ek het gedink ek sou darem vyf-, sesduisend frank daarvoor kry. Die blerrie ou skurk het my vyftienhonderd gegee. Ou frank toe nog, natuurlik. Ek het gaan brood koop. En toe steel iemand my beursie uit my hand uit: sommer net gegryp en weggehardloop. Ek het hom agternagesit, maar hy het te gou verdwyn. Toe het ek maar my brood geloop en eet, en daarna bly loop en loop, net om warm te bly. Ek was later so moeg dat ek ook nie meer omgegee het nie. Ek het in die Luxembourgtuin tussen die winterbome op 'n bank gaan sit en gevoel hoe ek kouer en kouer word. Eers was dit naar, maar later het ek vaak geword en ek het gedink as ek net aan die slaap kan raak, sal ek nie weer wakker word nie. Toe het daar iemand langs my kom sit. 'n Student, ook nie baie goed aangetrek nie, maar hy't darem nie koud gekry nie. Hy het begin gesels. Ek weet nie juis wat ek alles teruggesels het nie. Uiteindelik het hy iets voorgestel. Jy weet – ? Ek het eers my kop geskud, omdat ek eenvoudig te koud gekry het. Hy het aangehou. Toe sê ek: ‚As jy my 'n bord kos sal gee en my die hele nag by jou sal hou.' Hy het gelag en my opgehelp, en my met hom saamgeneem. Ek het nooit eers sy naam gevra nie." Haar hande vou skynbaar rustig toe oor haar voete. Klein sweetdruppeltjies op sy voorkop prik koud teen die warm lug. Sy lag effentjies, by en vir haarself. Begin dan saggies iets neurie. Dit breek weer af asof sy die wysie vergeet het. En hy hoor haar vroom resiteer: *„Agnus Dei, qui tollis peccata mundi, miserere nobis."* Sy trek haar hande terug, vou haar arms om haar knieë en laat haar kop daarin rus, word 'n biddende embrio. *„Agnus Dei, qui tollis peccata mundi, dona nobis pacem."*

„Nicolette!" sê hy amper gebiedend.

Sy lig haar deurmekaar swart kop op en kyk hom met groot onskuldige oë aan. „Wat?"

„Waarmee is jy besig?"

„Niks." Sy swaai haar bene oor die rand van die bed, sit 'n oomblik die strammigheid van die spiere en vrywe, hou haar rok bokant haar knieë vas, kyk krities na haar bene en dan na hom asof sy kommentaar verwag. Maar toe hy stilbly, lag sy net effens, steek haar voete in haar skoene, stryk haar rok reg, en sê: „Ek gaan vir ons koffie maak."

Hy knik afgetrokke en probeer ontsyfer wátter van haar kwiksilweragtige luime erns en watter spel was. Of, wonder hy wrang, het hy maar net te oud en stram geword om by al die wisselinge by te bly?

Hy hoor die gasstofie in die klein kombuis suis, hoor haar water tap en werskaf. Hy bly maar sit en kyk goedig, vergewend na die deurmekaar kamer, asof daar nou tóg 'n eenheid is, 'n gemene deler wat al die disparate brokkies saamvat.

„Ag, damn!" hoor hy haar sê. Die stoof hou op suis.

Sy kom in die deur staan. „Die koffie is op."

„Dis seker nie so erg nie," sê hy met 'n glimlag. „Ons kan in 'n kafee êrens gaan drink."

„O, graag!" Sy draai dadelik weer om. „Ek gaan net my hare kam." 'n Minuut later roep sy: „Is my lipstif daar êrens?"

Hy onthou dat hy dit vroeër op die tafel gewaar het, gaan dit haal en neem dit na die kombuisie waar sy by die wasbak voor 'n spieëltjie staan. Hy kyk na die sagte beweging van haar jong arms terwyl sy met elmboë hoog gelig haar hare staan en regmaak. Sy laat hom 'n rukkie wag, neem dan die stiffie en begin gesigte in die spieël trek. Hy draai bedagsaam sy rug en maak aanstalte om te loop, maar sy maak 'n onverstaanbare geluid wat „Bly" beteken. En teen sy sin staan hy die vreemde proses en dophou asof hy dit die eerste maal sien. (En wanneer laas hét hy dit gesien? Annette en Erika doen dit in 'n geslote badkamer.) Dis die bewegings van 'n dans; en by die mengsel van ydelheid, gewone snaaksigheid en oordrewe erns is daar iets amper magies in: geen blote handeling nie, maar 'n ritueel.

Eindelik draai sy na hom om en staan en wag.

„Jy is mooi," betuig hy hoflik, uit jare se gewoonte; tog ánders as gewoonlik.

Sy glimlag; haar oë spot. Dan stap hulle saam uit, en hy verbaas hom oor die grasie waarmee sy teen die slegte trap afklim.

„Waarheen nou?" vra hy onder. „Jy sal die pad moet wys."

Sy slaan 'n onbekende koers in.

„Het jy al geëet?" vra hy skielik.

„Frites."

„Dan gaan ons na 'n restaurant," sê hy vasbeslote.

Hy sou daarná nooit weer die pad kry na die klein eetplekkie waarheen sy hom dié aand geneem het nie. Hy was deurentyd net bewus van onbekende, smal strate en hoë geboulyne; die restaurantjie self het skaars plek vir vier tafeltjies gehad, met papierbekleedsel waarop die kelner uiteindelik die rekening gekrabbel het; hy was bewus van 'n paar ander klante, blykbaar studente, wat in 'n hoek gesit en redeneer het; en origens net van háár, byna asof sy 'n vreemde, amusante klein diertjie was wat hy met wetenskaplike belangstelling kon dophou terwyl sy ongelooflik baie eet en een stryk deur praat.

Hy was ook van homsélf bewus, daar by haar, in dié vreemde klein eetplek; en 'n oomblik het hy byna verslae gewonder: Hoe het dit gekom dat hy hier is? Wat máák hy hier? Wat sal gebeur as 'n bekende hom hier moet aantref? Alles het 'n skyn van algehele onwerklikheid, selfs onmoontlikheid. Aanvanklik ontstel dit hom so dat hy sou verkies om op te staan en te vlug, terug na 'n bekende wêreld. Maar in die groeiende gemoedelikheid van die swaar, goedkoop, wyn se warmte bly hy tog sit en luister na haar terwyl sy soos 'n klein insek voortgons, en eet, en af en toe iemand groet wat inkom of uitgaan. Praat maar, dink hy loom: praat, praat, hou die hele aand so aan, moet nooit ophou nie, net sodat dié oomblik kan *duur*.

Maar ondanks al sy subtiele pogings om haar meer en meer dinge te laat bestel sodat hulle langer kan bly, leun sy later agteroor en sê welbehaaglik: „So!" En roep toe taamlik hard agter toe: „Garçon! L'addition, s'il vous plaît!"

Vyf minute later is hulle buite op die koue sypaadjie in die donker. Sy stap vertroulik vas teen hom, haar hand deur sy arm gehaak, deur dieselfde labirint as vaneffe, en sing binnensmonds 'n melancholiese, guitige slenterliedjie:

„*Au clair de la lune, mon ami Pierrot,*
Prête-moi ta plume, pour écrire un mot.
Ma chandelle est morte, je n'ai plus de feu;
Ouvre-moi la porte, pour l'amour de Dieu –"

Hy luister afgetrokke, net gedeeltelik bewus van alles, omdat die verlamming van die afskeid klaar swaar oor alles lê.

Naby haar voordeur maak sy haar arm los en draf vrolik voor hom uit en druk die skakelaar en lag. Hy kom tydsaam agterna, help haar met die swaar deur en bly daarteen leun om dit oop te hou. Hy hoop byna dat sy hom sal nooi om binne te kom – terwyl hy tegelykertyd ewe koel en saaklik weet dat hy hom dit nie sal toelaat nie, selfs al sou sy.

„Dankie," sê sy, nog effens uitasem, „Ek het heerlik geëet."

„Dis ek wat moet dankie sê." Ondanks die hinderlike formaliteit van sy woorde, bedoel hy dit hartgrondig. „Ek het ontdek dat ek met toe oë in Parys gewoon het."

„Ek sal jou die stad nog *wys*," belowe sy, asof dit klaar so ooreengekom is. Dan wip sy op haar tone, raak kuis met haar koel sagte lippe aan sy mond en gee pad. Met haar een hand op die ou trapleuning wuif sy nog 'n slag en begin dan boontoe klim. Hy hoor haar stem neurie, en sagter word:

> „*Au clair de la lune, Pierrot répondit:*
> *Je n'ai pas de plume, je suis dans mon lit.*
> *Va chez la voisine, je crois qu'elle y est,*
> *Car dans sa cuisine on bat le briquet.*"

Die res van die woorde kan hy nie hoor nie.

7

„Oh, I'm *so* glad to see you, Mr. Ambassador!" Sylvia Masters se regterhand, met die groot karbonkel van 'n ring, rus lou in syne en haar swaar armband flits in die lig. „Ons voel skuldig om u van die werk af te lok – but it's such a *special* occasion!"

Sy is gasvrou by Victor le Roux se huispartytjie en ontvang sjarmant die gaste by die voordeur van die groot woonstel aan die Boulevard Haussmann.

Die Ambassadeur knik effens en antwoord beleefd, hinderlik bewus van haar obsene kaal wit arms. Sy het 'n ligroos rok aan, nie baie vleiend vir haar effens rooi hare nie. Maar sy koop al haar klere in Londen en lê oor die algemeen heelwat Britse smaakloosheid aan die dag. Waarom sou dit hom vanaand hinder? Dit; en die swaar halssnoer om haar skraal wit nek; en die lang oorbelle wat flikker met elke beweging van haar kop.

„Mnr. Le Roux was taamlik geheimsinnig omtrent vanaand," sê hy met afgetrokke hoflikheid. „Skuil daar iets agter?" (Wat hy in werklikheid dink, is: *Waarom dra sy nie 'n stywer bra nie?*)

„Dis 'n geheim," neurie haar stem. „A big surprise. Maar kom dat ek vir u iets skink. Wat verkies u?"

Hy beweeg agter haar aan. Dis 'n groot ou woonstel met hoë mure, versierde plafon en goed bewaarde negentiende-eeuse meubels; 'n paar swaar tapisserieë hang teen die langste muur van die voorkamer. Aan die verste kant is 'n groot ornamentele kaggel met 'n droërangskikking van proteas en ander Suid-Afrikaanse blomme daarvoor: Victor le Roux se eie handewerk.

Daar is nie veel mense nie: 'n twintig of so. Die Ambassadeur beweeg tussen hulle deur, knoop hier en daar 'n gesprek aan, lê al die vereiste wellewendheid aan die dag. Tussenin gewaar hy telkens vir Sylvia. Goeie gasvrou, by alles. Hy het haar al een of twee keer bedags toevallig by die ambassade raakgeloop (iets waarteen hy gekant is) en opgemerk hoeveel anders sy dán lyk: gewoonlik in tweed geklee, met 'n gryserige lusteloosheid in haar oë. Maar op 'n aand soos dié lewe hulle op, asof duur liggies spesiaal vir die geleentheid aangesteek is. Dis haar enigste ware element dié, dink hy. Iets daarvan het hy in Erika ook al gemerk. Maar Erika is tog gans anders. Sy het 'n ingebore sjarme; en sy het onberispelike smaak. Dalk selfs te onberispelik. Hy glimlag afgetrokke na sy glasie terwyl sy mond rustig voortgaan met die gesprek waarmee hy besig is. Hy kan onthou dat daar in die eerste jare ná hulle troue iets onsekers omtrent haar was. Maar sy het geslyp geraak. Later het hy hom meermale verwonder aan haar selfversekerdheid, 'n soort onverstoorbaarheid. Weggesteek tuis is sy soms slordig. Sy het met die jare meer begin rook. En drink, vermoed hy. Maar niemand sal ooit op 'n partytjie iets daarvan opmerk nie. Hy sug effens en wonder: waar sou sy vanaand wees?

(En – *sy*? Sy in haar vervalle ou gebou en haar moedelose ou kamertjie, en haar jong oë, ligjare weg van dié woonstel met die swier van mooi, heengegane weelde.)

Terwyl hy oënskynlik aandagtig luister na die geklets van die Britse kulturele attaché se vrou, klap iemand hande (dis Masters) en die stemme word stil – behalwe Anna Smit wat nog êrens in 'n hoek 'n sin voltooi en te hard lag.

„Ladies and gentlemen – !" Masters is 'n vlot spreker wat sy fyn, droë kwinkslae amper ongemerk laat uitglip. Terwyl hy opsetlik omslagtig en effens hoogdrawend met sy aankondiging besig is, luister almal met die verskuldigde aandag en hoflike glimlaggies.

„ – Mr. Le Roux has indulged in a bit of poetic licence – or would it be licentiousness?" (Die mense lag.) En dan lig hy 'n smal groen boekie bo sy kop en openbaar die geheim: Victor het 'n bundel indrukke oor Parys gepubliseer, deur homself geïllustreer.

Van alle kante word – soos dit hoort – uitgeroep, gelag en nader beweeg om te sien en geluk te wens. Sylvia gooi haar lang bleek arms om Victor le Roux se nek en soen hom. Hy staan verleë en grinnik, sy ligte kuif deurmekaar oor sy voorkop, sy brilglase groot en stowwerig onder die lig.

En dan, onvermydelik: „For he's a jolly good fellow" – wat Anna Smit en Koos Joubert in Afrikaans sing.

Die Ambassadeur bly aanvanklik buite die gedrang, en beweeg eers later onopvallend nader om sy gelukwensing uit te spreek. Kort daarna keer hy terug na die ambassade.

Victor se boekie. Sy streng mond versag effens meewarig. Dertig jaar gelede het hy ook met sulke moontlikhede gespeel: die agtien maande voor sy troue, hier in Europa – in Londen en Suid-Frankryk. Toe het hy honderde bladsye volgeskrywe, nagte lank half besete in sy klein kamertjie in Chelsea of Padstow of Arles gesit en tik tot die bure aan die muur begin hamer het. Miskien was dit 'n manier om Gillian uit sy gestel te kry. Vir hom het die motief nie saak gemaak nie, net die drif; en die uiting daarvan. Hy het artikels in tydskrifte gepubliseer om aan die lewe te bly; sy eintlike werk – 'n nooit voltooide roman – het hy vir homself gebêre.

Hy het kuis gelewe dié ruk. Die vroue wat daar wel was, was bloot metgeselle, satelliete op die periferie. Want al sy energie is bestee aan die groeiende stapel bladsye op sy tafel. Tussenin het hy soms met vriende togte na verskeie uithoeke onderneem: alles deel van die een groot roes; die een groot suiweringsproses.

Hy het begin planne maak. As die roman slaag – en hy was seker dat dit sou – dan sou hy finaal verder oor sy toekoms besluit: waarskynlik voltyds skrywe, en voluit lewe.

Dit het toe anders verloop as wat hy verwag het.

Ná sy troue het hy soms nog iets geskryf, maar die roman het onaangeraak bly lê. Waar moes hy die tyd kry? Sy beroep het hom so begeester dat hy nie meer daarvan kon wegkom nie: algaande het dit sy enigste vorm van lewe en uiting-gee geword. 'n Gekondisioneerde identiteit? Miskien. Maar dan was dit eenvoudig een soort bestaan in die plek van 'n ander. Want of hy ooit ‚talent' gehad het, betwyfel hy nou. Dit was 'n blote drang, in sigself geen waarborg vir iets méér nie.

Waarom sou hy selfs toelaat dat al dié dinge vanaand terugkeer? Of word hy oud – ? Hy snuif. Hy moet meer werk en homself minder tyd laat om onnodige dinge te onthou.

8

Die weer hier in Rome is effens koel, maar dis sonnig. Annette het 'n paar dae lus gevoel om die ruïnes te beklouter – bid jou aan! – maar origens loop ons meestal die Via Veneto en die strate rondom die Piazza di Espagna plat en doen inkopies. Wat is daar juis anders te doen – selfs al slaap mens soggens tot elfuur? Ons het gisteraand saam met die Kriges in 'n restaurant in die Via Marche gaan eet. Jy onthou, ons het hulle met ons tuisverlof ontmoet. Die vorige aand was daar 'n partytjie by die Ambassadeur. Vanaand wil ons na 'n nagklub toe gaan. Môreaand is daar weer 'n partytjie by die een of ander Italiaanse ministerie. Ek weet nog nie of ek wil gaan nie. Annette het 'n kêrel van die Italiaanse Buitelandse Sake raakgeloop en wil nou net oral met hom saam, verkieslik onder my vlerk uit. Dalk moet ek haar maar laat be-

gaan. Daar is iets, 'n verwydering, tussen ons. Sy is op soek, ek weet nie waarna nie; sy sekerlik ook nie. Is dit maar iets wat in 'n jong meisie vaar, of sou elke mens dit ken? Is dit net 'n drang om te wil loskom van gesag? Ek onthou hoe bitter opstandig ek teen alles gevoel het destyds, veral daardie agtien maande toe jy oorsee was, en alles skynbaar tot niet. Mens is so absoluut in jou eise dan! Ek wou teatraal selfmoord pleeg. (Hemel, wat weet 'n kind van lewe-en-dood? Ek dink ek begin dit eers nóú so stadigaan leer.) Of anders wou ek trou met die eerste man wat opdaag, verkieslik 'n huwelik waarmee ek my ouers kon skok. Alles was vir hulle altyd so ‚behoorlik'. (So ‚comme il faut', sal ek deesdae moet sê om in die mode te wees.) Maar nes dit gelyk het of daar dalk tóg 'n wegkomkans kom, het ek bang geword. Ek was my lewe lank nog burgerlik. Dis so maklik om mens dinge wys te maak, om die speletjie te speel. (Maar dit word al moeiliker om ‚mens-mens' te speel! Jou verbeelding raak op soos jy ouer word.) Net om nie te dínk nie. Kyk hoe dwaal ek af. Ek moet gaan bad en regmaak, een van my nuwe rokke aantrek – gewaagd! ek kyk of ek nog my-self kan skok – en klaarmaak vir vanaand. Annette is al van wan-neer af doenig. Het jy ooit ontdek hoe mooi sy is? Maar wat maak dit sáák? Een van die dae trou sy – met haar Italianer of een van sy opvolgers – en dan? Is dit ál waarvoor mooi-wees 'n aas is? Jy moenie te veel werk nie. Maar wat sal jy ook doen as jy nié werk nie? Was dit altyd so? Ek kan dit nie anders onthou nie. Met liefde, Erika.

9

Dis 'n eensaam week. Ná Le Roux se partytjie is die volgende aande wonderbaarlik vry. Gewoonlik verwelkom die Ambassa-deur dit, omdat hy dan òf agterstallige werk kan afhandel, òf die jongste publikasies oor die internasionale politiek in vyf tale kan bestudeer. Maar daar is deesdae 'n stilte, 'n afsondering in 'n ruimte wat hom rusteloos maak. Wanneer hy in die ambassade werk, skakel hy die gang en die leeskamer se ligte ook aan, net om 'n illusie van lewe rondom hom te skep. (Normaalweg is hy baie gesteld daarop om nie elektrisiteit te vermors nie.)

Terwyl hy die Vrydagaand met 'n boek oor Frans-Britse betrek-kinge sit, hoor hy iewers onder in die huis dofweg 'n vrou lag. Hy is skaars seker van die geluid. Lebon se vrou? Maar hy het haar vroeër die aand sien uitgaan. Dus weer die een of ander maîtresse. Die idee is vir hom buitengewoon pynlik. Hy maak die boek met 'n besliste gebaar toe en staan op : vanaand sal hy maar die onvergeeflike doen en na een van die luukse-bioskope van die Champs-Élysées gaan. Hy trek sy jas aan en stap uit. Dit reën, maar dis amper 'n uitkoms ná die verhitte ampswoning. Omdat hy so selde sommer stap, vergeet hy om die kortpad te neem en kom dus bo by die Place de l'Étoile uit. Die reën val nou taamlik driftig. Hy trek sy hoed oor sy voorkop en bereken die afstand na die naaste bioskoop. Hy sal papnat wees voor hy daar kom. Toe, byna sonder om 'n vaste besluit te neem, draai hy na die Avenue Wagram, maak daar 'n taxideur oop en klim in. 'n Paar druppels rol in sy nek af.

„Rue de Condé," sê hy. En hy wonder: Kan dit só maklik wees – ?

Ook die stowwerige ou gloeilampie van die vyfde verdieping is dood toe hy dié keer (effens uitasem van die vinnig klim) aan die bopunt van die stukkende trap aankom, maar hy het vroegtydig voorsorg getref en sy sigaretaansteker se dun liggie gebruik. Hy talm 'n rukkie om asem te skep. Dan lig hy sy hand en klop aan, bewus van die finaliteit van dié gebaar, maar uitdagend, asof die kortstondige aanraking van sy kneukels teen die skilferige hout die bevestiging is van 'n verset teen eensaamheid, stilte, protokol en lot.

Dis 'n hele ruk stil, en hy staan en wonder of hy maar moet omdraai en of hy die klokkie moet lui sodat die hospita hom weer kan binnelaat, toe die grendeltjie binnekant klik en die deur oopgaan, sonder dat hy voetstappe gehoor het. Dit is verklaarbaar, want sy is kaalvoet. Haar hare lê oor haar skouers, los; en sy het net 'n halflyf wit onderrok en 'n bra aan. Haar oë lyk onverbaas. Sy staan opsy om hom te laat verbykom.

Die Ambassadeur aarsel, en stap dan binne sonder om na haar te kyk. „Jy kon maar eers aangetrek het," sê hy ongemaklik.

„Ek het nou net water ingetap om my hare te was."

„Dis in elk geval onbehoorlik." Hy vererg hom vir sy onvermoë om die situasie te hanteer en vra skielik prikkelbaar: „Of was jy iemand anders te wagte?" (Maar hy het tog nie hierheen gekom om rusie te maak nie!)

„Nee," sê sy neutraal. „Jy kan op die stoel hier in die kombuis sit solank ek was."

„Maak maar klaar." Hy draai weg en gaan na haar kamer. Sy haal haar gladde skouers op en stap ligvoets, met 'n tartende flap van die onderrok, deur die kombuisdeur. Hy hoor water tap en die gasverwarmer suis. Sy begin onverstaanbaar neurie.

Hy haal 'n paar goed van die tafel af en gaan op 'n hoek daarvan sit. Teen sy sin luister hy na die beweging in die kombuis, haal dan 'n sigaret uit en steek dit aan. Die rook laat hom bedaarder dink. Hy begin rustiger deur die kamer kyk. Dieselfde vriendelike deurmekaarspul van die vorige keer heers op bed, stoel, tafel en kas. 'n Hoop klere lê uitgedop op die bed.

Sou daar iets berekends in haar tartery skuil? Maar sy was hom tog nie vanaand te wagte nie. Tog – Sy sing harder, deur sy gedagtes. Die stem is effens yl, ongevorm. (Dit kan nie 'n wafferse nagklub wees waar sy sing nie, dink hy.) Hy druk die sigaret in die deksel van 'n sjokolablikkie dood.

Sy hou tussen twee mate op met sing, en roep: „Dit reën, hè?"

„Ja."

Sy sing weer.

Na 'n minuut: „Hoekom het jy gekom?"

„Kom kuier."

„O."

Sy bly 'n volle halfuur lank in die kombuisie by die wasbak voor sy terugkom, besig om haar hare met 'n bont handdoek droog te vryf. Sonder om enigiets op te ruim, gaan sy bo-op die bondel klere op die bed sit en vou haar voete onder haar in.

Vraag, antwoord; vraag, antwoord.

Hy wag dat die towerwoord gespreek moet word wat alles skielik sal laat verander, wat die onwesenlike nutteloosheid van dié oppervlakkige speletjie sal laat end kry, maar dis asof sy 'n behae daarin skep om onbepaald so voort te gaan. Sy is negatief vanaand, sinies by wyle, op 'n afstand; en tog weerspreek haar gemaklike houding en die onbewus-bewuste lok van haar voorkoms haar woorde, asof sy ook met haarsélf 'n speletjie sit en speel, die frases van 'n toneelstuk sit en repeteer terwyl haar liggaam en gedagtes met vryer dinge besig is.

Dan hoor hulle altwee die vinnige klop. Sy skud haar klam hare uit haar gesig en swaai haar lang bene onder haar uit. Hy bly doodstil sit, maar sy hele liggaam het verstrak.

Toe sy by die middeldeur kom, sê hy streng: „Trek eers vir jou aan."

„Hoekom?"

Hy staan vinnig op, gryp 'n rok van die bed se verfrommelde hoop af en druk dit in haar hande. „Trek eers vir jou behoorlik aan!"

Sy staan byna teen hom, haar oë vlak en kwaad. Dan wip sy met 'n rats beweging van hom weg, deur die middeldeur, skop dit met 'n kaal voet agter haar toe en gaan maak die voordeur oop. Hy kom vinnig tot by die deur en vat aan die knop, besef dan in watter kompromitterende situasie hy sal verkeer as die onbekende besoeker hom juis nou by haar moet sien, en laat sy hand terugval. By die voordeur kan hy haar met 'n man hoor praat, maar woorde kan hy nie onderskei nie. Hy kyk eenmaal om hom rond, loop na die venster en probeer daar 'n uitweg soek; maar onder die gekrulde tralies wat die onderste helfte van die klein balkonnetjie afsluit, strek die vyf grys verdiepings loodreg en nat na die straat toe af. Die Ambassadeur draai weer terug. Die stemme by die voordeur het opgehou, maar Nicolette bly weg. Hy talm 'n minuut, sy hand effens bewend op die knop; dan maak hy dit vinnig oop. Die voordeur staan oop. Teen die reling van die trap sien hy, witterig in die donker, haar figuurtjie wat oor die afgrond leun en ondertoe kyk.

„Nicolette."

Sy draai om.

„Kom terug."

Sy kom tydsaam na hom toe, met 'n kokette danspassie wat sy op haar tone uitvoer. Hy neem haar arm en trek haar by hom verby en maak die deur driftig toe. Sy loop tot in die middel van haar klein kamer en draai daar na hom om, vou haar arms en stut haar gesig op een palm.

„Wie was dit?" vra hy.

„Jy sou graag wou weet!" spot sy. Haar oë is verontwaardig.

„Wie was dit?" herhaal hy met nadruk.

Sy swaai by hom verby en gaan op 'n hoek van die bed sit. „Iemand wat my baie liefhet," sê sy teatraal. „Iemand wat by my wou kom slaap."

Dit klop in sy voorkop. „Hoe lank is jy van plan om met dié lewe voort te gaan?"

„Net so lank as wat ek lus het." Daar is 'n gevaarlike krakie in haar stem.

„Trek jou aan," beveel hy. „Jy bly nie langer so kaal nie!"

„Ek trek nie voor mans aan nie."

Hy voel 'n oomblik lus om haar te klap, soos wat hy met 'n parmantige kind sou doen. Dan draai hy net sy rug op haar en bly so staan en wag.

Sy gee 'n snuiflaggie, maar leun na 'n rukkie tog oor en soek 'n romp en trui tussen die warboel op die bed uit, en begin aantrek.

„Kaal!" hoor hy haar sê, half vir haarself, half uitdagend aan hom. „Mens is nie kaal as jy sonder klere is nie." Haar stem word lomer. „Mens is kaal as die man wat jy liefhet jou teen hom hou en jou laat omdraai met jou rug na hom, en sy arms onder joune deurstoot en sy hande op jou hou, en praat met jou, en sy hande laat verder gaan, en nog bly praat, heeltemal saggies praat. Dán is jy kaal, al het jy ook 'n groot dik jas aan."

„Is jy klaar?" vra hy. Sy asemhaling is swaar.

„Lankal."

Hy draai terug. Sy buk onder die bed in en haal twee kouse daar uit. Op haar dooie gemak begin sy een aantrek. Toe sy dit bo vasknip, strek sy altwee bene uit en vra: „Het ek mooi bene, of is hulle te dun?"

Hy antwoord nie.

Sy trek die ander kous ook aan, staan dan op en haar groen oë kyk uitdrukkingloos vas in syne. „Ek dink jy is impotent," sê sy, met net 'n geringe trekkie van haar onderlip.

Hy kyk na haar; dan weg. „Jy is – jonk," sê hy.

Dan kom hy by haar verby, uit, en maak die deur agter hom toe. In die donker bokant die trap aarsel hy, draai half terug en raak aan die knop, weet dat sy aan die binnekant ook staan en wag. Hy druk sy oë toe. Dan gaan hy stadig na die trap en begin afklim, voel-voel met sy voete na die gebreekte treetjies.

Daar is 'n klein verposing in die reën toe hy buite kom. Hy begin aanstap na waar hy 'n taxi kan kry; maar die gedagte aan die huis, juis nóú, leeg, laat hom van plan verander en hy swenk regs na waar hy hoop om by die Boulevard St. Michel uit te kom. Hy wil tussen mense wees, al is dit vreemdes; verkieslik vreemdes. Hy soek die ligste, drukste kafee uit, waar 'n massa mense wriemel en tros om té klein tafeltjies. Tien minute staan hy in die gedrang en wag dat daar 'n sitplek moet leeg raak; dan skuif hy by 'n tafeltjie in en bestel koffie van 'n beswete, ongeduldige kelner. Hy begin stowe in sy dik jas, maar daar is geen ruimte om dit uit te trek nie.

Toe hy eenkeer opkyk, staan Keyter langs hom. Hy voel 'n ligte skok deur hom trek. Dan sak verligting oor hom. „Kom sit," nooi hy, amper gretig.

Die derde seretaris, sien hy, is verbaas om hom hier te kry; en dit verskaf hom amper behae. (As Keyter maar kon weet – !)

„Kom u dikwels in dié buurt?" vra die jong man.

„Soms." Hy hou sy uitdrukking onveranderd, maar glimlag innerlik, aanvaar sy eie uitdaging en begin 'n speletjie met homself speel. „Ek probeer stelselmatig die stad verken." (*Ek het by 'n meisietjie gekuier. 'n Klein slet. 'n Jong mooi klein slet.*)

„Maar dis so 'n nare aand vanaand!" Daar is iets mefistofeliaans in die jong bleek man, dink die Ambassadeur: dis asof hy doelbewus alledaagse vrae en opmerkings onheilspellend wil laai.

„Die reën is soms 'n welkom afwisseling ná die muwwe kantoor."

(Sy het gesê ek is impotent. Sy dink haar bene is te skraal. Weet jy hoe mooi hulle is, Keyter? As ek jou skielik sou vertel – Maar jy weet! Want jy het haar mos daardie aand uitgegooi. En dit het haar na my toe laat kom. Jy is sinies, en jy probeer graag wêreldwys lyk, Keyter, maar eintlik is jy baie jonk –)

Naderhand ry hulle saam in 'n taxi terug. Die Ambassadeur klim in die Avenue Hoche af; Keyter gaan alleen verder na Neuilly. Maar die Ambassadeur druk nie Lebon se voordeurknoppie nie. Sodra die taxi weg is, draai hy om en stap deur die reën na die Champs-Élysées, en gaan by 'n ander kafee opnuut tussen die mense op die glasterras sit. Hierdie keer bestel hy nie koffie nie.

10

Dis finaal, en hy aanvaar dit eenvoudig; en dwing homself om nie weer daaroor te dink nie. Terug kan hy nie weer gaan nie; onder geen omstandighede nie. Maar dis sonder enige drang om haar uit te daag, eerder met 'n soort ironie, dat hy die Maandag – met 'n effens skuldige gewete – self 'n uitnodigingskaartjie aan haar pos na die militêre attaché se onthaal in die ampswoning. Dit is dus eintlik 'n skok toe hy haar die Woensdagaand by die deur van die onthaalvertrek sien inkom. Sonder die minste huiwering laat sy haar aanmeld, groet die militêre attaché en sy vrou, en stap tussen die mense in. Hy is in druk gesprek met 'n lid van die Franse Generale Staf toe sy by hom verbykom, formeel knik, en sê: „Goeienaand, U Eksellensie."

Hy groet, sien die generaal se vraende, wêreldwyse blik en sê: „Die een of ander student, vermoed ek."

„Ek sien." Die Fransman loer amper ongemerk na haar terwyl sy wegstap en laat sy oë oor haar smal rug na haar enkels afgly. „Hm," beaam hy veelseggend, en gaan voort met die gesprek.

Die Ambassadeur is bewus van 'n ligte opwinding in hom. Hy hou dit volstrek onder beheer, maar dis tog of die aand ligter word. En agter die woorde van sy gesprek wonder hy waarom sy wel gekom het. Kan dit op háár beurt 'n subtiele uitdaging wees?

'n Uur later is sy egter weg, sonder dat hy haar sien gaan het; daar is ook soveel mense dat sy maklik onopgemerk sou kon vertrek het. Waarheen?

Die onthaal is nimmereindigend. Selfs ná die meeste gaste weg is, bly 'n paar gesprekke nog hardnekkig voortduur. En uiteindelik moet die Ambassadeur nog pligshalwe die militêre attaché en sy vrou nooi om 'n laaste drankie in 'n private sitkamer van die ampswoning te geniet.

Dit is taamlik laat toe hy eindelik moeg van die voordeur af terugkom, en hy het hoofpyn. Maar dis te vroeg vir slaap. Daarom draai hy by die oop deur van die verlate ontvangsaal kortom, en loop uit na die kantoorgebou. Tot halftwaalf werk hy ongestoord, metodies, met gedwonge konsentrasie aan 'n verslag wat die Franse Minister van Buitelandse Sake aangevra het. Dan sluit hy alles sorgvuldig toe, talm 'n rukkie in die koel binneplaas en staar op na die vlak wolke waarteen die stad se ligte dowwerig en tam weerkaats, en gaan by die huis in, met die trap op en na sy kamer.

Dis byna onmerkbaar; en tog, reeds toe hy bokant die trap kom, is hy bewus van 'n geur, 'n warmte, 'n teenwoordigheid. Hy bly stilstaan en probeer dit verklaar. Erika se kamerdeur staan oop. Hy stap oor die dik tapyt soontoe en skakel die lig aan. Dis verlate. Tog is die mat geur hier duideliker as by die trap. Dalk het een van die diensmeisies 'n laaste draai hierbo kom maak. Hy gaan ook, veiligheidshalwe, na Annette se kamer. (Met 'n glimlag wonder hy: „Die drie beertjies – ?") Alles lyk onpersoonlik netjies, maar dieselfde onbepaalbare indruk dat dit tóg nie presies in die haak is nie, kom na hom terug. Hy haal sy skouers op, trek die deur weer agter hom toe, en gaan na sy eie kamer.

Haar swart kop roer op die kussing toe hy die lig aanskakel. Een skoen lê op die rand van die bed, die ander op die vloer. Origens is sy ten volle gekleed, maar verkreukel en soos 'n krimpvarkie opgerol, skuins oor die damasdeken.

Hy bly doodstil op die drumpel staan, met sy hand op die skakelaar. Sy kreun saggies. Dan word die matraskop opgelig en haar oë loer deur skrewe na die lig.

„Hû?" vra sy moedeloos en laat haar kop weer sak.

Die Ambassadeur loop tot by die bed, haal die skoen af en sit dit netjies langs die ander een op die vloer neer.

„Dis koud," sê sy vaak en ril effens.

Hy gaan haal 'n warm kamerjas agter die deur, kom sprei dit oor haar, sorg dat sy heeltemal toe is en skakel dan die lig af. Net die skemerlig van die trapportaal kom deur die oop deur. Hy hoor haar diep sug; dan verslap sy en begin egalig asemhaal. Hy gaan op die stoel met die regop leuning langs die bed sit. Sy is net 'n dowwe skaduwee op die blou deken, haar hare swart op die wit vlek van die kussing. En asem, soet asem, en 'n geur, en 'n genade; 'n kind, 'n kind. Here, dink hy, hy word sentimenteel, hy word oud. Netnou kom daar trane in sy oë. Maar dis donker. Dis goed. Dis stil. Net sy haal asem, lewe hier op sy bed, slaap, 'n skaduwee in die skaduwee. Hy was by sy kind, só, toe sy skaars twee was en hy 'n nag moes waak toe sy siek was en Erika moes rus. Hy het vir haar water gegee in die nag en by haar gesit en die komberse oor haar skouertjies gevou en haar ligte koppie sien beweeg op die kussing, en sonder wysie probeer neurie: Slaap, kindjie, slaap, daar buite loop 'n skaap. Daar buite is die stad, die winterstad, met sy laat voetgangers en motors en die onophoudelike stuiptrek van sy grys hart. En by Gillian ook nadat hulle in die see was, die één keer, dit was te koud, en reënerig boonop, en sy was altyd tenger, maar sy wou nie luister nie; hy het amper verkluim, maar sy met haar blou baaikostuum het ál voor hom uitgeswem, die branders in, deur ligte wit skuim en blouvaal heuwels onder die grys en blink reën; daar was iets besete in haar, 'n sensuele natuurekstase in haar lewe in die water, haar ylwit lede en die blou kostuum en die nat hare teen haar wange, soos seegras in die boonste skuim; totdat hy haar byna met geweld teruggebring het later, uit op die verlate sandstrand onder 'n swaar berghelling met portjacksonbosse, sy het geklappertand, blouerig van die koue, skraal, maar gelag en gelag met haar kop agteroor en toe haar kostuum afgestroop en wit en dofblink soos 'n pêrel voor hom gestaan en by hom warmte kom soek wat hy nie durf weier het nie, nie meer kón of wou weier nie; dit was die eerste keer; die *enigste* keer; sommer daar op die sand tussen die natgroen bosse, dit het aan haar rug geklewe, korrelrig, toe hulle opstaan, hy met die sout smaak van see en trane in sy mond; hulle het mekaar afgedroog, gebibber, net effens nog gelag, en daarna teruggery en iets warms gaan drink, brandewyn; maar die dokter moes kom, longontsteking, en dit was 'n godswonder dat sy deurgehaal is; en toe het hy ook by haar gesit in die nag en gewéét van haar, en eenmaal het sy haar hand uitgesteek en saggies gelag en gefluister: „Moenie dink ek is jammer nie!" en geslaap en gesond geword.

En so word die nag oud en jonk oor hulle, afgebaken deur die gedempte, deftige slae van die huishorlosie êrens onder in die groot gebou, en die lang strepe geluid van die verkeer buite in boulevards, strate en alleë onder die wolkerige lug. Dalk raak hy self ook aan die slaap; maar hy bly bewus van haar en haar hare en haar asemhaling; en een of twee keer lig hy hom half orent nadat sy geroer het en vou die warm jas weer om haar skouers toe.

Dis oor twee toe hy besef dat sy wakker is en roerloos lê, haar lyf gespanne, asof sy probeer uitvind waar sy is.

„Nicolette?" vra hy.

Sy lig haar bolyf vinnig orent, met die jas om haar skouers vasgehou soos 'n kombers.

Hy staan op en gaan die lig aanskakel. Sy knipoog, begin haar hare met haar hande oor haar skouers terugvee, en glimlag stadig asof sy verskoning wil vra maar hom eers moet takseer.

„Ek was moeg," sê sy later. „Dis laat."

Hy neem 'n besluit en loop terug deur toe. „Ek gaan vir ons koffie maak," sê hy. „Die badkamer is net langsaan, as jy wil hare kam."

Sy glimlag sonder bybedoelinge en knik. Tien minute later hoor hy haar by die trap afkom. Hulle praat nie. Maar toe sy op 'n groot swaar leunstoel sit en die koffiekoppie met altwee hande vashou (soos Gillian), sê sy gewoonweg : „Jy en jou vrou slaap in aparte kamers."

„Ja."

Haar oë kyk oor die rand van haar koppie, maar sy lewer nie kommentaar nie.

„Die derde kamer is my dogter s'n."

„Ek weet."

Hy frons vraend.

„Ek het haar klere in die kas gesien," sê sy sonder blik of bloos.

„Hulle hou vakansie in Italië."

„Nou is jy alleen in die groot huis."

In een kopknik erken hy alles.

„Ek moet teruggaan," sê sy. „Dis laat."

„Amper drie-uur. Moet jy?"

Dis tog onnodig dat hy vra. Daarom antwoord sy ook nie. Staan net op, trek haar swart sjaal oor haar skouers en haak haar aandsakkie van die stoelleuning af.

„Dis 'n mooi rok," sê hy waardig en bedaard.

„Ja, dit is." 'n Vlugtige klein laggie loer om 'n moeë mondhoek.

„Ek sal jou terugneem."

„Dis nie nodig nie."

„Jy kan nie dié tyd van die nag alleen buite wees nie."

„Dit sal nie die eerste keer wees nie."

Hy skud net sy kop en stap voor haar uit buitentoe, gaan maak self die voordeur oop en stoot die motor uit. Dis stil; ook terwyl hulle deur die strate met die geel ligte terugry na haar woonplek.

„Nag," sê sy toe hy haar swaar deur vir haar oopmaak.

„Nag."

Hulle raak nie aan mekaar nie.

Hy bly op die drumpel wag totdat sy op die eerste verdieping aankom, en stap dan na die motor en ry terug na die ambassade. Toe hy die voordeur weer toeslaan, verskyn die concierge vaak en bedremmeld op sy drumpel. Agter hom lê daar vlak, stowwerige lig teen een van die vensters. Die Ambassadeur kyk hom nie reguit aan nie, sê net nag, maak dan die ampswoning se voordeur agter hom toe en gaan op na sy kamer waar die patroon van haar klein lyf nog op sy bed afgedruk lê.

II

Die volgende paar weke het hy dit buitengewoon druk, veral met die nuwe reeks onderhandelinge in verband met Suid-Afrikaanse wapenaankope. Aanvanklik voer hy 'n paar onderhoude met die Franse Minister van Buitelandse Sake; daarna, vergesel van kol. Kotzé, die militêre attaché, ook met die Oorlogsminister. Daar moet oortuigende motiewe aangevoer en voldoende sekuriteit gewaarborg word. Die onlangse moeilikhede in Suid-Afrika het goed afgeloop, dui die Franse ministers telkens aan, maar as daar weer so iets moes gebeur – ? En daar is nog steeds die V.V.-aangeleenthede wat aandag verg; daar is 'n verslag in verband met 'n kommunistiese kongres in Parys wat deur enkele Suid-Afrikaanse nieblankes bygewoon is; daar is onderhandelinge met 'n groep invloedryke Franse politici wat Suid-Afrika wil besoek om self met die landsomstandighede kennis te maak.

'n Enkele keer kry hy kans om weer na Nicolette te gaan, maar sy is nie tuis nie; met die hospita wil hy nie weer redekawel nie – en hy kom terug, teleurgesteld, en tog amper verlig oor wat gebeur het, of nié gebeur het nie. Maar toe hy die tweede keer – 'n paar dae later – weer van haar dooiemansdeur terugkom, kry hy haar onder by die voordeur en gaan saam met haar sjokola drink in een van die bistrots waar sy klaarblyklik 'n ou bekende is.

Dít is die balansstaat van 'n hele agtien dae. En tog is die Ambassadeur daar bewus van dat iets langsaam in beweging gekom het, hy deel daarvan, en nou onderweg is: iewers heen; maar wáárheen, is onvoorspelbaar; en om daar self iets aan te doen, is ongerade. Want alles is tentatief, vol prismatiese moontlikhede, alles latent, en só delikaat dat 'n onversigtige woord of gebaar dit sal kan versteur. Ná daardie nag, ná die samehang van al die voorafgaande ontmoetings, is 'n ewewig bereik wat buite hul eie vermoë bestaan: wat hulle nie kan bevorder nie, maar wel kan verstoor. Hy doen sy werk. Sy gaan haar onnaspeurlike gang deur die Minoaanse labirint van die ou stad. Hy is bewus van haar; en, vermoedelik, sy van hom. Maar dit rus in 'n laag van simbole en vrye assosiasies ánderkant die bewuste.

Dit duur tot Dinsdag 18 Desember.

12

Dis 'n gewone lang wit amptelike koevert met die Republikeinse wapen agterop geëmbosseer.

Dit is eenvoudig geadresseer aan *Die Ambassadeur* en gemerk: *Streng persoonlik en vertroulik.*

Nadat dit oopgeskeur is, is daar 'n tweede koevert, gemerk: *Uiters geheim.*

Binne-in is 'n brief van die Minister van Buitelandse Sake (op 'n foliovel) en agt getikte kwartovelle, dubbelspasiëring.

Met amper vriendelike formaliteit behaag dit Sy Edele om die meegaande verslag onder die Ambassadeur se aandag te bring vir bestudering en kommentaar, so gou doenlik. Hy is daar vas oortuig van dat die Ambassadeur 'n bevredigende verduideliking sal kan verskaf wat die hele onaangename en waarskynlik onnodige aangeleentheid spoedig tot 'n bevredigende einde sal bring. Hy wil origens benadruk dat die Department die optrede van die betrokke derde sekretaris in 'n baie ernstige lig beskou; en sodra die Ambassadeur die verslag met sy verwagte kommentaar terugstuur, sal daar sonder versuim daarvolgens gehandel word.

Daar is geen beweging in die hande weerskante van die spierwit foliovel nie. Die Ambassadeur se onderlip stoot net byna onmerkbaar 'n entjie vooruit. Dan verwyder hy die papierknippie, plaas die brief onder die ander velle en begin die verslag tydsaam deurlees. Sy gesig bly uitdrukkingloos. Daar is hoogstens 'n effense roering van die winkbroue toe hy die eerste keer afkom op die frase: *Mej. Nicolette Alford, 'n Suid-Afrikaanse meisie van twyfelagtige reputasie.*

Uiteindelik knip hy weer die brief bo-aan die verslag vas, sluit dit in sy brandkas weg en begin metodies sy ander pos deurlees. Daarna ontbied hy Anna Smit en dikteer 'n paar briewe. Pas nadat sy weer uit is, vra hy Masters om na sy kantoor te kom sodat hulle tesame die raad se verslag in verband met uitbreiding van die huidige ambassadegebou kan bespreek. Hier en daar beveel die Ambassadeur kleiner wysigings in Masters se formulering aan, voor hy die verslag terugbesorg vir die finale redaksie. Om halfeen gaan hy uit na die wagtende ampsmotor en vertrek na 'n sake-ete in die Rue du Faubourg St. Honoré. Kort na twee is hy terug op kantoor om 'n Franse koerantredakteur te woord te staan. Daarna onderteken hy die briewe wat Anna Smit inmiddels getik het, gee haar enkele nuwe opdragte, handel self 'n brief af; en om halfvier lig hy sy telefoon op, laat hom deurskakel na die onderste kantoor en vra Keyter om na hom te kom.

Drie minute later staan die jong sekretaris voor die stinkhout-lessenaar, afwagtend, niksvermoedend, apaties, met een hand op die leuning van 'n stoel.

Die baadjie het daar gehang. Corpus delicti nommer een. Net 'n oomblik wil alles onbeheers in hom aan die tuimel raak en hy voel sy hande ondraaglik vasklem aan sy stoelleunings. Dan sê hy heeltemal kalm: „Ek het 'n verslag van die Minister ontvang."

„Ambassadeur?"

„Of dan: die afskrif van 'n verslag. Dis deur jou onderteken."

Hy sit aandagtig, met amper wetenskaplike afgetrokkenheid en kyk hoe daar stadig twee rooierige kolle op die jong man se bleek wange begin vlam. Die horlosie teen die muur oorkant die venster tik egalige sekondes af.

„Ambassadeur, ek – U begryp dat ek eenvoudig gedoen het wat ek as my plig beskou het. Ek het die grootste agting vir u. Dit was net omdat ek geglo het die reputasie van die hele – "

„Ek het reeds jou motivering in die verslag gelees, Keyter. Ek is bly dat jy die reputasie van die Diens so ná aan jou hart dra." Hy verskuif na 'n gemakliker posisie, effens agteroor, met sy vingerpunte teenmekaar. „Miskien kan jy my nou sê waarom jy dit *werklik* gedoen het."

„U dink tog nie dat ek – ."

Dís haat, dink die Ambassadeur; só lyk dit.

„Dis dus jou heilige oortuiging," sê hy. „Dis net jammer dat jy dit nie oorweeg het om vooraf die saak met my – of Masters – te bespreek soos wat die protokol sou vereis nie."

„Dit was dringend," sê Keyter kortaf.

„Dit begryp ek. Anders sou jy immers nie sommer jou eie loopbaan op die spel geplaas het nie." Hy sit regop. „Dis al, dankie, Keyter."

„Ambassadeur – " Hy bly daar staan, met die rooi woedekolle op sy wange en iets brandends in sy amper kleurlose oë; en tog ook: 'n skielike twyfel? Maar hy voltooi nie sy sin nie. Draai net baie vinnig om en maak die deur oop.

„Keyter."

Met klaarblyklike inspanning draai die derde sekretaris om.

„Waarom het jy Nicolette die aand uit jou woonstel gegooi?"

Daar is skielik trane wat deur die jong man se wimpers wil breek. Hy beweeg sy lippe, loop dan vinnig uit en trek die deur met 'n kort, driftige klik agter hom toe.

In die groot kantoor is dit stil.

Die Ambassadeur staan op en gaan na die swaar brandkas teen die muur by die glasboekrak. Eers dáár, met sy hande teen die gladde, koue hoek van die kas, durf hy die skyn laat vaar. Dit was sy laaste bietjie magsvertoon. Om wat te bereik? Om 'n man wat reeds tot die uiterste gedryf is, 'n genadeslag toe te dien terwyl hy sélf stuiptrek?

Maar Here God : *dit*!

Hy voel die klein sweetdruppeltjies koud teen sy voorkop prik. Hy draai terug na die kantoor, sý kantoor, beweeg sy arms asof hy hulle beskermend wil uitbrei daaroor, en laat hulle weer langs sy sye terugval.

„Onverantwoordelike klein twak – !"

Hy bedwing die hartstog. Want die Vader weet, die saak is banaal genoeg. Dit sal nie help om dit banaler te maak deur self kwetsend te word nie. Die hele saak is eintlik kinderagtig. En hy het tog genoeg vertroue in sy eie vermoë om alles baie gou en doeltreffend te weerlê.

Hy haal die verslag uit die brandkas, gaan terug na sy lessenaar en begin losweg aantekeninge maak vir 'n antwoord. Hy dwing hom om 'n uur daarmee vol te hou. Dan vou hy al die geskrewe bladsye netjies op en verbrand hulle met sy sigaretaansteker oor die snippermandjie. Moet hy hier sit en hoogdrawend verduidelik wat werklik in elke geval gebeur het? – *U Edele, sy was moeg en het onaangeraak in my bed geslaap en ek het my kamerjas oor haar gegooi en by haar gesit tot sy wakker geword het. U Edele, ek het in haar kamer gewag terwyl sy haar hare gewas het en daarna het sy gesê ek is impotent en ek het geloop. U Edele –*

Dit walg hom fisiek om alles so af te takel tot taal, tot stellinge, tot selfverdediging.

Maar as hy dit nié doen nie?

Hy begin opnuut, met dieselfde resultaat. Lank nadat die ander personeellede al huis toe is, verbrand hy die laaste paar bladsye, sluit weer die verslag weg en gaan uit. Die koue donker brand teen sy oorverhitte gesig en lyf. Hy loop na die buitedeur, groet skaars vir Lebon, steek die straat oor en gaan na 'n restaurant in die Avenue Wagram.

Voordat die laaste gereg wat hy bestel het, nog bedien word, roep hy al die kelner, betaal, laat 'n buitensporige groot fooi en loop uit. 'n Baie fyn sifreëntjie het begin val.

En nou : ‚huis' toe?

Nee. By die voordeur draai hy weg en stap vinnig na die Champs-Élysées. Vir die afsondering van sy vertroude vesting sien hy vanaand nie kans nie. Maar ook mense irriteer hom en keer hom vas. Hy loop aan totdat die klammigheid só dringend teen hom sif, dat hy na die middel van die nat straat drafstap, in 'n taxi klim en die bestuurder vra om na die Latynse buurt te ry.

Hy klim voor die Odéon af, asof hy nie wil hê dat die bestuurder sy bestemming moet uitvind nie; en stap daarvandaan na die ou houtdeur in die Rue de Condé, wat vir hom skielik bekender as sy eie voordeur lyk, hoewel hy nog so selde hier was.

Daar is geen antwoord op sy klop aan haar kamerdeur nie. Hy bly vyf minute wag; want vanaand mag sy nie weg wees nie. Maar sy is. Iewers in die krioelende stad, onvindbaar.

Hy gaan weer met die trap af, loop om na die agterkant van die gebou en soek haar venster bo teen die lyn van die dak. Dis donker. Tydsaam begin hy stap, op tot teen die Luxembourgtuin, en terug en weer op na haar deur. Daar is nog geen antwoord nie en onder die deur lê daar ook geen skrefie lig nie.

Hy móét haar sien. Dít is die punt waarheen alles beweeg het. Hy moes daarop bedag gewees het, maar hy het hom onklaar laat vang. Daar is net een ding wat hy nou kan doen: met haar praat en alles finaal afsluit. Die hele verslag berus op 'n wanvoorstelling. Hy is onskuldig. Voor môre moet ook die skyn en die moontlikheid van die kwaad vernietig wees, al moet hy dan 'n uur, of ure, op haar wag.

Heeltemal kalm druk hy die klokkie. Byna onmiddellik glip die hospita se deur agter hom oop en 'n strook gesig word in die kier sigbaar.

„Weet u waar juffrou Alford is?" vra hy. „Ek moet haar dringend spreek."

Die deur gaan verder oop. Nee, sy weet nie. As sy moet uitvind waar die meisie heen gaan elke slag as sy met die trap afklim, sal sy niks anders uitgerig kry nie. Sy kan weer die kamer oopsluit as monsieur wil wag –

Hy skud sy kop, maar toe sy al die deur halfpad toe het, bedink hy hom tóg en sê: „Goed."

In die klein kamer dwaal hy rusteloos rond, vasgekeer, onseker of hy ooit moes ingekom het. Want wát – 'n Beweging in 'n venster oorkant die straat, een verdieping laer as Nicolette s'n, val hom op. Eers is dit die blote beweging wat hom interesseer; die genade om énigiets te hê om sy aandag vas te hou – selfs die sinlose gebare van 'n vreemde mens in 'n vreemde kamer: asof dit ineens ontsettend sinvól sou wees, net omdat hy kan dophou sonder om self hier by die rand van sy venster gesien te word: asof hy vir die eerste keer staar na die skouspel van die vreemde fenomeen, *mens*. 'n Man in 'n rooi kamerjas, wat sit en koerant lees; opstaan en blykbaar sigarette gaan haal en weer begin lees. 'n Vrou wat uit die binneste diepte van die gebou opdaag, met 'n kort swart jurk aan, wat sy voor die venster kom uittrek terwyl die man haar sit en dophou. Sy is swanger. Die man staan op en kom na haar toe. Sy knoop sy kamerjas los. Daarna draai hulle om na die bed. Alles geskied – oor die afstand van die straat – woordeloos, geluidloos, soos 'n marionettestuk, met onselfbewuste ekshibisionisme, amper kalm; en tog met 'n primitiewe soort lewe daaromtrent – iets wat geuit en bevredig word deur elementêre bewegings en gebare.

Die Ambassadeur draai weg van sy eie venster. Hy sou hom graag wou oortuig van die banaliteit van wat hy gesien het, maar teen sy sin moet hy erken dat dit iets van 'n ontroering in hom gewek het: 'n ongedurigheid wat dit onmoontlik maak om langer hier alleen te wag. Daarom loop hy vinnig uit, trek die deur agter hom toe, en gaan na die trap. Die vyf verdiepings lê leweloos onder hom, beurtelings lig en donker. Hy begin afklim. van die pleintjie af loop hy regs en soek opsetlik die kleinste, donkerste straatjies uit. Dit bring hom in smal gangetjies waarvan hy onlangs nog heeltemal onbewus was en waarvan hy in die donker nie die name kan lees nie. Stegies met die reuk van afloopwater, urine en ou kos; met vervalle skewe geboue wat plek-plek deur onooglike steiers gestut word; met rondloperkatte; met 'n vervodde ou boemelaar wat dronk agter 'n kinderwaentjie aanslinger waarin al sy aardse besittings gepak is; met onverwagte groepies studente wat met baarde en fel oë by verskilferde deure staan en praat; met 'n kind wat êrens in die donker geslaan word; met die rumoer van stemme uit donkergerookte Chinese of Noord-Afrikaanse kroegies en hole. En dit alles is háár kontrei. 'n Onwerklike, groteske, fantastiese wêreld waar verbygangers in die reën en donker ontliggaam en sonder vaste buitelyne verbyskuifel; waar lamppale hier en daar staan met groot dowwe bolle lig bo-aan – in-sigself-geslote lig wat nie uitstraal nie en nie deur die donker dring nie; waar hy op die duur moet twyfel of selfs hý daar is; en of hy ooit daar *was*. Hy stap stadig, asof hy uit al die uiteenlopende indrukke elemente van háár probeer versamel, 'n verklaring vir haar probeer vind. Hy word 'n verdwaalde middeljarige reisiger in 'n wildvreemde woud. Hy dink daaraan dat Parys tot onlangs nog vir hom bloot 'n gedrukte naam bo-aan 'n amptelike vel skryfpapier was; 'n bepaalde roetine; bepaalde roetes; 'n bepaalde groep mense.

Met omweë en heelwat verdwalery kom hy terug in die straatjie agter haar gebou; haar venster is nog donker. Hierdie keer hou dit byna nie meer onsteltenis vir hom in nie. Die stad self het hom beetgeneem. In 'n nuwe halfdonker straat sit hy sy tog voort, draai verder links en beland in 'n nuwe doolhof, totdat 'n breë verkeerstroom voor hom oopgaan en hy die geluidlose donker water van die Seine daar anderkant vermoed. Hy loop oor na die sypad aan die rivierkant, beklim die paar trappies van 'n ou houtbrug en gaan leun oor die traliewerk. Twintig tree verder, onsigbaar in die donker, sit 'n boemelaar 'n klein vals draaiorreltjie en speel. Af en toe sing hy heserig saam. Maar naderhand verstil sang en spel en hy is eenvoudig weg in die donker; dalk aan die slaap, dalk vort. Net die rivier roer nog met lui, loodagtige ligglimminge ver onder; alle geluid is gedemp deur die dun, dowwe sif van die reën.

Hy dink aan 'n nag, onmoontlik lank gelede en haar woorde: „ – *Die rivier maak so met 'n mens* – ". Die herinnering bly onvolkome, net 'n effense onrus. *„Môre haal hulle haar hier uit."* Hy vra hom skielik af waarom mens dit doen? Waarom sou sy dit doen as sy daartoe moes kom? Dit skok hom 'n oomblik. Want dis seker nie ondenkbaar dat sy so iets sou probeer eendag nie. Die onvatbare melancholie in haar – Hy kén haar nie. *Wie* ken hy? Sy vrou, sy eie dogter? Hy bly voor hom uitkyk. Sou dit beteken dat hy eenvoudig teen wil en dank deur sy werk, sy manier van lewe, gekondisioneer geraak het in een bepaalde sfeer van reflekse en dink? Dat alle ánder handelinge bloot doeltreffend, nuttig, moes word, *buite* die bewuste, opsetlik verdring net omdat daar nooit tyd of behoefte was om enigiets te verwerk of te interpreteer nie? Die patroon, die reëlmaat, die voorgeskrewe handelinge, protokol: alles waarvan hy so feilloos seker is, waarop hy kan peil trek omdat alle menslike verhoudinge daarin vervat en gekatalogiseer is. En waarom nié? Heeltemal onbewoë dink hy: hy het eenvoudig opgehou met *voel.* Maar is dít juis 'n verlies? Dis die skielike afsondering hier bo die water in die reën en die donker wat hom so aantas. Dis seker g'n ‚volle' of ‚volkome' lewe wat hy lei nie: maar dis al wat hy *het.* Hy kan nie nou uitdraai of opnuut êrens begin nie. Hy *wil* nie. Hy is tevrede met wat hy het en hy moet dit behou, teen watter prys ook al.

Die stap begin weer, straat na straat, maar nou telkens teen die rivier, asof dit hom aantrek. Tevrede –? Hy is ambassadeur. Hy is ses-en-vyftig jaar oud. Hy het die toppunt bereik. Verder kan hy nie.

Dis vir hom ineens uitsigloos, soos die steë waardeur hy dwaal. Maar hy het dit tog altyd moes wéét. Vroeër of later bereik mens eenvoudig die punt waar alle moontlikhede verwesenlik is. Waarom sou dít hom beklem? Dus: die pas markeer. So voortgaan. Maar tot wanneer? Of hy uiteindelik weer verplaas mag word, dalk na Washington of Londen, is skaars ter sake. Dis 'n geringe milieuverandering; die kern bly dieselfde. Briewe en telegramme van 'n onsigbare regering. Opdragte. Onderhandelings. Verslae. Onthale. gesprekke. Amptelike funksies. Hy het dit tog gekies: hy is met oop oë daar ín.

Op 'n klein pleintjie teen 'n beeldegroep wat swart en nat in die een hoek staan, is 'n windverwaaide paartjie besig om 'n bromponie heel te maak. Die meisietjie – ligte hare, groot jas, smal langbroek – lig met 'n flouerige flits terwyl die man met die vergasser werskaf. Daar is 'n kepie tussen haar oë en haar tande klepper effens. Maar nie een van hulle is bewus van enigiets buite en om hulle nie; volkome afgesonder van die ganse wêreld in hulle klein krisis. Maar: *bymekaar.* En hy dwaal alleen. Waar is Nicolette? Waar Erika en Annette, waar Gillian, waar énigiemand, enigiemand op godsaarde? 'n Verbystering dryf hom verby restaurants en kafees waar onsigbare mense hulle agter bewasemde ruite verskans, na die eiland toe, na die swaar torings van Notre-Dame. Flardes uit Erika se laaste brief, drie dae gelede, dwaal deur sy gedagtes. Sy sal nie vir Kersfees tuis wees nie. Dalk bly sy nog 'n maand weg, minstens 'n maand. („*Of ek hier sit of daar, is tog eintlik om 't ewe. Of ek is of nie, is om 't ewe –*")

Is dit dan onvermydelik, hierdie afgesonderdheid van hom, hierdie volslae alleenwees? En van haar? En van almal? Móét mens dan so gevang raak in die blote *proses* van lewe, van beweeg en eet en werk dat daar eenvoudig geen bymekaarkoms meer is nie?

Hy loop langs Notre-Dame verby en met die smal bruggie oor na die Île St. Louis.

Loop, dink hy. Beweeg jou arms, praat desnoods hardop. Maar dis net 'n liggaam wat beweeg en geluide maak; iets het daaruit verdwyn. Hy spéél wandelaar, spéél ambassadeur (afgevaardig uit die dood in die vreemde lewe) – en hy wéét dat hy net speel. En hoe kan hy daar uitkom? Terugkeer na die enkele verwarde, mal, fanatiese weke saam met Gillian? Maar dis gek. Dit lê nie aan plekke of mense of tye, hede of verlede nie; dit lê aan hóm.

Hy leun oor die klipmuur van die eilandjie en staar na die agterkant van die katedraal. En dis amper rustig dat hy dink: daar was 'n verwildering, een keer in sy lewe, in die stryd met en teen Gillian, toe hy gemeen het: erger kan dit nie; daar was 'n nuwe verwildering tydens sy agtien maande van ballingskap; en weer, soos 'n laaste stuiptrek, toe hy besef dat sy kind nooit vir hom sou wees wat hy gehoop het nie. Elke keer het hy gedink: dís erg, dís ondraaglik, dís die laaste keerpunt. Maar vannag het hy 'n subtieler verwildering ontdek wat erger as al die voriges is: die berus in 'n vorm, die aanvaar van 'n stelsel, die gelukkig wees met 'n voorafbepaalde bestaan. Dat hy *tevrede* kan wees met sy lewe. En dit terwyl hy self lankal opgehou het om te wéés. Nie net vir homself nie, maar vir sy Minister, sy regering, sy land. Hy kan uit die weg geruim en vervang word, en die werk sal voortgaan nes tevore; miskien soms minder vlot, nie altyd so skouspelagtig nie; maar die blote brute krag van die groot masjien waarby alles ingeskakel is, het momentum genoeg om alles aan die gang te hou.

En tog, tog: dit *is* al wat hy het!

Dis baie laat. Hy moet terug na Nicolette toe gaan. Dis nou dringender as tevore. Dis sy wat die aand uit die niet verskyn en alles laat begin het.

Hy kom verby 'n groot gebouеblok waar daar in 'n paar kantoorvensters lig brand. By een lessenaar sit 'n gryserige man vooroorgeleun en skryf, afgesonder in die steriele kol lig van sy leeslamp. En vir die Ambassadeur is dit – in dié dwalende toestand van sy hart en brein – geen vreemdeling nie, maar hy sélf wat daar sit, afgesonder van die nag en die reën, werkend, uur na uur, nag na nag, dag na dag, ewig, gevang daarin; en hy wil gaan staan en hardop roep: „Kom uit!" Maar hy weet dat die man hom nie eens sal hoor nie, en hy buig sy skouers vooroor en gaan verder.

Die nattigheid begin dwarsdeur sy dik jas syfer. Hy stap stadiger as vroeër; moeg; terneergedruk deur herinneringe. Dis nie eens 'n keusemoment nie, dink hy. Dis veel finaler. Dis eenvoudig 'n staan voor sy eie niet.

Sy is nog nie terug nie. Waar in die wilde stad skuil sy? Hy is te moeg om weer te begin dwaal. In die donker van die boonste verdieping gaan hy op die vloer sit, met sy rug teen die vuil muur gestut. Hy wag. Dalk kom sy netnou. Dalk kom sy nooit. Maar hy moet wag; dis al wat hy nou nog kan doen.

Hy moet hom losmaak, lós maak. Van haar. Van hulle enkele ure saam. Maar kom mens ooit los van enigiets? Sy hele lewe was een versameltog van bande. 'n Vrou; 'n kind; 'n huis; en die baie bande van sy werk. Niks het onvoorsiens gekom nie; niks wil hy willekeurig van hom afgooi nie. Dis juis omdat hy dié bande *wil* dat hulle so ondraaglik vas om hom lê. Want wat sou daar anderkant wees? Gillian wou wegbars uit alles; uitbreek; vry wees; wéés. Nicolette, *is* daaruit, is vry; maar haar vry-wees maak hom verslae; sy loop te lig tussen alles deur; sy is te onvatbaar, efemeer.

Miskien dut hy later effens in. Maar sy brandende drome is bloot die voortsetting van sy gedagtes: Hy dwaal en dwaal deur strate, om 'n geslote park met tralies, en kan nie inkom nie. Skrik dan wakker en dink half kwaad dat dit eintlik háár droom is, nie syne nie. Tensy sy op hierdie oomblik besig is om hóm te droom.

Sy – of iemand. En as die slaper wakker word, dan hou die droom op, en dan hou hy op, soos Tweedledum of Tweedledee. Bly slaap; bly slaap –!

Halftwee hoor hy die deur ver onder klap; die paar verdiepings wat gloeilampies het, word lig. Hy hoor stemme, dof nog; iemand lag, skater: sý. 'n Man gee antwoord. Hy kan hoor hoe hulle tydsaam in gelid met die trap begin naderkom. Hulle sing; eers is dit net 'n wysie, waarvan hy die woorde in sy gedagtes moet soek:

Au clair de la lune –

Dan 'n hulpelose skaterlag, en daar word van voor af begin. Met die derde verdieping gaan die woorde verder:

Au clair de la lune, Pierrot répondit:
Je n'ai pas de plume, je suis dans mon lit –

Teen die tyd dat hulle die vierde verdieping se trappe begin klim, klink dit al uitbundiger:

Au clair de la lune, l'aimable Lubin
Frappe chez la brune; elle répond soudain:
Qui frappe de la sorte? Il dit à son tour:
Ouvrez votre porte, pour le Dieu d'amour.

Die laaste strofe word aangehef toe hulle met die laaste stel trappe begin. Laer af gaan 'n deur oop en iemand skree woedend dat hulle moet stilbly. Maar hulle lag net en sing verder en klim hoër:

Au clair de la lune, on n'y voit qu'un peu.
On chercha la plume, on chercha du feu.
En cherchant d'la sorte, je n'sais c'qu'on trouva –

Die man – jonk, skraal, waarskynlik 'n student – kom staan dronkerig teen die kosyn en wag terwyl sy sukkel met haar sleutels. As die deur eindelik oopswaai, draai sy om, lag, gooi haar arms om sy lyf en gaan saam met hom in. Nadruklik, vrolik, lag-sing hulle teatraal die slotreël:

Mais j'sais que la porte sur eux se ferma.

Die Ambassadeur bly doodstil sit. Waarom sou dit die pyn in sy kop soveel hewiger laat voel? Hy kon dit seker van haar verwag het. Sy lei haar eie lewe.

Hy staan op en gaan na haar deur, bly magteloos buite staan; loop na die trap en leun oor die reling. Dis stikdonker onder. Hy hoor haar lag in haar kamer. Hy moet weg. Wat soek hy hier? Maar hy bly. Hy gaan sit naderhand weer teen die muur. Af en toe hoor hy haar nog veraf effens lag, loom en lui, en dit jaag die bloed deur sy kop. Hy besef dat hy natgesweet is.

Amper drie-uur staan hy op. Ver agter haar deur, in die geheime wêreld van haar kamer, hoor hy sagte stemme. Hy loop trap toe en begin afklim, gedaan en sat. Hy dink aan die toneeltjie deur die venster oorkant die straat, eeue gelede; hy skud sy kop driftig asof dit hom sal help om daarvan ontslae te raak.

Op een van die vullisblikke onder by die voordeur gaan hy sit. Alle gedagtes is nou weg. Net 'n grenslose verlatenheid bly oor. Hy kyk op. 'n Vae ligskynsel val héél bo deur die dakvenster, maar dis mat en grys. Hy sit 'n kwartier lank daar, eenvoudig omdat hy dit nie dúrf om uit te loop en die buitedeur agter hom te laat toegaan nie.

Dan, skielik, hoor hy hulle stemme bo by haar deur uitbreek, en net daarna klink die jong man se voetstappe op die trap. Die Ambassadeur bly sit. Die kêrel kom met 'n vae versufte glimlag en deurmekaar hare vlak by hom verby, sukkel 'n oomblik met die deur, vloek, en verdwyn in die donker.

Die Ambassadeur staan eindelik op, knip sy sigaretaansteker aan en begin weer boontoe klim, baie stadig, maar vasberade. Hy dink niks.

Hy klop aan haar deur. Daar is 'n vae roering binne, maar geen antwoord nie.

Hy klop weer.

„Wie is dit?" vra sy skrikkerig agter die toe deur.

„Nicolette, maak oop."

Die knip klik los en sy loer deur 'n skreef. „Wat wil jy hê?" vra sy moeg. „Dis laat." Sy gaap en hou 'n hand voor haar mond. Die kombers wat sy om haar gedrapeer het, skuif van haar een skouer af.

Hy druk by haar verby en loop tot in die kamer. Dis warm. Nie net van die verwarmer nie, maar iets liggaamliks. Die bed is deurmekaar, die kussing diep ingeduik. Oor 'n stoel hang haar jas en rok. Haar onderklere lê op 'n hopie op die vloer naby die bed. Hy bly staan, met sy hande styf toegeklem.

„Waarom het jy dit gedoen?" vra hy deur sy tande.

„Ek het niks gedoen nie. Ek het geslaap."

„Jy lieg!" Hy voel sy kake vastrek. „Ek was die hele tyd buite."

„O." Sy lyk nie verleë of verbaas nie.

Hy kom 'n tree nader. Klein spikkeltjies dans voor sy seer oë. Dan gryp hy 'n punt van die kombers wat sy om haar vashou en met een woedende beweging pluk hy dit van haar af. Sy bly doodstil staan.

„Klein teef!" sê hy.

Sy bly geduldig op die onvermydelike wag.

Die woede, die lang wag, die opstand, die ontnugtering, alles wat om hom aan die ineenstort is, álles breek oor die grense, en word gerig op háár wat saaklik naak daar staan asof dit vir haar doodnatuurlik is. Hy voel sy hande stram, ongeduldig, pluk aan sy jas en klere; hy vat haar arm moordend vas in sy regterhand en laat haar op die bed val, en neem met geweld van haar besit: onnodig, want sy laat hom begaan, met toe oë en net 'n klein pyntrekkie om haar mond; en een voortand byt haar onderlip vas.

Maar ná die kort skok weet hy onmiddellik hoe bespotlik hy met alles was, en maak hom bruusk van haar los en bly op die rand van die bed sit. Nou bly daar niks oor nie. Hy het 'n godsonmoontlike mislukking van alles gemaak. En hy het daarna *gesoek*. Die venster oorkant hom onthul hom genadeloos aan homself, teen 'n agtergrond van nagtelike duisternis: 'n middeljarige man met gryserige hare, met vet om die middel, 'n kaal stuk protoplasma potsierlik op die rand van 'n bed in 'n wanordelike, lelike kamertjie, sy gesig afsigtelik vertrek. Hy druk sy kop in sy hande asof hy die beeld wil vernietig.

Bewegingloos, effens strak, bly sy lank-uit agter hom lê; en eers baie later voel hy haar klein seunshand op sy skouer, en haar hare teen sy rug.

„Jy is ongelukkig," sê sy.

Sy stoot haar rug regop teen die muur, skuif met een hand die kussing skuins agter haar in en laat sy kop op haar skoot lê. Hy hou sy oë toe, verneder, ontnugter, moedeloos, en voel haar hand koel oor sy warm gesig beweeg.

„Wat het gebeur?" vra sy.

Hy skud sy kop. „Niks."

Sy leun effens oor en begin met 'n puntjie laken die sweet van sy gesig en skouers afdroog.

„Ek wou jou seermaak," sê hy, met sy oë nog toegepers. „Ek het êrens verdwaal geraak en ek wou dit op jou kom wreek. Ek is niks beter as enige verdomde rondloper nie."

„Rondloper. Boemelaar. Clochard." Sy sit by haarself met die woorde, soos 'n kind met klippies, en speel. „Dis so 'n vriendelike woord: clochard. Ek sou gráág 'n rondloper wees."

„Jy weet nie waarvan jy praat nie." Hy sê dit sonder skerpte;

trouens, met 'n effense vriendelikheid wat in hom begin daag.

„O ja, ek weet," sê sy koppig. „Ek het hulle al baie dopgehou, by hulle konkas rooi kole onder die brûe. En ek het al in die parkie by Notre-Dame op 'n bank gelê, laat op 'n middag in die herfs, ver van die stad af, met al die groen en bruin en geel blare bokant my, deurskynend van die son. Ek het met my kop op my arms gelê, met my knieë opgetrek, half aan die slaap, en die kinders hoor speel. Só soos 'n boemelaar maak, doodtevrede daar in my kol son, vir daardie kort rukkie. Ek het geweet die aand is naby en ek was nie seker waar ek kos sou kry nie – dit was 'n tyd toe dit swaar gegaan het – maar ek het nie omgegee nie. Want *toe,* op daardie oomblik, was ek dáár in die son, met die blare en die lug bokant my, en af en toe, net effens, kon ek die ou katedraal se groot swaar orrel hoor. Dalk het ek my dit verbeel. Maar dit het óók nie saak gemaak nie."

Hy lê nog met toe oë, maar lag effens – en verwonder hom daaroor. „Jy is 'n kind," sê hy. „Dis vir jou maklik."

„Dis vir enigiemand maklik."

„Ek het vasgedraai geraak, Nicolette. *Ek* kan nie meer in die son lê nie. Ek moet verslae opstel en onderhoude voer. Dis alles baie belangrike werk. God – !"

„Is dit dan *nodig?"*

„Ek is 'n klein ratjie in 'n baie groot masjien, my klein kind. En weet jy wat?" Sy mond trek skuins. „Ek het my hele lewe altyd bly voorberei vir ‚iets', vir ‚eendag'. Eers wou ek verby my kadetperiode kom. As ek net eers derde sekretaris is, het ek gedink. Of: as ek net eers oorsee gestuur word. En later: as ek die dag eerste sekretaris is. Of: wag tot ek 'n kind het. En altyd, agter alles, was daar die gedagte: as ek eendag héél bo is – "

„Wat dán?" vra sy.

Hy maak sy oë oop. „Dis presies wat ek nou wonder," sê hy. „Elke keer het ek geword wat ek graag wóú word. Nou is ek waar ek uiteindelik wou wees. En nou? Nou is dit alles maar nog dieselfde, presies dieselfde. 'n Bietjie meer verantwoordelikheid, 'n bietjie meer gesag, 'n bietjie minder vryheid. En verder – ?"

„Is dit nie genoeg nie?"

„Wat hét ek?" vra hy. „Wat doen ek *nou* wat die moeite werd is?"

„Jy lê met jou kop op my skoot," sê sy.

Hy kyk op na haar skraal gesig met die uitdagende mond, en die duidelike lyn van die wangbene en die kaak, en die slim, stout, onmoontlike oë. Hy kyk laer af, na haar klein hoë borste, wyd uitmekaar, soos 'n jong kind s'n, soos vaste ronde balletjies, opwaarts gepunt, met klein stralekransies, ligbruin. Hy lig hom op sy elmboog en beskou haar hele lyf tydsaam. Die puntjies van haar heupbene en die gladde, gespanne maag daartussen. Die klein swart driehoek met een prominente krulletjie wat die boonste lyn versteur. Die klein vlekkie hoog teen haar gladde linkerdy. Haar skraal mooi bene met die effens opvallende knieë. Haar oë hou hom die hele tyd rustig en selfverseker dop, en glimlag, en nooi; en hierdie keer begin alles vriendelik en tydsaam en vol deernis, aanvanklik met amper tragiese trae aksente, maar geleidelik beweegliker namate haar hande en voete, arms en bene en asem begin lewe, uiteindelik die hele sy teen, by, onder hom. Elementêre reflekse kry ook in hóm die oorhand, en verdring alle dink, alles behalwe dié kortstondige belewenis self. Tot die oomblik kom dat hy 'n ruimte in slinger, 'n klein heelal verlore in homself, ín haar, die paradoksale oomblik van uiterste alleenheid en uiterste bymekaar-wees. Hy voel haar klein tande teen sy skouer, haar vingers wat diep in sy rug in klou, hoor haar deur ander geluide en trane „Here, Here – !" sê. En lank nadat alles weer opgehou beweeg het, voel hy in haar amper magtelose vashou aan hom: al duur dit net 'n paar minute, al duur dit net 'n oomblik, sy het hom nodig, hy haar; *iemand* het hom nodig, nou en dalk hierná.

Hy roer sy vingers in haar hare.

„Here, mens," sê hy, „ek het jou lief."

„Nee, moenie." Sy skud haar kop en kyk op in sy oë. „Moenie. Ons moet net bymekaar wees. Liefde is te ondraaglik. Ek wil iets hê wat ek kan verduur."

„Ek wil jou oppas, vir jou sorg, altyd."

Sy skud net haar kop. Haar oë is onrustig, al glimlag haar mond. Amper bewoë trek hy hom van haar terug. Sy staan op, gaan skakel die lig af en kom soos 'n diertjie by hom lê, in sy arm, met haar rug teen hom, haar hare teen sy wang; en in die smal, ongemaklike enkelbedjie, op die klam matras met die harde knope, kom die slaap ongehinderd oor haar terwyl hy nog wakker lê.

Die stad se laat halflig syfer huiwerig deur die nat ruite en teken 'n reghoek bokant die bed. Hy sien die vormlose skaduwee van die kruisbeeldjie wat daar aan 'n spyker hang. Sonder rede herhaal hy by homself die woorde wat sy nou die dag gesê het: *„Agnus Dei qui tollis peccata mundi, miserere nobis. Agnus Dei qui tollis peccata mundi, dona nobis pacem."* En stiller, nadenkend, opnuut: *„Dona nobis pacem."* Hy hoor haar soet asemhaling teen die kussing. Dis maar 'n klein bedjie, dink hy. En 'n ewe klein gebed. En die nag is baie groot rondom hulle. Maar dit hét hy. Het *hulle*.

Vraagloos, gedagteloos, bly hy lê en laat die rustige osmose van hul liggame ongehinderd duur en duur. Naderhand begin die eerste lig vuilerig deur die ruite kom en die lae rumoer van die stad verskerf in afsonderlike geluide.

Hy moet opstaan, en aantrek, en gaan.

Dis yskoud buite en hy drafstap na die naaste taxistaanplek, maar dis verlate. Hy aarsel. Dan stap hy, vir die eerste keer, na die metro.

In die loop van die dag stuur hy Keyter se verslag aan die Minister terug. Sy nota daarby lui bondig: *Geen kommentaar.*

AMBASSADEUR

I

Hoe kan ek chronologies van haar praat as sy geen chronologie hét nie? Want sy is eenvoudig 'n soort onvoltooid teenwoordige tyd, 'n boek wat mens in die middel begin lees en waarvan omslag, titelblad, begin en slot makeer. Wát ek van haar het, is 'n warboel van indrukke: flardes van gesprekke, onsamehangende droombeelde, fantasieë, bygeloof, begeertes, heerlike heidense onskuld, leuens, klein gebare, drifte, lang pouses, onredelike vrese en vrae, miskien 'n houding van die kop, 'n trekkie van die lip, 'n lag, 'n obsene woord. Herinneringe aan haar is nooit ‚gedagtes' nie, maar sintuiglike ervarings. Die meewarigheid van 'n verfrommelde nat handdoek. 'n Oop wasgoedmandjie met vuil klere. Die geur van 'n haarwasmiddel. Of 'n appel – telkens 'n appel – op 'n hoek van die tafel, net half geëet, met 'n vars, skoon, sensuele wit skulppatroon van tandmerke en fyn druppeltjies spoeg om die bytplek. Ek sien haar op koue naweekmôrens uit die smal deurmekaar bedjie rol en haar oë skreef teen die kleurlose lig wat deur die venster kom, en kaal deur die kamer ronddwaal sonder om presies te weet waarna sy soek; hier 'n skoen optel, daar 'n laai omkrap en halfoop laat staan; met 'n sykous oor die arm staan en rondkyk; haar plate in hul omslae begin bêre; en dan lui voor die spieël met die oordrewe vergulde raam beland en baie aandagtig elke vierkante duim van haarself bestudeer, haar hare met haar hande opstoot bo haar kop, dit skuins oor een skouer gooi, dan oor haar ore laat val, en uiteindelik krities by haar vingernaels uitkom en hulle een vir een beskou – en dán miskien effens ril van die koue en 'n blou kamerjapon los om haar hang. Ek sien haar in my arm, met haar tevrede kop slapend teen my skouer in die legendariese onskuld van 'n meisie in haar rus soos in water, verby water, in 'n stiller, anorganiese oerlaag van bestaan, onderkant drome; en ek ruik die geur van haar hare, en van haar duur of goedkoop parfuum, van rook, en van háár: die onnaspeurlike *odor di femina.* Sy loop deur die donker binnekant van Notre-Dame tussen die suile in 'n sober rok met 'n doekie om die hare. Sy lag, met kop agteroor, in 'n derderangse dansplek, met nat blink druppeltjies aan lippe en tande. Sy verstik omdat sy te vinnig eet. Sy staan met 'n handvol sneeu in 'n groot wit tuin met swart bome. Sy leun teen 'n paal in die metro en maak, soos 'n hondjie, maats met 'n wildvreemde man wat haar wellustig aangluur. Sy snik oor 'n duiwenes wat in 'n reënstorm uit 'n kastaiingboom geval het. Ek proe haar trane. Ek proe goedkoop taai lekkergoed op haar lippe. Ek proe lemoen. Ek proe haar tong. In my rug voel ek haar opgetrekte knieë. Aan my bo-arm voel ek die diep keepmerke van haar gulsige vingers. My wang voel die speelse vegie van haar lippe. En in my hand is die herinnering aan 'n klein bors. Ek spel die fraai note van haar naam asof dít haar aan my sal openbaar. Maar uiteindelik bly die tong net talm op die onuitgesproke slotsillabe, soos die gedagtes tot rus kom by die onbepaalbare in háár. Sy het die volstrekte geslotenheid van 'n mens wat heeltemal oop is, glas waar jy déúrkyk sonder om daarvan self bewus te wees. Sy is selfgenoegsaam; maar sy bestaan nie op haar eie, lós nie; want deur haar keer ek terug na die verlede en besweer al die moontlikhede wat vroeër onverwesenlik gebly het; deur haar ondersoek ek my verhouding tot alle mense om my; deur haar word ek genadeloos teruggedwing ín in myself in – in die hopelose hoop dat die resultaat van dit àlles saam my uiteindelik by háár sal bring. Want as ek aan haar dink, is sy 'n legende, 'n sprokie; sy is Heloïse, én Francesca da Rimini, en uiteindelik: Pasiphaë. Dit alles moet ek optel en bereken om haar som te probeer maak, 'n oplossing te probeer vind vir x. Maar uiteindelik sit ek nog net: met háár, beken maar onbekend. Sy is só volstrek net wat sy is – jonk; en : meisie – dat sy haar eie mite is.

2

Sy lê op haar rug in die bed, met een knie hoog opgetrek sodat die ander voet daarop kan rus, besig om haar toonnaels met groot toewyding groen te verf.

Ek staan by die venster, versadig van sien, en kyk na die venster oorkant die smal straat waar die jong vrou van 'n maand gelede voor die oop gordyne haar halssnoer en oorbelle staan en afhaal. Sy het my netnou al gesien, want daar brand lig agter my. Tog gaan sy sonder die minste huiwering voort met die vreemde proses waarin sy metamorfeer vanaf 'n gesofistikeerde wese in 'n jas en tweestuk tot 'n witterige moederdier met buik en borste. Dit alles geskied sonder enige selfbewustheid, misterie of perversiteit: bloot as feit. Dan kom haar man ook nader en lei haar van die venster af weg na die bed. Dis soos 'n outydse stilprent; maar geen komedie nie, want dis asof sy met latente drif, dalk angs, deur die hele oënskynlik natuurlike proses 'n noodsein na my toe uitgestuur het wat vir my onbegryplik bly.

„Is hulle daar?" vra Nicolette en beweeg haar groottoon voor haar ondersoekende oë.

„Wie?"

„Die mense oorkant."

„Wat weet jy van hulle?" Ek draai met onverklaarbare skuldigheid weg.

„Niks." Sy begin met die tweede voet.

„Hulle kan ten minste die gordyne toetrek."

Sy lag net sonder om op te kyk.

„Hoe lank gaan dit al so aan?" vra ek.

„O, lank. Maar vroeër hét hulle die gordyne toegemaak. Vandat hulle getroud is, gee hulle nie meer om nie. Eers het sy alleen daar gewoon. Kort-kort was daar 'n ander man. En partymaal pajamapartytjies en kaaldansery tot dagbreek. Toe begin net die één man al gereelder kom. En toe begin sy verwag. En toe trou hulle – ek dink so, want ek het 'n ring aan haar vinger sien blink."

„Dis seker nog g'n rede om 'n gratis vertoning vir die hele straat te hou nie."

„Sy voel seker maar vasgekeer in 'n toe kamer."

Ek kry die indruk dat sy eintlik meer wil sê; of meer weet as wat sy sê. Maar sy laat my met die raaisel bly en byt haar onderlip vas om met fronsende konsentrasie haar delikate, snaakse werk voort te sit.

„Ek het jou tevore al gesê: dis geen omgewing vir jou dié nie," sug ek.

Die twee groen oë loer tussen 'n paar slierte swart hare deur. „Hoekom? Mense doen dit oral, nie net hier nie – selfs in Neuilly of die Avenue Wagram." En moedswillig agterna: „Ek het dit sélf al daar gedoen."

Ek hou my gesig opsetlik uitdrukkingloos. Ek glo nie sy besef wat sy telkens met sulke verwysings aan my doen nie. Soms laat dit my half verbyster wonder: Wat besiel my? Wat sóék ek hier? Wat kan sy – of enigiemand soos sy – my gee? Of anders wil ek haar soos 'n kind behandel, haar straf, dat sy wéét. Dieper as alles is die wanhoop: Hier is ek by haar, maar dis nie die hele *sy* nie. Hoeveel ander, tientalle van hulle, loop daar nie in dié stad rond wat iets van haar in hulle omdra nie? Méér: elke enkele mens in die stad dra haar herinnering in sy onbewuste of bewuste saam, of hy by haar geslaap het, en of hy 'n paar sykouse aan haar verkoop het, of in die metro teen haar geskuur of net op 'n afstand na haar bene gekyk het. Sy is nie beperk tot hierdie vier mure wat so naby mekaar onder die dak saamgebuk staan nie. Soos 'n enkele korreltjie goedkoop badsout in 'n groot bad water is sy deur Parys versprei: elke straatjie en ou muur, elke chromerige jukebox in 'n goedkoop kafee, elke ou koerant waarin vetterige frites toegedraai was, elke donker kerk, elke boemelaar, elke ingeduikte vullisblik, elke gebrandskilderde venster, elke nat swart klip langs die vuil Seine het iets van haar: 'n blik, 'n voetstap, 'n haar, 'n verlore knoop, 'n streling van hand of lip, 'n leë tandepastabuisie, 'n traan, 'n druppeltjie spoeg, die geluid van 'n lag. En watter minuskule brokkie van haar is myne? Asof ek selfs durf praat dat ek enigiets hét; dat enigiets omtrent haar ‚hêbaar' is!

Sy skroef die botteltjie se puntdeksel op en kom naby my haar neus teen die venster druk. Ek hou háár dop en kyk opsetlik nie na die skouspel oorkant die straat nie. Maar een keer gee sy 'n kort laggie en dwing my aandag daarheen: Die man het opgestaan en maak nou by die venster obsene gebare in haar rigting. Terwyl ek woedend my kake voel saamtrek, reageer sy ongeërg deur die fica-teken teen die ruit te druk; en daarna trek sy met een gemaklike gebaar die gordyn toe.

„Hoekom kyk jy na hulle as hulle jou ontstel?" vra sy.

Dit erger my, omdat ek aan geen antwoord kan dink nie.

Na 'n oomblik sê sy gelykmatig: „Jy en jou vrou kom nie goed klaar nie."

„Ons kom *juis* uitstekend klaar."

„Maar julle het mekaar nie nodig nie."

„Wat laat jou so dink?"

„Ek glo nie julle wil mekaar *hê* nie. Regtig *hê*."

Onvoorsiens het die gesprek tot hier gekom waar dit staan en weeg tussen ons; waar 'n antwoord – hoe lig oënskynlik ook al – van groot betekenis geword het. Ek wil nie meer skerm of speel nie. Dit sal ook nie help nie: dan word dit een van ons ‚slim' gesprekke waarvan die doel uitsluitlik is om mekaar wedersyds opvallend te ontglip.

„Ek wil jóu hê, Nicolette."

Dis of sy haar kop eers wil skud. Maar sy sê tog – amper sedig –: „Ja." En kom teen my staan en soen en word gesoen, en herhaal nadrukliker: „Ja!" asof sy iets in haarself wil dwing. En toe ek weet, of glo, of hoop, dat ek haar heeltemal hét, sê sy: „Sy sal terugkom. En dan sal jy vergeet van my. Maar jy moenie. Jy moet my nie weer alleen laat staan nie."

„Ag, my klein kind –"

Sy haal my sakdoek uit my sak en vee aandagtig haar rooisel van my mond af, roer nog 'n ruk teen my, en sê dan:

„Kom. Dis nie vanaand te koud buite nie. Ons gaan uit."

„Waarom kan ons nie hier bly nie? Ons kan so min bymekaar wees."

„Nee." Daar is iets nerveus in haar oë. „Dis – bedompig binne." En sonder om op antwoord of kommentaar te wag, gaan sy na die kas, stroop haar rok af en begin 'n langbroek en 'n paar truie aantrek.

„Elke keer nes ons heeltemal tevrede bymekaar is, dan wil jy skielik uit," protesteer ek, opsetlik kalm. „Mens sou sê jy is bang vir iets."

„Ek wil jou net die stad gaan wys."

So verloop dit telkens; ek kan daar niks op teëwerp nie; ek weet trouens nie of sy dalk inderdaad opreg bedoel wat sy sê nie. Maar selfs dan moet daar 'n ongewete dryfveer iewers wees. Is dit 'n vorm van rebelleer? – maar waarteen? Of uitdaging? – maar waartoe?

„Ek is reg." Sy gooi die punte van 'n lang rooi wolserp oor haar skouers. Ondanks al die sorg wat aan haar tone bestee is, kruip haar mooi voete weg in swart steweltjies met pelsvoering. „Lyk ek goed genoeg?"

Ek sluk 'n glimlaggie weg en vra : „Waarvoor?"

„Sommer vir die nag."

„Ja, jy lyk goed – vir die nag." Ek loop middeljarig vooruit en hou die deur vir haar oop en sê : „Nou moet jy maar die pad wys."

Sy begin met die trap afklim, wat sirkel na sirkel dieper en dieper onder ons in die duisternis afreik.

Aarselend, eintlik nog besluiteloos of ek haar wel moet volg, bly ek ná die eerste paar treetjies staan.

„Kom!" roep sy op na my. „Ons het ver om te loop."

Ek het nie veel hoop dat dit my êrens sal bring nie. Maar as ek terugdraai, sal sy waarskynlik eenvoudig sonder my verder gaan. Met 'n effense sug klim ek verder. Sy kom in die strook lig van die volgende verdieping en tussen die twee duisternisse sien ek haar met die onselfbewuste tevredenheid van haar jeug beweeg. Sy kyk eenkeer om na my, en glimlag, en die stil begeerte begin weer óproer in my. Op sulke klein, vlugtige gebare berus alles vir my deesdae, efemere skuim drywend op donker wind; en tog – dáárom dalk – betekenisvol.

Sy is al op die derde stel trappe, dié weer sonder lig. 'n Hondjie blaf êrens agter 'n deur. „Arme ding," sê sy. „Hy ken al my voetstappe, hoor jy? Hy kry nooit genoeg kos nie; sy baas-hulle is te vraatsugtig – hulle eet alles self op. Gewoonlik voer ek hom maar."

Op die rand van die volgende sirkel steek sy net vas en vra oor haar skouer: „Het jy geld?"

Ek knik, vraend.

„Ek voel spandabel vanaand."

Sy trippel vinnig die volgende reeks trappe af. Ek kom steeds agterna; dink – amper skuldig en tog geamuseer – daaraan hoe graag ek my deur haar grille laat lei. En hoe Erika so dikwels al gekla het dat ek suinig is.

„Oppas!" roep sy toe sy onder die vyfde en laaste stel trappe in die donker aankom. „Die deur het vanmiddag oopgestaan en dit het ingereën. Dis een moeras."

Ondanks haar waarskuwing trap ek op iets glibberigs, gly, soek wild in die donker na vashouplek en beland teen een van die vullisblikke. Die deksel rol met 'n duiwelse gekletter af en weerlink deur die hele gebou. Nicolette staan en skater by die deur.

'n Stem roep kwaai uit die concierge se kamer en hy ruk sy deur oop en begin fulmineer dat my ore tuit. Nicolette neem my, nog laggend, aan die arm en ons laat hom in die donker agter.

Sy lei my 'n klein, donker, stil straatjie in. Die geluid van die verkeer word stiller agter die hoë geboue. Ons voetstappe weerklink teen die mure. Die klein winkeltjies op die onderste verdiepings staan beskut agter hul swaar geriffelde ysterskerms. Hier en daar gooi 'n lamp 'n mat sirkel lig. Dis yskoud, maar windstil, en die lug bo is oop, hoewel daar geen sterre sigbaar is nie. Tussen die geboue het mens die indruk dat jy eintlik deur diep onderaardse skeure dwaal.

In een skemerige drinkplekkie waar ons verbykom, breek 'n kabaal skielik los toe 'n paar sjofele, besope vroue soos furieë op mekaar begin skel. Die een word met geweld by die deur op die sypaadjie uitgestamp en struikel half teen ons aan, kom weer histeries orent en klap na Nicolette. Voor die saak 'n lelike wending kan neem – want ek sien klaar hoe Nicolette se lippe vas opmekaar trek – maak 'n glimlaggende kroegman met 'n wit voorskoot sy verskyning en neem die steierende vrou terug. Ek vat Nicolette se hand in myne vas en neem haar teen haar sin verder.

„Daardie kêrel is sowaar deur die hemel gestuur," sê ek, nog ontstel deur die onverwagse daarvan.

Tot my verbasing begin sy lag.

Ons sit ons tog voort deur straatjies wat allengs breër en bedrywiger raak. En onverwags breek die gebouelyn oop op die Place-Saint-Germain-des-Prés wat in blakende lig daar lê en roer soos 'n ding wat 'n lewe van sy eie het. Uit alle steë stroom mense op die plein toe. Asketiese jong mans met hol oë; meisietjies met fel wit benerige gesigte, los hare en swart klere, soos herrese dodes; toeriste; wandelaars. Die ligte brand soos vure rondom alles en almal: bleek ligte wat die onaardse skyn van die toneel verhoog. Kewers om die oop grafte van eksistensialiste (dood en lewend).

Dit wil my byna vaskeer: dié maling sonder doel of koers; dié daar-wees sonder rede om daar te wees; dié groot kettery teen alles wat sin en samehang vereis; dié gedagtelose, koerslose opstand onder 'n hemel sonder sterre, vlak teen die deure van die stug, verweerde ou kerk.

En sy beweeg so vol gemak en grasie deur alles; steek teen 'n rooi lig die breë boulevard oor terwyl walle motors opdam en toeter dat hoor en sien vergaan; studente kaperjol tussen hulle deur, spring op dakke, skreeu die bestuurders kwinkslae en spotwoorde toe. Polisie draf heen en weer om die verkeer aan die gang te hou, blaas fluitjies, laat hul swart mantels grotesk om hulle fladder.

„Wáár gaan ons heen?" skree ek een keer teen die oorverdowende lawaai in.

„Nêrens!" lag sy. „Ons loop sommer. Is dit nie vir jou lekker nie?" En ek sien haar hare wat onverklaarbaar losgeraak het; en die ligte swaai van haar stap met haar lang bene en haar groot los jas; en die klein wasemwolkies wat sy met elke woord en lag uit haar mond blaas.

Ons beland langs die tuintjie onder die kerk, waar 'n paar mense koulik op harde bankies 'n yl kringetjie vorm rondom 'n klompie kaal swart struike, met sleg versteekte straalligte wat teen die hoë takke bó glinster en die massiewe ou toring verlig.

„Hier het laasnag iemand bo van die toring af gespring," sê sy langs my. Lig blink op haar tande. „Ná die mense weg was, natuurlik. Verskriklik."

Ek probeer 'n bedoeling agter haar woorde in haar gesig soek, maar sy staan weggedoke in haar rooi wolserp.

Dan gil iets bokant ons in die takke van 'n boom. Nicolette gee 'n uitroep en gryp my arm met altwee hande vas. Al die koppe draai boontoe.

„'n Uil," brom die kraag van 'n groot jas.

„Ek het gedink dis weer iemand –" Sy lag 'n bietjie senuweeagtig. „Of 'n gees. Dit gee my koue rillings. Kom ons loop."

Ons steek weer die dolle straat oor, dring deur die menigte en gaan sit in 'n hoek van 'n kafeeterras.

„Tevrede?" vra ek, effens wrewelig, toe die groot koppies mokka voor ons neergesit word.

„Heerlik."

„Ek bedoel: al vanaand se deurmekaarspul."

„Dis nie maller as gewoonlik nie." Sy skeur haar pakkies suiker oop, maak dit in haar koppie leeg, roep dan die kelner en bestel nóg suiker. Altesame vier of vyf pakkies kantel onder die dik laag skuim en gerasperde sjokolade in. En in my vreugde oor haar naïewe genieting van die warm drank, en die hitte wat stadig deur my eie half verkluimde liggaam sprei, begin ek minder afkeurend teenoor die omgewing staan. Op een tydstip lag ek selfs saam met haar oor 'n string verslae vreemdelinge wat net buitekant – dof sigbaar deur die bewasemde ruite – in 'n bondeltjie saamtros om soos hoenders, nekke-vooruit, die maling aan te gaap.

„Saint-Germain-des-Prés: done," sê Nicolette.

En ek lag. En vergeet opsetlik hoe ek flus nét soos hulle daar gestaan het: ewig op die rand, nét buite alles, en eintlik onbegrypend.

Toe ek weer na Nicolette terugkyk, staan die verslonste dik ou man met die bruin jas langs haar stoel. Alles omtrent hom lyk afgeleef en verskif; en tog is sy klein ogies jonk en vol lag bokant die dik wange met die spinnerak van pers en rooi aartjies daaroor gespan.

Sy leun agteroor in haar stoel en glimlag vir hom; kyk dan na my en sê: „Dis ou Brunetto."

Die oubaas grinnik tussen sy baardstoppels deur en lig sy hand op – of dit bedoel is as groet of as seën, kan ek nie aflei nie.

Ek knik formeel, nie baie toegeeflik nie, en stel met my oë 'n vraag.

„Ou Brunetto is 'n Italianer," sê sy. „'n Queer. Hy't vroeër in Florence gewoon, maar na die oorlog hiernatoe gekom. Nou vertel hy maar fortuin hier in die kafees." Sy kyk na hom en herhaal iets in vinnige straatfrans.

Hy antwoord in 'n mengelmoes van Frans en Italiaans – wat sy tóg verstaan, want sy leun oor die tafel en tolk: „Nie 'n gewone fortuinverteller nie. 'n Profeet."

„En waarskynlik nie geëerd in sy eie land nie: daarom is hy hier?"

Sonder om haar aan my te steur, stut sy een elmboog op die tafel en maak haar regterpalm in sy rigting oop. Die oubaas draai eers om na 'n naburige tafel, mompel: „Permette?" en skuif 'n stoel daarvandaan nader, gaan swaarwigtig daarop sit en neem haar skraal wit handjie tussen sy growwe vuil pote. 'n Hele rukkie sit hy binnensmonds en brom. Dan begin hy ‚profeteer' en sy tolk af en toe. Daar wag 'n groot geluk op haar. 'n Goeie man. Ouerig? Hy loer in my rigting en knipoog. Hy sien 'n kerk. Hy sien donker. Hy sien winter.

„Wat *beteken* dit tog?" vra sy met heilige erns. En agterna : „Hy sien elke keer iets nuuts."

„Hy moet – as hy wil aanhou geld maak uit jou."

Hulle is weer besig om oor en weer te gesels; te redeneer oor sy esoteriese simbole.

„Nou jy," sê Nicolette.

Ek skud my kop. „Dis alles bog."

„Maar jy móét! Brunetto is nie sommer 'n kwak nie! Toe, assebliefief."

Die ou wag maar geduldig, effens grinnikend, asof hy wéét dat ek om vredeswil uiteindelik maar sal inwillig. Toe ek effens weersinnig my hand aan sy twee kloue oorgee, dink ek met 'n mate van geamuseerdheid : as een van my personeel vanaand iewers deur 'n venster moet inloer – !

Die ou begin ‚lees'.

„Hy sê jy is 'n belangrike man," tolk Nicolette.

„Bedank hom vir die kompliment. Maar dit sal nie sy fooi groter maak nie."

„Hy sê jy is besig met moeilike werk."

Ek snuif effens.

„Hy sê daar wag groot geluk op jou."

„Dankie."

„Maar hy sê jou eie mense gaan jou verwerp omdat hulle jou nie verstaan nie."

„Ek neem die waarskuwing ter harte."

„Hy sê hy sien 'n bok wat na 'n heuweltjie toe aanstap maar nooit by die groen gras uitkom nie."

„Dis nie dalk sommer net 'n bok wat op soek is na 'n jong blaartjie nie?" vra ek, sonder dat dit na 'n grap klink.

„En nou wil hy graag sy geld hê."

„Sê vir hom hy's 'n wyse leermeester en hy spreek onsterflike woorde." Ek haal 'n tienfranknoot uit my sak en gee dit vir hom. „Dankie, Brunetto," sê ek oordrewe hoflik in Frans.

Hy steek die noot vinnig in sy sak, sprei albei hande seënend oor ons uit, en tot my skaamte sien ek twee trane oor sy dik wange rol en in sy deurmekaar baard bly lê en blink.

„Brunetto praat altyd die waarheid," sê Nicolette plegtig toe die vuil ou Italianer die deur oopstoot en buite in die koue verdwyn. „Ek wonder wat kon hy bedoel het met die winter en die donker? Dink jy dit het iets te doen met my droom: jy onthou, ek het jou al vertel – "

„Kom ons loop," sê ek, teen wil en dank onstem deur die ou fortuinverteller wat soos 'n gewete in boemelaarsdrag hier tussen die onbekende mense verskyn het.

Ek betaal die tydsame kelner, en dan begin sy sonder aarseling deur die straatjies van 'n nuwe doolhof stap: in die rigting van die Seine – dis omtrent al wat ek kan uitmaak, want dit lyk of ons afdraand beweeg – tot ons aankom waar sy wil wees.

Op die oog af is dit 'n gewone kafeetjie, maar met 'n trap aan die agterkant wat aflei na 'n skemerige ondervertrek waaruit die effens gedempte gedruis van stemme en skel musiek kom.

„Is jy seker ons het nie al genoeg vir een aand gesien nie?" vra ek sonder hoop op veel reaksie.

Haar enigste antwoord is om my aan die arm saam te trek. Dit lyk of sy bekend is met die plek, want sy knik vlugtig in die rigting van 'n paar kelners by die toonbank en stap reguit deur na die trap. Daarbo hang 'n taamlik modernistiese uithangbord met die voorstelling van 'n nar wat op sy kop staan. Taamlik gepas, dink ek in die verbygaan.

Die lawaai word groter namate ons ondertoe klim. En by die draai van die trap kry mens 'n gesig oor die langerige, smal vertrek: daar is net twee taamlike flou gloeilampies ver uitmekaar teen die plafon; origens swaar kolke lui rook en 'n verskeidenheid skimagtige figure – eintlik maar skaduwees wat op die dowwe agtergrond beweeg – en 'n taamlik eentonige, beklemmende soort trom-en-trompetmusiek uit die een hoek. Uit die rookwolk verskyn daar af en toe, nader aan ons, dansende pare in verslonste klere, met bleek gesigte en lang hare; en soos hulle verbydans (sommige in 'n trae, lui algbeweging, vasgeheg aan mekaar soos siamese tweelinge wat dieselfde pelvis deel; ander driftiger, met rukkerige arms, spastiese hoofbewegings en elastiese bene) draai hulle woordeloos hulle koppe agtertoe om ons amper hipnoties dop te hou met die uitdrukkinglose vlak staar van hul rooi- of swartgerande oë.

Ons kry sitplek aan die punt van 'n lang tafel teen die buitemuur. Om ons kolk en skuim die rook; sigbare en onsigbare surreële wesens gesels en lag, gil af en toe, beweeg by ons verby en verdwyn weer; en die ontliggaamde trom in die hoek bly beswerend klop, werk met gereelde tussenposes tot 'n hoogtepunt op en raak dan weer verder weg – maar hou nooit heeltemal op nie. Ons word deel van die hele heksesabbat, tydelik nog met rus gelaat teen die muur, maar dit duur ook nie lank nie.

„Kom ons dans," vra Nicolette. Haar oë is groot, opgewonde,

met 'n uitdrukking wat my skok: asof sy in 'n ban beland het.

Ek skud eers my kop, maar sy lê haar hand op my arm en maak dit onmoontlik om te weier. Ons beweeg eers huiwerig aan die buitenste kring dansers, maar namate ek meer bewus raak van haar onbeskaamde jeug so vas teen my, en van haar oorgawe aan die ontstellende bose hartklop van die musiek, verdwyn my teësin; en sonder my eie toedoen word ons opgeneem in die kolk, deel van die hele rustelose, magiese beweging. Herinneringe en alle gewone verbande word nutteloos en verdwyn; ons sélf, ek en sy, verdwyn; louter beweging kry die oorhand, en die kwade oerritme van die onsigbare trom. Eers toe ek eindelik van my moegheid bewus raak, kom ons los uit die gedrang en keer terug na ons sitplekke by die lang tafeltjie. Haar hare lyk klam, maar sy toon geen vermoeienis nie; ék is natgesweet en my bene effens lam.

Dan verskyn 'n jong demoon met krullerige haarpunte oor sy ore by ons tafeltjie, en groet. Nicolette lag terug, met iets amper skels in haar stem, en haar asemhaling kom vinniger as vroeër, buite. Dit lyk of hulle ou kennisse is (maar vanwaar?) en bly skynbaar heeltemal onbewus van my. Tot hy na 'n ruk in die middel van 'n sin afbreek, na my afkyk en vra: „En die oukêrel?" („Le vieux" is sy woorde.)

„My pa," sê sy sonder aarseling.

Hy steek 'n maer wit hand na my toe uit. Ek speel maar saam, en groet. Maar dis of hy 'n vreemde taal praat – nie net Frans nie – en ons eintlik tot verskillende planete behoort. Daarom draai hy na 'n kort minuut van skynheilige belangstelling weer na Nicolette terug.

„Kom," gebied hy.

Sy kyk na my.

Hy lag, hef sy hand op en spreek kamma 'n towerspreuk oor haar uit: *„Rafel mai amech zabi almi!"* Vat dan haar hande wat op die tafeltjie rus en sê: „Nou het jy g'n keuse nie."

Sy lag vinnig en staan op, buig oor en soen my speels teen 'n klam slaap, en word dan saam met hom opgeneem in die wolk. Die tromme begin weer lyf kry; 'n histeriese saksofoon sluit daarby aan – of 'n verwronge mensestem? want dis moeilik om uit te maak – die kolk begin vinniger draai, die hele infernale beweging gaan sy onkeerbare gang. En êrens in die maling is sy, Nicolette, weg in die skemering tussen die baie begeesterdes. Af en toe sien ek haar vlugtig deur 'n dunner newel, met haar kop agteroor, haar hare los, haar mond oop in lag of gil of hyg; of onverwags weer stil, met haar kop aangevly op 'n skouer teen die bleek vlek van 'n onbekende wang. En ek weet nog net dat ek haar verloor het – vir 'n paar minute of 'n uur miskien; maar omdat haar hede nimmer-eindigend is, onherroeplik – en dat sy jonk is, vernietigend jonk, heerlik jonk; en ek oud, *le vieux,* haar vader, iets waarvan sy haar moes losmaak om soos die ander van haar generasie verlore te raak, te stuiptrek in die ekstase van die niet. En alles eintlik in dodelike erns, selfs die lag en bokspring, asof die ritueel sélf almal beet het: 'n oerpatroon waarop daar nie gemaklik, met konvensionele gevoelens, gereageer kan word nie. Daarom laat dit my eindelik ook net in 'n soort verbystering sit: eenkant by die punt van die tafel teen die donkerrooi muur, en tog teen wil en dank betrokke daarby. 'n Halfuur, 'n uur, of ure bly sy weg; tot die trom nie meer in die hoek klop nie, maar in my eie bors. Dit bons krampagtig, orgiasties, orgasties, tot ek mislik agteroorleun op soek na asem.

Amper paniekerig staan ek op en begin deur die rook beweeg terwyl mense, stoele, tafels, vloer, mure, alles dans op die maat van my hart. Tas-tas skuif ek teen die mure langs verby tot ek naby die derde hoek 'n rooi pyl na 'n trap verder ondertoe sien wys. Ek volg dit strompelend, maak 'n deur agter my toe en bly nog effens duiselig staan en luister na die geluid wat nou ver en dof voortrumoer. 'n Smal gang bring my by die onvermydelike twee deure: *Messieurs* en *Dames.* Die eerste stoot ek oop. Dis feitlik donker binne, want net een gloeilamp skyn uit die gang deur die bolig. Uit een van die vier of vyf eenderse hokkies kom daar stemme: gelag, gehyg, gekreun. Amper gelate – want niks kan my meer verras nie – stap ek by die ry bruin deure verby na die verste muur. Die derde deur staan skaamteloos oop en ek kry 'n vlugtige blik op die jong man en meisie binnekant: staande, stuiptrekkend. Op die vloer, skuins teen 'n bondeltjie klere, lê 'n flitslig. Dit werp groteske skaduwees teen die muur op, soos van reuse wat met wringende bolywe uit 'n put probeer klim.

En toe die outomatiese deur drie minute later agter my toeswaai, dans die reuse nóg teen die muur.

Nicolette sit weer by die tafeltjie bo – luiters, asof niks gebeur het nie; net met sweetdruppeltjies op haar voorkop en om haar mond, en bleker as vroeër; besig om diep teue aan 'n sigaret te neem. Sy stribbel nie teë toe ek voorstel dat ons loop nie.

Terwyl ek na 'n kelner soek om vir die drank te betaal, loop sy vooruit. Van die trap af kyk ek vir oulaas terug. By een van die naaste tafeltjies sit 'n meisie kop-agteroor en keer 'n vol wynglas in haar oop mond om. Nog voor sy alles weggesluk het, leun 'n man oor haar en begin haar gulsig soen. Dan walm 'n rookwolk hulle toe. In die hoek begin die saksofoon weer gil.

Nicolette wag buite op die sypaadjie in die skielike, skoon koue. Bokant haar, oor die naaste donker gebouelyn, hang 'n dun maantjie.

Ons praat nie op die terugpad nie. Daar is so min wat ons sou kon sê. Die strate is byna leeg. Onder 'n verlate lamppaal maak my horlosiewysters 'n V op tien voor twee – maar dit het gaan staan : 'n minuut of ure gelede. Tydloos gee ons ons aan die donker strate oor. Een keer kies sy kortpad en ons stap weerklinkend deur 'n gangetjie met geen enkele lig nie.

En in dié volslae, laaste duisternis dink ek sonder rede weer aan Keyter. „Kom u meermale in dié buurt?" het hy weke gelede sy Judasvraag gevra. Ek gryns in die donker. En tog : sou ek hier gewees het – „in hierdie buurt" – as hy nie gedoen het wat hy gedoen het nie?

Maar haar hand wat bang vir die nag om my arm vat, dwing die gedagtes weg. Ons dwaal leeg deur die stad se leegte, aangewys op mekaar.

Eindelik skemer haar voordeur met die verweerde paradystoneel voor ons oop.

„Moet ek inkom?" sug ek.

Sy knik.

„Dit was, by alles, tog – "

„Ons is moeg," sê sy asof sy daarmee alles opsom en afsluit. „Kom."

Op, boontoe, sirkel na sirkel, tot onder die maantjie wat skeef deur die geriffelde dakvenster inskyn. Sy beweeg steeds met 'n onbedwingbare jonkheid in haar stap; en tog onsegbaar wyser as wat ek haar nog gesien het.

En dan : die lig van haar klein kamer; en ons bedjie.

3

– en toe Napels en Pompeji. Dolce far niente. *See Naples and die. Die groot illusie. Napels is 'n latrine wat uitkyk op die see. Maar ek het dit baie pligsgetrou ‚gedoen': in Italië maak jy soos die ander toeriste maak. Ewe nougeset het ek tussen vervalle mure en los klippe in Pompeji deurgeloop, en as goeie toeris het ek alles geglo wat die gids net so vlot en met net soveel bedoeling afgerammel het as wat mens die Onse Vader opsê.*

En lag maar: ek het 'n paar van Napels se museums – waar daar in goeie geselskap net oor gefluister word – van hoek tot kant deurgeloop; ook in Pompeji is al die deure en luike waarheen net mans gewoonlik deur 'n halfbesope ou gids gelei word, vir my oopgesluit. Ek moes natuurlik ‚invloed' gebruik. Die ambassade het te lank na my sin gedraai (die derde sekretarissie daar, 'n Immelman, is soos Shelley vanslewe 'n ‚ineffectual angel'.) Maar Annette se Italianer by Buitelandse Sake het alles seepglad laat verloop, met gidse en al. Hy't waarskynlik gedink ek is 'n kil, gefrustreerde vrou in haar oorgangsjare, wat haar kans wil waarneem om kunsmatig 'n bietjie stimulering te kry. (Dalk was hy selfs reg – hoewel my laaste bietjie selfrespek my nie toelaat om dit te erken nie.)

Ek probeer daarby verbypraat. Hoe moet ek dit eintlik vertel? Hoe moet ek dit oor my hart kry om te bieg dat dié uitstappie ongenooide en vergete dinge laat terugkom het? Nie die klippe of die lawaspore van Pompeji het my aangegryp nie. Ek het 'n ánder soort pelgrimstog onderneem.

Vyf-en-twintig jaar van ons soort lewe maak mens taamlik blasé. Maar ek moet bieg dat die skielike staan voor dié beelde en simbole en fresko's met hulle skaamtelose bevestiging van geslagsvreugde my 'n soort geestelike harsingskudding besorg het. Aanvanklik het ek my neus effens gelig en, soos dit van my verwag word, fyntjies geglimlag. Maar ag, Paul! – mens kan nie 'n skermpie om jou hou as jy lank tussen dié dinge rondloop nie. Ek het ook eers so maklik gedink: Onsedelike spul, dié ou Romeine. G'n wonder Pompeji is deur die lot van Sodom en Gomorra getref nie! Maar gaan woon onder 'n vuurspuwende berg, Paul; wéét – al is dit in jou onderbewuste – dat die dood elke nag en elke dag sy lui rokie oor jou huis se dak laat kronkel: en kyk of jy nie óók op 'n muur gaan verf ‚Carpe diem . . . Ergo vivamus, dum licet esse, bene' *nie! Maar selfs dít is 'n te maklike manier om alles te verklaar, het ek ontdek. Want dié mense van die fresko's en die beelde, dié verkalkte lyke wat jaarliks nog opgegrawe word uit hul beddens of strate of eetkamers of baddens, dié mense het nié net in een lang, dierlike orgie gelewe nie. Hulle het die fallus en die fica op hulle mure geskilder, nie omdat elke huis 'n bordeel was nie, maar omdat hulle daarmee die Bose wou besweer, die Kwade Oog wou afweer, Invidia van hulle wou weghou. Hoe kon hulle anders stry teen die Onbekende as deur die simbole van lewe-sélf? En dit was ook nie net 'n mag teen die Bose nie, maar ook teen die dood. Elke graf dra die tekens van Priapus en Venus. En daar was niks vulgêrs of onwaardigs omtrent geslag nie. Dit was die wonderwerk waardeur mans en vrouens skóón, óóp in die vryheid van hulle sinne kon lewe: die enigste manier om te deel in die roes van die onsterflike gode. Dis 'n soort Mis, 'n volmaakte transsubstansiasie, waarin dood lewe word en lewe dood. Die enigste paradoks wat die lewe lééfbaar maak.*

Ensovoorts.

Dink jy nie self ek het mooi na die gids geluister nie? Ek het aantekeninge gemaak terwyl hy gepraat het. Punt een: seks en Evil Eye (ek kon nie dadelik aan 'n vertaling dink nie); punt twee: seks en dood –

En nou's hulle álmal dood, al die mooi mense van Pompeji. En, weet jy, in die kamertjie van 'n prostituut in 'n bordeel het hulle 'n mandjie verkoolde uie en boontjies gekry. Take your choice: die onsterflike roes van die gode – of 'n mandjie uie en boontjies. En waarmee sit ék? Ek is amper vyftig. (Annette se Italianer sê – natuurlik – dat ek jonger as veertig lyk. Spieëltjie, spieëltjie aan die wand – !) Ek is nie eers meer héél nie. Ek kan skaars 'n tyd onthou toe ek dit nog wás: en jy seker glad nie. Ek het nooit baie uitgesien na Annette se geboorte nie (na soveel jare kan mens dit maar beleefd stel); maar ek het minstens gehoop dat ek die kind in die wêreld sou bring soos dit hoort, soos ander vrouens. En toe die keisersnee. Almal baie dankbaar teenoor dokter en Goeie Gewer dat dit tog so voorspoedig verloop het. Niemand het daaraan gedink dat ek skielik nie meer ék was nie – burgerlik, enigiets, maar ten minste in 'n heel lyf; dalk selfs 'n mooi lyf. Nou was daar die letsel, dik en opgehewe snags onder my vingers. 'n Perserige litteken, 'n afsigtelike bevestiging van my eie onvermoë. Ek kon my lewe lank nog nooit iets ‚maak' nie. My enigste bietjie kreatiwiteit was geuit in dié kind; en selfs dít kon ek toe nie maak soos die resep voorskryf nie! Ek het natuurlik gewoond geraak daaraan. Die merk het selfs met die jare byna heeltemal weggegaan. Maar dis nog daar. En as hulle my uitlê die dag, sal dit nog daar wees: witterig soos 'n streep melaatsheid.

Ek onthou die eerste nag, drie maande nadat sy gebore is, toe jy weer by my was. Hoe jou vingers oor my maag beweeg en effens stram geword het. Jy het niks gesê nie. Jy het die hele proses stap vir stap volgens voorskrif afgehandel, net so deeglik en metodies soos wat jy al jou werk op kantoor doen. Maar ek het geweet jou hande was bang vir daardie lang opgehewe litteken. Ek het geweet, want ék was bang. Ek het my vrees in jou probeer oplos, maar toe het ek jou hande voel wegskuif van die wond en geweet dat iets nooit weer tussen ons gesê sou kon word nie. Nie een van ons sou my voortaan meer ken nie: dié vreemdeling met die Kaïnsmerk – nie eers op my voorkop nie, maar op my maag. Wat het van my geword, die ‚ek' met wie ek tevore in die heel liggaam saamgelewe het? Jy sal al vergeet het van daardie nag; ons nagte was nooit baie memorabel nie. Maar ék kon nie, want dit staan ingebrand in my.

Ek verwyt jou nie. Dis ek wat nooit geweet het, of wou aanvaar, dat mens soveel dúrf gee in die donker nie. Ek sal mooi redes daarvoor kan aanvoer: my soet, beplande jeug; die dissipline; die kosskool; die vakansies tuis met ‚touwys word' in moeder se sosiale verpligtinge – Maar later oortuig mooi redes ook nie meer nie en bly mens net met jouself sit.

En dít alles omdat 'n Italianer in 'n onberispelike pak klere my 'n reeks formele lesings oor die rol van seks in die lewe van die ou Romeine in die kop geprent het, so nugter asof hy besig was om te praat oor die asemhalingstelsel van die padda.

Annette was saam met my op dié toggies en toertjies hoewel sy eintlik verkies om deur kerke te dwaal. (Ek sien jou frons. Dis nie die manier waarop mens 'n meisie van agtien behoorlik opvoed nie!) Ek verwyt my daaroor, soms. Meestal sê ek: Dit sal haar léér. Maar wát sal dit haar leer? Wat is dit in my wat my dryf om haar te wil skok, haar wakker te skud, haar met geweld te dwing tot iets?

Maar dis nie regverdig dat ek my brief aan jou gebruik om my eie raaisels op te los nie.

Ons moet seker dink aan terugkom. Dis al Januarie. Maar dit sou geen sin hê om haastig te wees nie. Juis die raaisels moet eers opgelos word.

Liefde, Erika.

4

Die laaste dag dat chronologie saak gemaak het, Woensdag 19 Desember, vroeg die oggend toe ek van haar weg is ná ons eerste nag, was dit heeltemal meganies dat ek na die Boulevard St. Germain toe aangestap het, koulik ná die menslike warmte van haar kamertjie. Dit het my nie eens baie verbaas dat daar nie taxi's by die gewone staanplek aan die kant van die nat boulevard was nie. En toe ek in die metro afgaan en deur die lang gang na die kaartjieshokkie stap, was my gedagtes – ás ek enigiets gedink het – : *Dit hoort eintlik so.* Ek het in die tou gaan staan en my kaartjie gekoop. Tot die ergernis van almal om my, het ek eers voor die muurkaart gaan vassteek om uit te vind watter roete ek moet volg; daarna het ek my maar saam met die skare deur die weerklinkende gange laat dryf. Ondanks die vroeë uur was dit klaar drukkend binne, met die voos ou reuk van knoffel en voete diep in elke baksteen ingesweet. Iewers voor in die gang, waar treine met kort tussenposes verbyrammel, het 'n paar groen deure telkens toegeswaai om die skare af te keer. En steeds het hulle van agter af bly instroom, met elke gang, teen elke stel trappe af. Vaak meisies met gesigte wat bleek onder die grimering deurskemer. Hoë kapsels wat in die gedrang begin uitrafel en slierterig raak. Ingedagte sakelui met grys jasse en swart hoede, wat koerante in opgehewe arms bo hulle koppe uithou om te lees. Huisvroue met tousakkies. Gerrebekkende kinders wat skool toe gaan. Ernstige studente met hare wat oor hul jaskrae krul. Paartjies wat ondanks al die drukte nog daarin slaag om onverstoorbaar in mekaar se arms te staan en oopmond te soen. Dit was of ek skielik van 'n vreemde planeet af hier aangekom het en vir die eerste keer in my lewe werklik die mensdom gewaar.

Wanneer laas het ek bloot die tyd gehad om enigiets op dié manier te staan en betrag? Mens is gewoonlik so druk besig met die louter organisasie van die lewe-as-proses dat daar geen kans vir meditasie oorbly nie. En wat my eintlik ontstel het, was: elke ding wat nie meditatief belewe word nie, is nie net stilstand nie, maar regressie – omdat dit jou vermoë verstomp om te interpreteer wat jy ervaar. En nog nooit – nooit sedert Gillian en my agtien maande vry-lewe – het ek soveel belewe as dié afgelope dag nie. Eintlik: die afgelope ses uur, vandat die deur onder in die donker gebou oopgegaan en twee stemme, een dronkerig, *Au clair de la lune,* begin sing het. Twaalf uur gelede was ek in 'n taxi op pad na die Rue de Condé. Toe was alles nog benouend onseker, gistend, broeiend. Nou – ? Dis seker niks eenvoudiger nou as toe nie. Die toekoms is nog niks sekerder nie. Maar ek werk nie meer net met moontlikhede of hipoteses nie. Of ek dit wil aanvaar of nie, ek staan voor 'n *fait accompli.* So ís dit – en nie anders nie. Niks is eenvoudig nie; maar alles is helder.

Die groen deurtjie swaai weer oop en dié keer beland ek op die vuil perron. 'n Minuut later kom 'n trein skrikwekkend uit die tonnel geratel. Ek het nie daaraan gedink om 'n eersteklaskaartjie te koop nie en moet nou maar saam met ontelbare ander in 'n reeds boordevolle tweedeklaswa klim. Vasgedruk in 'n hoek met 'n ongemaklike knop teen my rug, staar ek deur die vensters na die verskuiwende gang buite.

Was dit juis nodig dat ek 'n paar uur saam met 'n lome geurige meisie op 'n ongemaklike enkelbedjie moes deurbring om my hiertoe te bring? Maar weer: die hoe en waarom maak skaars saak. Net die *feit* is belangrik. En juis dit is so elementêr! Wat kan meer vanselfsprekend wees as dat háár soort lewe maar altyd iewers op die periferie van my eie geroetineerde bestaan sy gang gegaan het? Die enigste verskil is dat ek nou sélf op daardie periferie tussen twee sirkels beland het. Dat ek bewus geword het van albei. Of dalk: dat dié nag my voor die vraag gebring het of ,haar soort lewe' nie eintlik ,die' lewe is nie. Selfs dít is banaal. Ek het dit seker tog altyd geweet – maar soos mens baie dinge ,weet' sonder ken – en net weggeskram van die selfondersoek en die deurvorsing wat daarop moet volg, omdat so 'n ondersoek gewoonlik weinig meer as skedels uit jou grafkelderbinneste te voorskyn bring. Dis soveel makliker om die kas toe te hou. (Maar dit veronderstel dat jy nog kan kies: ek nie meer nie.)

Die deure klap op 'n volgende stasie toe, en ons druis voort.

Sou alles dalk op dié grondslag berus? Die hele menslike organisasie van staat en kerk, handelswêreld en politiek en skool, alles: hoe meer wette daar is, hoe meer regulasies, hoe sekuurder die bestaanspatroon vir jou afgebaken is, hoe makliker kan jy voortgaan sonder om self te dink – of *nodig* te hê om te dink. En dit alles word aan die gang gehou net sodat die illusie kan voortbestaan: dat daar wél 'n basiese patroon van orde in die lewe sou wees; dat die heelal, die ,natuur', volgens vaste wette funksioneer, en die samelewing en die enkeling óók (daarom). So, en so alleen, kan ons die skerm behou tussen ons en die angs oor die vryheid wat eintlik onder alles lê: die driftige lewe sónder koers of patroon of ,doel', die chaos. Iets so alledaags soos klere kon – afgesien van oorwegings van temperatuur en beskerming – oorspronklik ontstaan het (soos Génesis bevestig vir dié wat glo) om die mens te beskut teen die skrikwekkende vryheid van *geslag*. (Drie uur, een uur gelede was sy nog naak in my arms –)

(Châtelet.)

Die deure bars oop en ek struikel saam met die massa uit, probeer rigtingwysers soek, maar word heen en weer gestamp deur die ongeduldige menigte. Die gangdeure swaai al toe vir die volgende trein, voor ek die aansluitingsgang na Neuilly gewaar en begin aanstap na die volgende perron. Ek is natgesweet. My klere is verkreukel. Tog is dit alles op dié oomblik van bloedmin belang. Ek is byna in 'n trance.

Ons trek weer weg.

Oor 'n week kan die Minister my antwoord hê. Dis dan Kersfees en hy sal nie voor ná Nuwejaar op kantoor wees nie. Dan begin die kabinetsvergaderings om voorbereidings vir die parlementsitting te tref. En die gebeure van vroeg November sal die Minister heelwat ekstra werk besorg. Ek vermoed dat hy eers teen Februarie weer sy aandag aan dié saak sal kan gee: waarskynlik, soos ek hom ken, deur verdere inligting aan te vra, dié keer van een van my ander personeellede. As die saak dan gewigtig genoeg lyk – en ek glo dit sal – dan sal daar waarskynlik 'n kommissie van ondersoek aangewys word. Ek twyfel of daar iemand van Pretoria sal kom: eerder kollegas uit Europa. Van Huyssteen in Londen? – Ek hoop nie so nie. Ons sit nie langs een vuur nie. Dalk Saunders in Den Haag (hy is 'n vertroueling van die Minister)? Iewers in Maart – ? Dit kan alles natuurlik ook veel gouer gebeur; dit kan moontlik ook langer sloer – selfs tot ná die Minister se begrotingspos bespreek is. Maar êrens teen die einde van Maart lyk my tog die waarskynlikste.

(Louvre.)

Die onvermydelike staan voor my, kan nie eers meer beredeneer of ontken word nie: ek stáán voor 'n afgrond. Dalk juis die enigste uiteindelike afgrond? – hierdie vryheid wat ek het om goed én kwaad te doen; om binne óf buite my patroon verder te lewe; om te berus óf te rebelleer. En (moet ek dit erken?): die ontdekking dat die een ook nie noodwendig méér waarde hoef te hê as die ander nie. In 'n argief, oor honderd jaar, sal dit waaragtig nie saak maak of ek nou Keyter en sy saak vernietig en soos tevore my ‚plig doen', my ‚plek volstaan' – en of ek willens en wetens, in en met Nicolette, lósbreek van alles soos jare gelede toe Gillian daar was nie. Tog: kan ek, noudat ek éénmaal van die afgrond bewus geword het, ooit weer rus hê, ooit weer tevrede wees met iets anders as die skraal, kaal onontkenbare *is* van alles onder die heel laaste Salomesluier?

(Tuileries.)

Ek het drie maande oor. Dis asof ek so pas uit 'n dokter se spreekkamer gekom en gehoor het dat ek te lank gewag het met kanker. Drie maande tussen nou en – ? Dis nie baie lank nie. Ek kan beswaarlik nog dink. Alles wat gedurende die hele rit tot hier so logies op mekaar gevolg het, gedistilleer uit die retort van die nag wat verby is, wolk weer onherkenbaar deurmekaar. Ek staan in my verkreukelde klere teen 'n deur met 'n blinkgeskuurde knop in my hande en swaai heen en weer, en al wat ek dink of hoor, al waarvan ek bewus is, is net die getal: *drie.* Selfs al dwing ek my om te onthou dat dié ook maar 'n hipotese is, weet ek dat dit lankal in die verborge prosesse van my brein tot 'n feit verstar het.

(Concorde.)

Dis nie meer ver ambassade toe nie. Drie stasies? Vier. Ek tel hulle op die kaart bokant die deur af. Ek lees die advertensies tussen die chroompale bokant elke bruin bankie. *Santé sobriété.* Moenie meer as een liter wyn per dag drink nie. *Banania. Vichy.*

'n Skivakansie. (Vergeet die sorge; alles is vooraf georganiseer; gepredestineer.)

Die trein ruk en swaai. 'n Ou vroutjie teen een van die pale verloor byna haar balans. Niemand help haar nie. By die volgende deur is 'n paartjie steeds hartstogtelik aan die soen. (*Carpe diem* – !)

(Champs-Élysées-Clémenceau.)

Drie stasies. Drie maande. Dis nie so ‚gewil' of ‚verorden' nie: dit het eenvoudig so *gebeur*. Maar die gebeure sélf was onvermydelik. Die aand toe sy met haar nat klere op die drumpel van my kantoor kom staan het en haar jas wou uittrek om my om te koop om haar huis toe te neem – tóé het dit begin. Toe was dit al aan die gang. Dit was aan die gang toe ek die winderige aand in die Kaap stilgehou het om Gillian met haar groot koffer op te laai. Dit was al geslagte lank aan die gang toe ek die dag – of nag – gebore is. (*Wednesday's child is full of woe* – Maar dis sý wat op Woensdag gebore is. Ek is Donderdag se kind. *Thursday's child has far to go.* Dit rym ten minste met *woe*. Maar rym ék met Nicolette? Of is ons 'n gedig met vrye verse? Sy, my vryerige versie!)

Sou dit beter gewees het as ek nié geweet het van die drie maande nie? As Keyter se verslag heeltemal buite my bestaan sy gang gegaan en sy gevolge gehad het en ek op 'n dag sommer net uit die bloute gekonfronteer kon word met die slotsom? Dan kon ek drie maande lank gelukkig gelewe het sónder om te weet. Of is dit tóg beter om te weet, in agonie?

Is dit selfs 'n kwessie van ‚beter' of ‚slegter': of is ook dit bloot onvermydelik? Adam en Eva het in gelukkige onwetenheid deur hul goddelike tuin gedwaal. Maar die vrug van die weet moes hulle pluk. Nie om opstandig te wees teen God, of om die Slang te gehoorsaam nie, maar eenvoudig omdat hulle, *as mense,* niks anders kón doen nie. Mens-wees is wil-weet. Sonder sonde kan daar nie weet wees nie; sonder weet nie sonde nie. En die mens nie sonder een van die twee nie.

(Franklin-Roosevelt.)

Die Vrug het hulle dus geëet. Wat hulle daardeur bekom het, was wesenlik: 'n weet van wat hulle nié weet nie, en van wat hulle nié is nie, 'n onversaagde agonie. En van die Boom van die Lewe is hulle weggedryf voordat hulle dáárvan kon pluk.

Nou weet ons wel van lewe; maar lewe nie. Of: lewe slegs in 'n vermoede-van-lewe. Dít is die verskrikking wat ek altyd, sonder om dit te besef, van my weggehou het. Maar Nicolette het my die tuin laat sien; die mitologiese ‚klein tuintjie van Eros', laasnag; en nou moet ek die pad terug gaan soek.

(George V.)

Wat doen iemand wat nog drie maande het om te lewe? Werk hy soos tevore tot hulle hom op 'n dag op 'n draagbaar huis toe neem? Skrywe hy sy mémoires? Of word hy mal? Of probeer hy ‚lewe'? Maar kry hy dít reg – as hy soveel jare in die gewoonte was om in die lydende vorm te bestaan, om ‚gelewe te word'?

Ek weet nie. Ek weet net: ek het drie maande oor. Ek kan nie die pas markeer nie. Ek kan nie weer êrens voor begin nie. Al wat ek kan doen, is kies: ek kan lewe, of nie-lewe-nie. Ek is op die grens van 'n groot onontdekte streek. Dis 'n land wat ek kan verken, 'n avontuur wat ek kan beleef, 'n ruimte wat ek kan deurreis. Ek *hoef* dit nie te doen nie: ek kan eenvoudig hier bly sit as ek wil. Of, ás ek dit doen, kan ek 'n kortpaadjie soek; of 'n stootskraper huur om die pad gelyk te maak. Maar dalk – As ek rugsak oor my skouer gooi en eenvoudig die wildernis ínstryk, oor berge en riviere en vlaktes, watter reis kan dit nie word nie? Dalk laat my toerusting my in die steek; dalk val ek in 'n rivier, of stort teen 'n berg af en breek 'n been, of dool waterloos deur 'n vlakte. Of dalk is die land sélf 'n ontnugtering: net 'n wildernis, 'n woestyn sonder einde, sonder skoonheid, sonder waarde.

Maar maak dit saak? Dan is dit nóg 'n keuse tussen 'n bekende illusie en 'n onbekende moontlikheid.

(Étoile.)

Amper te laat skrik my oë op die blou en wit teëls teen die konkawe muur. Die deur begin al toeskuif toe ek vinnig uitklim en met die trap opklim na die Avenue Wagram. By die robot wag ek dat die voetgangerlig groen aanknip en stap dan oor die glibberige keistene. Die wolke begin wegdryf. Die lig skitter op nat dakke en takke.

Ek sien die verwondering in Lebon se oë toe hy my by die ambassade se buitedeur sien inkom.

„Môre, Lebon. Dit lyk of dit 'n mooi dag gaan word."

Toe ek by die ampswoning ingaan om skoon klere aan te trek, staan hy my nog en aangaap, met ligvlekke op sy brilglase en 'n bevrore druppeltjie aan die punt van sy beaarde neus.

5

Ek keer al meer na Gillian terug. Dalk is dit eenvoudig omdat ek my gedagtes deesdae toelaat om te loop soos hulle wil; omdat ek niks meer met voorbedagte rade *uitsluit* van dink of onthou nie. (Dieper redes mag daar ook wees.)

Die dag – die enigste keer – toe ons saam na haar pa se huis toe is. Sy wou 'n rok gaan haal; ons sou iewers heen gaan en sy was nie tevrede met die klere in haar tas nie. Teen dié tyd het sy al 'n paar weke gewoon in die kamer wat ek vir haar naby my woonstel in die hande gekry het.

Dit was 'n doodgewone burgerlike huis van die styllose soort wat toe ‚modern' was, met rooi dak en uitgeboude vensters en 'n stoep. Die tuin was taamlik verwaarloos: 'n baie formele, beplande tuin met elke bedding sorgvuldig uitgestapel met bakstene, en 'n rotstuin met 'n sementengeltjie in die middel.

Ek het op die stoep gewag dat sy die deur moes oopsluit, maar toe sy bo kom, het sy my net op daardie spottende, uitdagende manier van haar aangekyk en gesê: „Ek het die sleutel weggegooi."

„En nou?"

„Nou moet ons maar inbreek." Sonder om op 'n antwoord te wag, loop sy met die stoep om na die agterdeur. Ek gaan ontevrede agterna, maar toe ek om die kombuishoek kom, het sy klaar 'n klip deur die venster gegooi.

„Nou kan jy net jou hand deursteek en die knip losmaak." Sy staan fluit-fluit, hande agter die rug.

„Jy's onverantwoordelik, Gillian!"

„O."

Omdat ek weet dat redeneer niks sal help nie, gaan maak ek maar die venster oop, klim deur en sluit die kombuisdeur van binne af oop. Maar teen dié tyd kom sy al self deur die venster.

„Nou toe." Haar smal gesig is effens gespanne. „Dit lyk nog nes altyd."

Binne ruik dit effens muwwerig van die lang toestaan.

„Gaan haal jou rok," dring ek aan, bekommerd oor haar nervositeit.

Dit lyk nie of sy my gehoor het nie. Sy begin voor my uitstap, eers in die gang af.

„Die badkamer. ‚Net tien minute, Gillian. Dis al wat mens nodig het om te bad. Daarna begin die versoekinge van die vlees.' " Sy draai na my toe om, bleek. „En as Gillian ná tien minute nog nie klaar is nie, dan kom hy kyk. Die deur mag nooit gesluit wees nie. Dis nie sonde as hý na die vlees kyk nie."

Sy stap verder en maak 'n deur oop. „Slaapkamer. My ma is hier dood, jare gelede in die nag. Met gesing en gebid en kerse."

„Gillian – "

Dis of sy in haar slaap loop. Nog 'n deur. Ek sien haar hand bewe op die knop voor sy dit vinnig oopmaak. „Studeerkamer. Hier het die man van God hom teruggetrek om inspirasie van Bo te kry." Sy stap oor die drumpel. Daar is 'n groot boekrak met glasdeure teen die een muur. 'n Kleinerige lessenaar, vol papiere wat in netjiese stapels onder gewiggies gerangskik is. 'n Groot Bybel. 'n Paar regop stoele. Teen die mure hang daar hoofsaaklik tekste : *God is love. Bless this house. The Lord is thy Shepherd.*

„Voel jy die gewyde atmosfeer?" vra sy. Ek het nog niemand anders met dié intensiteit van haat hoor praat nie. „Op dié stoel moes ek my strafwerk kom leer as ek verbrou het – ná ek my slae gekry het. ‚Ek is die Here jou God wat jou uit Egipteland uit die slawehuis uitgelei het –' ‚Vreeslik is dit om te val in die hande van die lewende God.' ‚Voorwaar, voorwaar, ek sê vir julle, as julle julle nie bekeer nie –.' " Sy begin bewe.

„Kom, ons moet loop," sê ek. Ek vat haar aan die skouers om haar om te draai. Maar sy ruk met verbasende geweld los.

„En daar sit hý!" roep sy. Teen die muur aan die deur se kant sien ek die lang ry foto's: voorouers, ouers, 'n dowwe jong vrou; en die grootste van almal: 'n jongerige man met 'n asketiese gesig en dwingende oë, 'n onsekere dun mond, 'n hoë voorkop.

„Waarom haat jy hom so, Gillian?" vra ek paaiend.

„Hoe sal jy dit verstaan?" vra sy kwaai. „Jou pa het jóú ma nie uit die huis uitgejaag toe sy ses maande swanger was met jou nie! En dit in die nag, elfuur die aand, sy't my dit baie maal vertel, al die jare toe ons brandarm alleen moes klaarkom. En toe het sy mal geword."

Sy bly stil.

„Jy het my nog nooit dié dinge vertel nie," sê ek verslae.

„Hoekom moes ek? Watter verskil sou dit aan jou maak?" Sy kyk brandend na my, dan weg; en gaan tóg ingetoë voort: „Sy't voor my oë mal geword. Snags het ek haar deur die huis hoor dwaal en kerm. Toe het sy siek geword. Ek was agt. Tóé eers het hy ons laat haal, amper met geweld, sodat sy darem by die huis kon doodgaan."

„En daarná?" vra ek met inspanning.

„En daarna wou hy dit op my wreek, asof dit alles my skuld was! Hy't altyd gesê ek het 'n duiwel in my. Ek is my ma se kind. Ek gaan ook eendag mal word soos sy. Ek het partymaal gedink ek moet hom doodmaak as hy slaap, maar ek was bang. Kan jy dit verstaan? Ek was *bang*."

Sy swaai skielik weer om na die portret. „Kyk na hom. Is jy nie bang vir hom nie? Kyk sy oë. Hulle kyk vir ons. Hulle kyk vir mý. Hy is nie dood nie: hy sit nog altyd daar en kyk vir my!"

Die histerie word onkeerbaar. Sy draai wild, wanhopig om, sien die groot swart Bybel op die lessenaar lê en gryp daarna.

Voor ek kan keer, het sy dit met al haar krag na die portret geslinger. Die glas val aan skerwe, maar die portret bly nog skeef teen die muur hang.

Sy stamp my uit die pad uit en gaan ruk dit van die prentlys af. 'n Glasstuk sny haar hand en rooi bloed loop van haar palm af. Sy begin huil, eers geluidloos; en sy val op haar knieë by die portret en skeur dit stukkend. Dan steek sy haar gesig in haar hande weg en begin verskriklik huil.

Al die tyd bly ek roerloos staan, asof sy my in 'n ban het. En eers baie later kyk sy op en vee met haar hande oor haar gesig. 'n Bloedstreep bly aan haar wang kleef. Rooi druppels tap van haar gewrig af op die Bybel wat oop, met 'n paar verkreukelde blaaie, op die vloer lê. Eers na 'n ruk gewaar sy dit, kyk vinnig op na my, dan amper verslae weer terug. Sy tel die Bybel op en stryk versigtig oor die vlekke, asof sy dit nie begryp nie.

„Hy's dood," sê sy.

Toe, eers amper plegtig, skeur sy die bevlekte blaaie uit, en dan al méér, 'n vurige berekende handeling, terwyl diep snikke nog af en toe uit haar ruk: Génesis, Wet en Profete, Hooglied, Evangelies, Sendbriewe, tot by die laaste gebed van Openbaring.

„Gillian! Wat besiel jou?"

Sy skud haar kop. Elke spiertjie in haar lyf is saamgetrek. Sy staan op. „Hy't altyd gesê ek sal hel toe gaan. Goed. Lááт ek gaan –! Ek wíl nie goed wees nie!" Die hartstog kry al meer die oorhand in haar. „As die laaste basuin blaas en God my kom soek, dan wil ek vir Hom sê: ‚Néé!' Ek is nie gemaak om goed te wees en ja te sê nie. Júlle kan maar hemel toe gaan, almal van julle. Maar los my hier! Los *my* hier en laat my lewe!"

Sy draai weg van my en bly met haar kop teen die muur staan, lánk, sonder om te roer. Eindelik loop sy uit sonder om na my te kyk. Ek hoor haar 'n ander deur oopmaak. Maar ek bly daar staan en probeer halfhartig met een voet die rommel eenkant toe stoot.

Na 'n lang ruk kom sy terug, in 'n ander rok – vermoedelik die een wat sy kom soek het – en met haar hare gekam. Haar oë is nog effens rooi, maar die histerie is verby.

„Kom," sê sy. „Ons moet gaan."

6

Die beleefde aand van 24 Desember.

Anna Smit: „Dis so jammer dat Mevrou nie ook hier is nie. Kersfees wil mens tog tussen jou eie mense vier, dink u nie so nie?

Ek sou wat wou gee om terug in Suid-Afrika te wees: dis alles vir my soveel meer wêrelds hier; so katoliek. Dis goed dat ons ou klompie darem vanaand saam kan deurbring."

Ons ou klompie. Ons ou klompie vreemdes in dié vreemde – koue! – wêreld. (En 'n myl hiervandaan sit sy en wag in haar klein kamertjie dat ek moet kom.)

Sylvia Masters: „Let's all go somewhere and paint the town red! Wie sal my glasie vir my volmaak? O thank you *so* much." En sy loop tussen die mense deur soos 'n gasvrou, in haar rok met die valletjies en frilletjies. Iemand stort 'n paar druppels drank daaroor en maak oordrewe verskoning; sy glimlag dit met stroperige sjarme weg, maar haar oë bly uitdrukkingloos. En vir die eerste keer dink ek: Eintlik is sy 'n gevaarlike mens; 'n giftige mens.

Stephen Keyter: „Waarom kla die kerk dat Kersfees 'n ‚wêreldse' fees word? Dis die grootste waarborg vir sy voortbestaan. Die kerk *wil* uitgebuit word sodat hy nederigheid kan preek: in navolging van Christus, wat in die eerste plaas 'n masochis was."

Victor le Roux: „Kersfees het sy inhoud verloor. Ons het nog al die ‚trappings' – geskenke en bome en goeie wense – maar Christus self het verander in X, die onbekende mag. Ons voer nog net die aksies uit: dis soos 'n kersvlam wat dans, maar die *pit* is weg."

En tussen almal beweeg ek, Meneer die Ambassadeur, maar rond, meng soos dit hoort met my personeel, gesels, lyk alleen „omdat Mevrou nie hier is nie"; en so gou as wat ek dit hoflik kan doen – maar nog nie gou genoeg nie – maak ek verskoning en vertrek, net voor Anna Smit „ons klompie" onder die blink Kersboom versamel om Stille Nag te sing.

Ek maak my een lewe se deur agter my toe en stap in die koue uit na die tweede: die lewe van strate en dinge en mense; *'n* mens, 'n meisie, Nicolette.

Sy is lankal aangetrek – 'n warm mus, 'n jas, mooi kamassies wat tot by die middel van haar gladde kuite reik – en ongeduldig. „Jy het *belowe* jy sal vroeg kom."

„Dit was net onmoontlik. Kom. Nou-nou is ons laat vir die Mis." Ek kyk na my horlosie. „Ons moet maar 'n taxi neem."

„Nee," sê sy koppig. „Ons moet juis loop."

Hier en daar, uit bistrots en caves in die buurt, klink jazzerige musiek, maar die geluide is wollerig en gedemp agter mure en vensters. Op straat is daar min mense: 'n paar clochards onderweg na die Seine, waar die Heilsleër hulle vannag onder die brûe trakteer; 'n enkele dronke wat vals Kersliedere teen 'n mooi lamppaal staan en sing, en tussenin met wye onseker swaaie van 'n arm verkondig: „Vrede op aarde en in die mense 'n welbehae! Hosanna-hik! Wat van 'n frank vir 'n arm man?" Origens 'n paar toeriste op soek na iets buitengewoons. En die taxibestuurders wat norse-rig en koulik in groepies aan die voorpunt van hul rytjies motors staan en trippel, of hande vryf, of uit 'n gemeenskaplike bottel drink. Ons stap vinnig deur die stil strate. Algaande begin daar meer lewe en beweging om ons kom. In die Boulevard St. Michel krioel dit al. Uit alle oorde is dit een stuwing in dieselfde rigting: die rivier, die eiland, Notre-Dame. Onder die katedraal is die hele plein aan die beweeg met die derduisende wat uit gewoonte, by-gelowigheid, geloof of nuuskierigheid na die Middernagmis toe kom. Die polisie het vroegtydig traliewerk in die Rue du Cloître-Notre-Dame opgerig sodat die stormloop na die deure beheer kan word. Die tou, agt of tien breed, staan al langs die volle lengte van die katedraal af. Ons moet heel agter inval.

Ons praat nie.

Kwart-voor-twaalf begin die mense ongeduldig raak. 'n Paar stukke reling word platgeloop. Dit mor en beur en vloek. Nicolette maak van die kans gebruik om 'n tien, twaalf plekke vorentoe te druk. Ek kom halfpad agterna, maar sien dan nie kans om by 'n paar vroue ook verby te stoot nie. Ek kan nog net haar wolmus voor my herken. Bo ons dryf los wolke teen die flou sterre verby en skep die indruk dat die hele katedraal aan 't kantel is, ons sélf, die ganse vas gewaande aarde.

Sy wurm haar nog verder vorentoe. 'n Paar mense skree bele-digings agter haar aan. Haar mus verdwyn ongeërg tussen die beurendes. Sy het so lankal gepraat van vannag. Soos altyd wan-neer so iets ter sprake kom, was daar 'n onverklaarbare soort passie in haar. (Miskien is dit die enigste passie, behalwe dié van die bed, wat sy ken. Origens kan sy so ligtelik bó-oor alles kaats; ironies lewe; onaangeraak deur alles.)

Voor by die groot deure moet hulle nog 'n klomp mense binne-gelaat het, want ons beweeg tien, vyftien tree vorentoe. Net een keer sien ek weer haar mus, nou onbereikbaar ver voor my. Dan is dit opnuut weg en ons kom tot stilstand, vasgedwing teen die stug swart mure. Daar is nie meer hoop dat ons betyds sal binne kom nie. Tog bly ons almal hardnekkig staan, hoop, gló dat iets nog sal gebeur.

Die middernagtelike klokke begin slaan, dawerend daar bo uit die torings oor die mense. Ver en naby uit die stad antwoord ander. Die hele wêreld word opgeneem in die trillende slae. Uit die Latyn-se buurt knal klappers. Dof deur die dik mure kom die dreun van 'n orrel, die hoë gloria van die soprane.

Nou eers begin die wagtende skare uitmors oor die plein. Party bly wag, maar die Mis self sal verby wees teen die tyd dat ons binne kom. Ek gee pad uit die afgetraliede gang en begin na Nicolette soek. Vyf, tien minute bly sy weg. Dan skuif haar hand amper onvoelbaar van agter om my elmboog en sy sê: „Kom, ons gaan terug."

„Nicolette – " Ek slaan my arm om haar. „Ek is jammer. Jy moes maar alleen gekom het."

Sy skud net haar kop. Toe ons by die brug kom, val lamplig oor haar strak, effens siniese gesig. „Dit moes seker so gebeur. Dis soos my tuin – onthou? Ek bly altyd buite."

„Jy oordryf dit!" betig ek, skerper as wat ek wou. „Só belangrik is dit tog nie. En môre kan ons na die oggendmis toe gaan."

„Ja."

Dis die soort inskiklikheid wat mens woedend maak omdat daar geen wapen teen is nie.

„Verstaan dan tog, Nicolette!"

„Ek verstaan. Dit ís nie so belangrik nie, soos jy gesê het."

„Jy is nou kinderagtig!"

Sy laat my arm los en stap alleen aan, 'n halwe treetjie voor my. (Gillian sou nou uitgebars het; maar Nicolette is anders. Ek ontdek dit meer en meer.)

Maar na 'n rukkie wag sy dat ek weer langs haar kom – miskien omdat die strate nou begin donkerder word – en sê op die kenmerkende manier sonder aanleiding: „Weet jy dat ek nooit gedoop is nie?"

Ek antwoord nie: omdat ek nog effens ongeduldig en skuldig voel; en omdat ek nie eintlik weet waarop sy afstuur nie.

„Ek het nog nooit enige sakrament ontvang nie."

Ek kyk na haar, maar haar oë is in die donker.

„Wat wéét jy van sakramente?" vra ek.

„,*'n Sakrament is 'n uiterlike teken van innerlike genade.*' Ek het dit opgesoek in een van die boekies wat mens op die staander binnekant Notre-Dame kry. Mens behoort die geld in 'n bus daarby te gooi, maar ek het nie kleingeld gehad nie, toe het ek die boekie sommer gevat. Dink jy dit was sonde?"

„Seker nie onvergeeflik nie. Jy steur jou in elk geval te veel aan wat jy lees. Watter verskil is daar op stuk van sake tussen 'n gedoopte en 'n ongedoopte mens?"

„Baie," sê sy met groot oortuiging. „'n Mens wat nie gedoop is nie, het net sy gewone mens-lewe in hom. Die gedoopte het 'n bonatuurlike, ewige lewe daarby. En is dít nie belangrik nie? As mens nie gedoop is nie, lewe jy buite die genade."

„Watter genade?"

Sy haal haar skouers op. „Ek sê jou net wat my boekie sê. En dis die waarheid. Ek weet."

Ek probeer my oortuig van haar naïwiteit; van haar té maklike aanvaarding van alle gedrukte woorde – van horoskope tot kommentaar op die liturgie; van die onverteerdheid van dit alles in haar. Maar om dit te doen, is om sélf alles te naïef te beskou. Sy kan van 'n keisteen of 'n kelkie 'n vraag maak (en dáár is sy soos Gillian; maar hoekom lê daar tóg wêrelde tussen hulle?).

„Kom jy saam?" vra sy onder by haar voordeur.

„Natuurlik."

Sy knik net en loop vooruit. Ek volg voel-voel.

„Wil jy 'n bietjie wyn hê?" vra sy bo. „Ek kry koud." Sonder om op 'n antwoord te wag, gaan haal sy 'n halfvol bottel tussen die baie leës onder die wasbak in haar kombuisie en bring dit na die tafel in die kamer. Met haar kop skuins, ernstig, skink sy 'n bietjie in 'n beker. Dan glimlag sy, maar net baie effentjies, met iets van verligting. Amper plegtig kom kniel sy op die bed en soek tussen die paar ou verfomfaaide modeblaaie wat sy langs die rivier gekoop het; sy haal 'n klein swart missaal tussen die rommel uit en soek iets daarin op. Ek bly haar 'n bietjie geamuseerd sit en dophou. Terug by die tafel stryk sy die doek mooi glad en tel 'n korsietjie brood op wat al 'n dag of twee daar lê. Die lig weerkaats in die venster bokant haar donker kop. Sy het nou heeltemal van my en van alles vergeet. Haar vingers beweeg met eie lewe. Sy sê iets by haarself op – net die rande van haar lippe beweeg. ('n Sanctus of 'n rympie uit Mother Goose?) Met haar oë stip op haar hande breek sy die droë broodjie versigtig in drie stukkies en skud die krummeltjies af. Een brokkie laat sy in die beker val.

„Hoc est enim corpus meum."

Haar dun hande wil huiwerig in 'n kruisteken beweeg, maar voltooi dit nie.

„Hoc est enim calix sanguinis meum."

Sy kyk in my rigting, maar verby my.

„Dit bly maar wyn en brood," sê sy. „Sien jy?" Dis asof sy iets probeer bewys. Maar wat – en aan wie?

Dan draai sy taamlik vinnig om en maak die bottel weer oop en skink die beker vol. 'n Paar druppels stort en sy vee dit met haar vingers op, suig dit dan af. Dan drink sy baie vinnig die res van die wyn, gril effens, skink weer en bring vir my die blikbeker. Net heel in die hoeke van haar oë, onder die wimpers, is daar 'n beduidenis van trane.

7

Die vreemde – en soms amper: die onmoontlike – is dat die ‚gewone' bestaan deurgaans voortgaan. Dit gebeur aanvanklik miskien meer *bewus* as tevore, asof ek die personeel en myself moet oortuig dat dit wel so kán voortgaan; maar omdat niemand, ook nie ek self, daar skynbaar iets uitsonderliks aan vind nie, keer alles in die kantoor weldra terug tot 'n gewoonte. Die possak kom nog Dinsdae en word deur 'n fladderende Anna Smit oopgemaak. Le Roux besorg daagliks die Franse koerantknipsels aan my vir kennisname. Sekretarisse stel verslae op, hanteer konsulêre probleme, staan mense te woord. Telegramme daag nog op en word ontsyfer en met ander beantwoord. Daar is oproepe, onderhoude, onderhandelings, samesprekings, onthale. (Deesdae delegeer ek net meer roetinewerk, en laat my meer gereeld deur die raad of 'n sekretaris by onthale verteenwoordig.) Daar is 'n week van buitengewone drukte toe die nuus van die onderhandelings in verband met ons wapenaankope onverhoeds in 'n Franse koerant uitlek en lei tot heftige openbare protes. 'n Rukkie skyn dit selfs of die hele transaksie deur die mat gaan val, sodat die Sekretaris van Verdediging 'n blitsbesoek aan Parys moet bring. Daarna moet die bearbeiding van die Franse regering van voor af begin. Maar al dié dinge rimpel eintlik op die oppervlak van my dae. Ek betrap my selfs dat ek ironies glimlag oor die ‚gewigtigheid' van my taak, veral in die wapenkwessie. En tog: in hoofsaak is daar in my roetine geen verandering nie, amper tot my eie verbasing (maar hoekom?).

Anna Smit kom nog gereeld haar hart uitstort; en bars op 'n dag glad in trane uit omdat Koos Joubert sy vrou („so 'n liewe mens") so sleg behandel. Masters kom om werk te bespreek; Koos om teen die „verdomde Franse" uit te vaar. Ook Keyter kom gereeld in my kantoor, maar tussen ons bly alles tot noodsaaklike formaliteit beperk. Soms sit ek hom opsetlik en dophou. Maar hy was nog altyd geslote. En waarna soek ek eintlik?

Net een dag, toe hy met 'n paar visumaansoeke by my opgedaag het, het hy 'n oomblik op die drumpel bly talm.

„Is daar nog iets, Keyter?"

„Ambassadeur – " En na 'n oomblik: „Het u nog niks – ?" Daar was, dié vlugtige moment, onmiskenbare spanning en onsekerheid in sy houding.

Ek het opsetlik neutraal bly wag dat hy die sin moet voltooi, maar hy het hom bedink; sy oë het weer niksseggend geword en hy het afgesluit: „Dis ook nie juis belangrik nie. Verskoon my, Ambassadeur." Toe is hy uit.

Moes ek hom terugroep? Maar wat was daar nog wat enigeen van ons eintlik oor die saak kon sê? Dus het ek eenvoudig die aansoekvorms nader getrek en hulle begin deurlees.

Tog is daar onder die oënskynlike eendersheid van alles een baie belangrike verandering. Dis of ek voortdurend daarvan bewus is dat ek juis op dié stoel by dié lessenaar sit en met dié of dáárdie werk besig is – asof ek oor my eie skouer staan en loer, en elke ding wat gedoen word, onpersoonlik takseer.

Ek kan aan 'n toenemende gevoel van onwerklikheid nie ontkom nie. Vroeër, gedurende my agtien maande se swerwe, het ek soms diep in die nag gesit en skryf, en dan opgekyk, sonder enige spesifieke rede, en óók so bewus geraak van myself daar onder my ronde kol lig met die ontsaglike wêreld buite. Dan wou ek opspring en die straat instorm en mal almal wakker skree: „Ek lewe! Niemand glo dit nie, maar ek *lewe!*" Só hewig, of só adolessent is my reaksie deesdae nié. Dis eenvoudig 'n besef dat elke ding gedoen word namens ander mense; of nie eens namens ‚mense' nie, maar namens 'n organisasie, 'n magtige ratwerk wat homself ‚regering' noem, 'n onsigbare ding, dalk iets wat glad nie meer bestaan nie (want hoe kan ék weet, afgesonder hier in die vreemde?) maar eenvoudig deur die blote momentum van jarelange beweging áánhou met beweeg.

Soms loop ek af na die leeskamer en begin blaai deur die koerante. Al die nuus het ek al gelees, maar nou lê dit skielik nie meer as daaglikse kroniek voor my nie, maar as 'n dikkerige stapel kontemporêre geskiedenis: alles afgelope, voldonge, onontkenbaar en sonder die persoonlike warmte van iets wat nog op die oomblik aan die gebeur is. Verkragtings. Moord. Oortreding van die Ontugwet. Sabotasie en pogings tot sabotasie. Ministeriële verklarings. Politieke betoë en betogings. Mevrou B. vir 'n paar dae op besoek in Kaapstad. Mnr. C. slaan die rekord vir wakkerbly. Suidoos in die Kaap. Droogte in die Vrystaat. *Menings van ons lesers:* „Hou Suid-Afrika blank." „Gee hoër subsidies aan boere." „Die toekoms berus by die jeug." „Verbied Sondagsport." „Gee ons meer boeremusiek." „Maak owerspel strafbaar." Foto's van hoogwaardigheidsbekleërs; druiwekoninginne; Springbokke; ministersvroue by 'n tuinparty –

Dít is dan Suid-Afrika. Dít is sy belangstellinge; dít is sy mense – volgens my stapel koerante op die donkergroen leerbekleedsel van die tafel in die leeskamer. En ek wéét dis so, uit vyfjaarlikse tuisverlof. Elke keer word dit so geesdriftig aangepak; elke keer sluip mens byna kleinserig terug ná 'n kuier by kollegas of 'n paar familielede wat nêrens meer aan jou lewe raak nie; jy vlug oplaas na 'n vakansie by die kus, tussen vreemdes – en dus gelyksoortig aan enige vakansie by enige kus.

Dís die land wat ek hier ,in die vreemde' moet verteenwoordig. Ek moet steun kry vir sy beleid. Ek moet sy ,standpunt stel'. Ek moet sy ,belange behartig'. Ek moet wapens vir hom koop. Maar hoe kan ek glo aan belange wat lankal vir my nie meer bestaan nie? Ek is nie meer betrokke by enigiets wat daar gebeur nie; niks rááik my meer nie. Ek ken nie meer die mense nie, begryp nie meer hul beweegredes nie (in die mate dat 'n volk se dom beweegredes ooit begrypbaar is). Met besoekers in my kantoor gesels ek vyf minute oor sake; vra oor en weer 'n paar goedbedoelde vrae – en groet. As daar 'n afvaardiging kom wat langer bly, praat ons kamma nostalgies oor „boerekos", oor die „Afrikanersaak", oor die „lekker ou Boland". Ek glo nie hulle *glo* dit enigiets meer as ék nie: maar hulle moet hulself nog van die realiteit en die onontbeerlikheid daarvan oortuig hou. Hulle is minstens betrokke daarby; dis hulle milieu; dis – dalk – hulle *wêreld*.

En – my wêreld? Dis nie dáár nie. Dis ook nie hier in Parys nie (skaars ses weke gelede het ek dan maar die eerste keer, saam met 'n vreemde klein meisie, deur die strate van dié stad begin stap). Ek kom vanselfsprekend goed klaar met verskeie Franse diplomate, koerantredakteurs, nyweraars (dis in belang van my werk!): maar hulle is tog nie ,van my' nie. Mens bly nie twee jaar êrens en ,hoort' dan daar nie. Ek sit eenvoudig hier beskut tussen die mure van my ambassade, toegerol in die dik watte van protokol en amptelikheid. Weldra – as my drie maande grasie verby is – het ek nie eers meer dít nie. Maar Here, is daar dan nêrens in die wye wêreld vir my plek nie? Ek is ses-en-vyftig: ek kan nie meer gaan plek *soek* of plek *oopkap* nie.

Ek staan in 'n baie klein, baie donker kamertjie met net een hoë venster; daar straal die daglig in, maar ek kan nie uitkom soontoe nie – en die son is in elk geval te verblindend. En ek dink: die mens skreeu ewigdurend voor sy luikie lig.

8

Teksture: Nicolette lankuit op haar maag, met kwasstrepies lig delikaat op die fyn stofdons van haartjies tussen haar blaaie; die sproeterigheid van haar skouers; die gladde spanning van haar ronde boudjies; die skiwwerige gekreukelde laken; die growwe kombers met die donker skaduwees in die voue; die syagtigheid van haar hare; die sekere boetsering van haar wangbene onder die vel; en die juwele van haar oë.

9

Ek was uit, na 'n vergadering meen ek (maar wát dit was, kan ek nie onthou nie), en toe ek by my woonstel se voordeur inkom, het ek dadelik besef dat daar iets nie pluis is nie. Ek het die portaallig aangeskakel en bly staan en luister. Dit was stil. Maar net toe ek na my woonkamertjie wou stap, het iemand saggies in die slaapkamer gelag.

Dit was Gillian, in my bed. Sy het haar oë met haar hande teen die lig beskut en deur haar vingers na my geloer.

„Verbaas?" het sy bevra.

Ek het 'n sigaret uit my sak gehaal en dit aangesteek, hoofsaaklik om tyd te kry om kalm te antwoord. „Nie juis nie," het ek toe gesê. „Mag ek vra wáárom jy hier is?"

„Ek was bang om alleen te slaap."

„Jy was weke lank nie bang nie."

Sy het haar skouers traak-nie-agtig opgehaal en half orent geskuif teen die styl. „Jy's laat."

„En moeg. Ek sal bly wees as jy nou maar weer aantrek en loop."

Sy het net haar kop geskud. Ek het bly talm, toe omgedraai, die deur agter my toegetrek en na my woonkamertjie geloop. Wát sy nou weer in die skild voer, het ek nie geweet nie; maar ek was vas van plan dat sy nie haar sin sou kry nie.

Soos ek verwag het, het sy omtrent vyf minute later op die drumpel verskyn, met 'n laken taamlik los om haar gevou.

„Kom jy nie slaap nie?"

„Gillian." Ek het tot voor haar geloop en haar in die oë gekyk. „Waarmee is jy weer vanaand besig?"

„Niks."

Daar was 'n waarskuwing in haar stem. „Of dink jy dat ek nooit enigiets ernstig bedoel nie?"

Dit was 'n gevaarlike oomblik. Ek het my hande op haar skouers gelê. Die laken het begin losgly. Ek het alles in haar oë gesien wat sy ongehinderd daar toegelaat het: die bravade van die maagd; uitdaging; onsekerheid; vrees. Dit was nie nodig dat sy meer sê nie: ek het gewéét. Dit wás geen speletjie nie. Dit was, soos alles wat sy gedoen het, 'n uiting van dié drif om vry te word, los te breek, alles te beproef – goed én kwaad. Vir haar was dit meer as 'n behoefte: dit was noodsaak. Dit kon 'n ongebalanseerdheid in haar gewees het; of oordrewe adolessente reaksie – die diagnose is nie so belangrik nie. Vir haar was alles baie eerlik en baie waar. Sy was geen nimf nie: die blote gedagte sou haar besoedeld laat voel het. Daar was niks troebels in die drang nie:

dit was juis, soos alles in haar, genadeloos suiwer. Dit was nog maar 'n paar weke ná ons eerste winderige aand; maar ek het haar toe al liefgehad – of wat ek indertyd as liefde beskou het. Sy was besig om alles in my te vermurf, volkome besit van my te neem, my vas te gryp soos 'n drenkeling 'n redder beetkry. Waarom dit ék moes wees, het ek nooit kon verklaar nie; ook nie of dit minder fataal sou verloop het as dit iemand anders was nie.

Maar dáár was sy nou, teen my, met my hande so styf op haar skouers dat sy op haar tande moes byt, dog sy het geen geluid gemaak en geen oomblik weggekyk nie. Die uitdaging het uitnodiging geword; en dít: soebat. Die laken het heeltemal losgegly en in 'n skulp om haar voete bly lê. Ons was op daardie oomblik buite bereik van dink of voel, haat of liefde. Alles was eenvoudig vúúr. Ek het nie in gedagtes of beelde geredeneer nie: dit was 'n veel primitiewer proses, eenvoudig 'n reeks impulse in die onderbewuste, soos 'n prisma wat tydsaam teen die lig draai.

Toe het ek haar skouers gelos. Ek wou haar soen, maar as ek dit gedoen het, sou ek geen verweer meer gehad het nie. Ek het gebuk, die laken opgetel en weer oor haar gegooi; en toe vinnig weggedraai en gevoel dat ek bewe. Ek weet nie waarom ek juis so opgetree het nie. Daar was hoegenaamd geen oorweging van moraliteit op die spel nie. Dalk: 'n besef dat wat sou gebeur, vir haar geen bevryding sou wees soos sy gedink en gewíl het nie. Dalk veel minder onselfsugtig: 'n vrees dat ek in haar oë kon misluk. Ek wou haar hê; maar wanneer ek haar neem, moes dit wees omdat die liefde dit onvermydelik maak, nie omdat sy my wou gebruik as instrument om iets aan haarself te bewys nie. Dit alles klink so beredeneerd in woorde – des te meer nóú, dertig jaar daarná. (Ek kan nou eers begin verstaan waarom ek destyds nooit my magnum opus voltooi het nie. Ek het eenvoudig nie die woorde nie. Ek staan self te skepties teenoor elke frase wat ek gebruik.)

„Ek het gedink jy het my lief," het Gillian agter my gesê.

Ek het my kop halfhartig beweeg, maar kon nie antwoord nie.

„Ek het gedink jy het êrens, diep in jou, darem iets soos warmte, soos 'n bietjie menslikheid. Maar jy is yskoud. Jy is 'n robotmens. Jy het nog nooit in jou lewe *gevoel* nie. Jy is *bang* om te voel – !"

„Néé, Gillian!"

Maar sy was al weg kamer toe. Vyf minute later het ek haar hoor verbykom na die voordeur. Ek wou haar voorkeer, maar sy het die deur vinnig toegeklap en ek moes eenvoudig daar bly sit. Ek het later twaalfuur hoor slaan. Toe het ek opgestaan en in my drankkabinet gaan brandewyn haal en 'n paar glase gedrink.

En gaan slaap – of probéér slaap, want ek het net met brandende oë in my kop bly rondrol en my beurtelings verwyt dat ek my kans nie waargeneem het nie en dat ek haar inderdaad nie kon liefhê nie.

Twee-uur het iemand saggies aan my deur geklop. Ek het eers gemeen dat dit my verbeelding was. Maar dis herhaal, baie sag. Ek het nie eens die moeite gedoen om 'n kamerjas aan te trek nie, maar sommer in my nagklere deur toe gegaan.

Dit was sy.

„Waar kom jy nou vandaan, Gillian? Wat het gebeur?"

„Niks." Sy het by my verbygekom, die voorkamerlig aangeskakel, ongenooid my sigaretdosie op die buffet gaan haal en vir haarself een aangesteek. (Destyds was dit nog iets ongehoords – hoewel niks vir háár ongehoord was nie.) Haar hand het effens gebewe en sy het sleg verstik met die eerste skuif. Maar niks gesê nie. Ek het haar van die deur af staan en beskou. Daar was iets – moegs? – omtrent haar. Asof sy net effens verwelk het. En dit was waarneembaar selfs in haar hare.

Ek het probeer gesels, maar sy het my geïgnoreer. Sy het my seker 'n volle kwartier laat wag voor sy nugterweg, met haar oë stip voor haar uit, laat val het: „So that's that."

„Wát is dit, Gillian?" Ek kon haar skud.

„Dis nie so waffer soos wat dit gewoonlik voorgestel word nie." Haar stem was nog vlak en kalm; maar die skyn was bedrieglik. En ek het haar oë al geken.

„Om die waarheid te sê: dis eintlik 'n bietjie smerig. En daarmee uit en gedaan." Sy het agteroorgeleun teen die rusbank en haar oë toegehou. Na 'n rukkie het ek gesien dat sy haar ooglede baie styf toepers en dat hulle begin bibber; ten spyte daarvan het daar trane deurgesyfer. Maar dit was alles geluidloos, sonder die beduidenis van 'n snik.

Ek het by haar kom sit en haar hand in myne geneem. Dit was koud ondanks die vroeë somerweer.

„Wat het jy gedoen, my liewe mens? Hoekom het jy nie hier by my gebly nie?"

Sy het diep asemgehaal, haar oë oopgemaak en weer regop gesit. Toe effens te vinnig haar swart handsakkie oopgeknip en 'n vuilerige pondnootjie uitgehaal.

„Dè." Sy het weer begin vroetel en nog 'n paar halfkrone, sjielings en twee los pennies ook uitgehaal. „En dié ook. Die res moes ek vir die taxi betaal."

Ek het die noot op my knie gesit en gladstryk, heeltemal meganies, want ek het nie durf praat nie.

„Is twee pond die gewone fooi – of was dit maar net 'n arm matroos?"

„Here," het ek gefluister. „Bly stil. Bly net stil."

Sy het opgestaan. Ek weet nie of sy werklik van plan was om te loop nie. Al wat ek onthou, is dat sy tot by die portaaldeur gekom en daar gaan staan het, met haar hande om die kosyn geklem en haar kop vasgedruk teen die muur.

„Moenie dat ek weer gaan nie, Paul. Wát jy ook al doen: moenie wéér nie."

Ek dink dit was op daardie oomblik dat ek vir die eerste keer begin besef het wat in die Christendom met die begrippe ‚sonde' en ‚skuld' bedoel word.

10

As mens dié idee van sonde net sou kon afsterf, en vry lewe (maar *meum peccatum contra me est semper*)! Dus: absolúút lewe, nie met die betreklikheid van die stelsel waarin ons verskans sit nie. Sodra jy jou immers bewustelik dáárvan losmaak, lê die sonde nie meer in die oortree van Jehova-gebooie, wat die hart van die stelsel is, nie. Die stelsel skep sy skadubeeld, sy struktuur van taboes, en dus sy etiek. Alleen daarbuite kan die volle syn van elke ding dus klaar word, onbesoedel deur goed of kwaad, vry van sonde. Net twee maniere van lewe kan dus – teoreties, logies – heeltemal vry wees daarvan: die absolute negasie van Gillian; of die absolute affirmasie van Nicolette. Maar nou is die paradoksale dat dit juis dáár skynbaar nog dringender (absoluter?) as elders bestaan. Hoe anders kan ek Oujaarsaand verklaar? (En dit móét ek, omdat dit onontbeerlik is vir my reis deur die land van Nod.)
my reis deur die land van Nod.)

Sy staan voor die lelike spieël, met een knie gestut op 'n stoel volgepak met botteltjies en goed, besig om vir haarself gesigte te trek terwyl sy haar oë grimeer. Haar mond is half oop, haar tong teen haar bolip. Ek sit op die bed met my rug teen 'n hoek van die kas. Die laken is nog loom van ons; en my liggaam onthou nog hare. Maar sy moet dit al vergeet het, want wat verby is – 'n minuut of 'n jaar – word opgeneem in 'n vry fluïdum diep in haar, verborge soos 'n onderaardse rivier.

„Waar gaan ons heen?" vra ek sonder veel nuuskierigheid, selfs met iets van teësin.

„Ek gaan uit." Sy rek haar oë groot oop en knip hulle 'n paar maal ondersoekend.

„Jy alleen?"
„Mm."
„Waarheen?"
„Sommer net uit."
„Gaan jy weer – sing in jou nagklub?"
Sy kyk vinnig in die spieël na my. „Mm."
„Hoekom dan vanaand? Ander aande bly jy tuis."
„Ek gaan net elke tweede week."
„Ek kom vanaand na jou luister."
Sy skud haar kop en gaan voort met haar ritueel.
„Dis tog Oujaarsaand," dring ek aan. „Mens wil saam wees."
„Nee."

Maar ek het klaar besluit: ek gaan vanaand saam. Wat weet ek eintlik van haar? En ek moet, en wíl, méér. Sy is 'n mot wat verby 'n straaltjie lig speel: al wat van haar sigbaar is, is die kortstondige fladdering as die dun straal haar vang; telkens verdwyn sy eenvoudig in die donker – sonder dat mens ooit weet of sy weer sal verskyn.

Dis om geen sentimentele rede – „ons ou klompie!" – dat ek wil saam nie. Maar daar is tog iets omtrent die oorgaan van een jaar in 'n ander wat mens bedruk, sodat jy móét uitkom tussen ander. Dit gaan glad nie om die oppervlakkige fuif of vreugde nie: dié is maar 'n beskaafde verskansing teen die ou, primitiewe vrees vir wat onbekend is; en dalk, vir die dood. Selfs 'n gewone middernag (wat tog elke etmaal voorkom en so natuurlik is soos hoogwater) besit nog iets van 'n middeleeuse skrik; soos geboortes wat snags plaasvind, oumense wat snags sterwe, selfs die liefdesdaad – die ‚kleine dood' – wat by voorkeur in die donker voltrek word. Hoeveel te meer nie dié één nag nie, deur oorlewering gelaai met soveel betekenis wat in 'n kollektiewe onderbewuste voortleef, dat dit 'n soort geestelike springgety is, 'n hoë opstoot van die angs om die syn, verbloem deur die feesvier. Gewoonlik ken – of érken – mens *net* die fees, en gee dus absolute waarde aan wat betreklik is; maar sodra jy die illusie van die ‚stelsel' ontdek, boor jy in álles onder die oppervlak in. En die paradoksale is dat jy dan – voor die louter verskrikking? – tóg die suiwering van 'n roes ondergaan.

Daarom bly ek sit en wag, selfs toe ek naderhand sien dat sy senuweeagtig begin word.
„Hoe laat is dit?"
„Amper halfelf."
„Dan moet ek nou loop. Régtig, ek moet."
„Maar nie alleen nie."

„Asseblief – !" sê sy boos. „Kan jy nie sien ek *wil* jou nie saamneem nie?"

„Maar ek wil saamgáán."

Sy stap deur toe. Ek kom agterna. By die trap draai sy na my toe om, wil iets sê, maar bedink haar en begin vinnig afklim. Ons kom saam onder aan en ek maak die voordeur vir haar oop.

„Jy kan volgende keer saamkom," sê sy in 'n opvallende poging om kalm te redeneer. „Maar *nie* vanaand nie. Jy verstaan nie."

„Waarom pla dit jou dat ek wil saamkom? Jy is tog nie skaam om voor my te sing nie."

„Maar – " Sy lig haar hande effens en laat hulle weer sak. „Dis so 'n agteraf ou plekkie. Jy sal nie daarvan hou nie."

„As jy daar sing, kan ek daar sit en luister."

„Maar demmit dan tog – !" Haar oë blink kwaai onder die straatlamp. Sy begin vinnig wegstap. Ek volg haar. Op die hoek van die pleintjie steek sy weer vas. Die redenasie begin opnuut. Sou dit nie beter wees as ek haar maar haar sin gee nie? Nou ontstel ek haar net; en ek het tog g'n ‚reg' op haar nie. Ek moet tevrede wees met die klein segmentjie van haar lewe wat met my gedeel word. En tog – Dit gaan om soveel méér as net sy, of ons.

„Hoe laat is dit nou?"

„Twintig voor elf."

Daar is paniek in haar oë. „Ek is klaar laat. Asseblief!"

Ek antwoord nie.

Sy bly staan. 'n Oomblik is enigiets moontlik: sy kan aanstap; of terugdraai of my selfs klap. Maar eindelik haal sy net stadig haar skouers op en sê amper uitdagend: „Nou goed. Kom dan om hemelsnaam saam. Maar kry 'n taxi en sorg dat ons voor elf daar is."

Ons drafstap na die boulevard en klim in 'n taxi. Die adres wat sy opgee, ken ek nie (hoewel dit gewis g'n getroue maatstaf is nie!). Sy sit die hele tyd op die voorste randjie van die sitplek en maan gejaagd: „Vite! Vite! Vite!" Tot die bestuurder hom later vererg en haar iets toesnou. Sy antwoord oombliklik met 'n woord wat ek nie uit háár mond verwag het nie. 'n Breë glimlag trek oor sy gesig en hy begin soos 'n besetene jaag. Tevrede sit sy agteroor. En toe ons stilhou, oorreed sy my om hom hom dubbel die fooi te gee waarop hy geregtig is.

Ons staan 'n oomblik op die donker sypaadjie. Toe verdwyn sy eenvoudig soos 'n skaduwee langs my, en eers ná my eerste skrik sien ek die donker ingang 'n paar tree verder. Net toe ek haar wil volg, wink iemand my van 'n ander deur, dié een verlig, met goedkoop goudverf en voserige rooi fluweelgordyne. Dit duur 'n rukkie voordat ek snap dat ek dáár moet ingaan; dat M'selle by die verhoogdeur in is. Effens wantrouig betaal ek hom die buitensporige bedrag wat hy vra (en besef eers later dat ek moes gekibbel het). Binne lei 'n tweede lakei my na 'n tafeltjie en wink vir 'n kelner om die onvermydelike sjampanje te bring. Nicolette het gelyk gehad, dink ek wrang: ek sou haar nooit toegelaat het om na dié oes plekkie te kom as ek tevore daarvan geweet het nie. Die luidrugtige musiek en die eerste paar nommers bevestig die indruk wat die saaltjie met die intrap gemaak het. Strip – solo; strip – duo; strip – en masse. Al wat verander, is die lomp meisietjies se gesigte. Meisietjies – ? Daar is 'n hele paar plompes met pap mae, wat heelwat nader aan veertig as dertig is. 'n Paar se voete is vuil. Een struikel oor haar rok en 'n man skel hard van agter die skerms op haar. Die musiek is oorverdowend. Die swaar, wekelange rookdamp gee my hoofpyn. Ek probeer my tot die oomblik beperk, wíl nie vooruit dink nie; tog, toe sy eindelik in haar bondel vere verskyn, is dit geen skok meer nie – eerder 'n gelate soort aanvaarding. Daar kom 'n effense oplewing in die gehoor. 'n Mikrofoontjie skiet voor haar uit die verhoog op. Sy begin 'n kermdeuntjie daarin sing terwyl die vere eentonig om haar wegflapper totdat nog net één aan haar kleef. Maar dis nie *sy* nie. Here, dis nie *daardie* klein lyf wat twee uur gelede nog teen myne beweeg het nie. Ek ken dié mens nie. Dis net 'n blatante geslag op stelte; en 'n stem: 'n skreeu van verset en lus en haat teen die lae, berookte plafon, en teen almal daar om die tafeltjies, teen óns by die tafeltjies, teen my daar by my tafeltjie by my goedkoop peperduur sjampanje. En die musiek gil saam, kerm, vloek, bespot, laster. En al die ou manne sit vooroorgeleun met elmboë op hul tafeltjies (een stamp sy glas om en kom dit nie agter nie), monde half oop en kwylerig, met blink jakopeweroë en knotterige hande soos krewe wat oor die tafels beweeg; grotesk. Die musiek word harder en harder, die stem skreeu waansinnig en sterf met die hoogste rou noot; en eensklaps blaker al die ligte teen die dak en sy spring van die lae verhoog af en begin dans-dans tussen die tafeltjies deur beweeg. Dis soos 'n wind wat oor 'n garsland trek: so draai die koppe agter haar aan, sodat die gulsige oë kan smul en verslind aan haar. Ek kyk nie meer nie. Ek sit my sjampanje en drink asof dit die kosbaarste vog is wat ek ooit op my tong geproe het. Daarmee probeer ek haar weghou, soos 'n bose gees besweer om haar gang te gaan en my met rus te laat. Maar ek weet eintlik self dat dit nie anders kán nie. Sy het gesê ek moenie saamkom nie; sy wou my dit bespaar; sy het gewéét wat gaan gebeur (die liefde uit hom so onherkenbaar!) – maar ek wou nie. En nou is ons altwee daarin gevang en die onvermydelike moet gebeur, *ter wille* van ons altwee. Ek oorweeg dit nie eens om te vlug nie, want as ek hierdie laaste eerlikheid, laaste weet, laaste pyn nie volledig belewe nie, sal dit alles wat tot hiertoe gebeur het, waardeloos maak. Ons moet wéét, albei, en met dié weet leer saamleef. Dis ondraaglik, maar ons is verby die stadium waar ons op die genade van draaglikheid kan aanspraak maak. Sy dans tot by my tafeltjie en gaan staan, en draai om na die ander en lag, en leun oor – haar een bors raak aan die bottel – en soen my op die voorkop. Ek kan die klam, klewerige rooisel daar voel afsmeer. Die anonieme toeskouers klap hande, skreeu bravo, stamp met voete op die ou rooi mat. Ek weet dat hulle my dit beny; dat party van hulle later vannag met brandende oë sal wakkerlê en dink aan dié toneeltjie, en kwyl sal wegsluk. Maar ék sal hier uitgaan met die rooi merk op my kop; lank ná dit afgewas en onsigbaar is, sal dit nog daar wees.

En sy kyk na my terwyl hulle klap en aanmoedig, en ek na haar; en ek weet sy sou wou huil, maar sy sál nie omdat dié oomblik anderkant sulke maklike emosies lê; en daarom bly haar oë spot, en myne spot terug; ons speel ons stukkie toneel voor die slobberende mense; sáám gevang in die walg, wat terselfdertyd die intensste kommunikasie is wat daar nog tussen ons bestaan het. En terwyl ons vasgekeer in mekaar dié oomblik buitentyds bestaan, hoor ons die rumoer buite begin, soos 'n dam geluid wat breek. Dit toeter oor die ganse stad, één ontsaglike geluid, asof daar niks ís behalwe geluid nie; asof elke ding opbreek tot neutrone en elektrone van geluid – nie die kreet van geboorte, die roep van paring of die gil van die dood nie, maar *blote* geluid-sélf, asof die ganse aarde en die mensdom 'n noodsirene uitgalm teen die donker hemele rondom.

En dan, ná die eerste skok van die geraas oor ons gebreek het, gaan sy ligvoets voort, wip op die verhoog, gooi haar arms oop asof sy haarself kruisig teen die lig, en verdwyn agter die goedkoop pralerigheid van die gordyn.

'n Kelner sit later ongevraag 'n nuwe bottel voor my neer. Ek betaal hom en kyk nie na die kleingeld wat hy uitkeer nie. Buite het die strate mal geword. Binne gaan die skouspel voort. Telkens verskyn sy weer, alleen of met ander, in 'n deurmekaarspul van kostuums of daarsonder. Party toeskouers loop; ander neem hulle plekke. 'n Ry hoere staan by die deur en aas en word geaas. My voorkop brand. Daar is 'n rooi vlek op my sakdoek. Ek sit vasgesweet op my stoel. Eers drie-uur verskyn die dik bestuurder met die bos olierige swart hare op die verhoog tussen die kaal artieste, klap een gemoedelik op die boud, en kondig aan dat die vertoning verby is.

Buite in die koue straat wag ek tot sy eindelik uitkom. Sy ruik na goedkoop seep en gesigroom; die oortollige grimering is af.

„O, jy't toe gewag," sê sy.

„Ja."

„Dis koud."

„Nogal."

„Sal ons 'n taxi soek?"

„Natuurlik."

„Daar behoort by die Place Blanche te wees."

„Goed."

Ons loop soontoe, en klim in, en ry.

Sy sit sedig in haar hoek; af en toe draai sy haar gesig na haar venster. Eers toe ons by die Place du Châtelet met sy rye verlate ligte aankom, sê sy:

„Ek het jou gesê jy sal nie daarvan hou nie."

„Jy hou self nie daarvan nie. Waarom doen jy dit?"

„Waarom nié?"

Dís die vreemde: nie dat daar so min woorde oorbly in dié diep, verlate gebied waartoe ons gekom het nie, maar dat die paar wat oorbly so niksseggend is. Of is dit die kontras met die stilte rondom wat dit net opvallender maak?

Die ou, klam reuk van haar buurt syfer in ons in toe ek die motordeur vir haar oophou. Ek maak aanstalte om weer in te klim en huis toe te gaan, moeg vir woorde, moeg vir vrae, moeg. Maar sy bly in die middel van die straat staan en sê:

„Kom saam met my. Asseblief."

Ek sug, betaal die bestuurder, druk die deur toe en gaan vol twyfel saam met haar verder. Die vyf verdiepings spiraal troosteloos voor ons op.

Sy sluit haar deur oop, stap voor my in, trek haar jas uit en laat dit op die vloer val. Ek hang dit oor 'n stoel. Dis effens bedompig binne. Sy loop oor na die venster en kyk uit, maar dis donker oorkant. Met 'n klein glimlaggie draai sy na my terug.

„Gelukkige Nuwejaar," sê sy lig.

Ek knik net.

„Jy is kwaad vir my."

„Nee." Dis heeltemal waar.

„Sit daar." Sy beduie na die stoel by die tafel. Dan gaan stroop sy die boonste kombers van die deurmekaar bed af en kom drapeer dit om my, beskou dit krities, gaan haal 'n stuk tou waaraan sy gewoonlik wasgoed hang, en bind dit om my middel. Sy gaan skrop in die kas en kom terug met 'n rosekrans wat sy in my skoot lê.

„Dis halfvier in die oggend, Nicolette. Wát wil jy nou weer?" Die moeg hang swaar aan my ledemate.

„Ons speel," sê sy. „Ek was stout. Ek het sonde gedoen. Ek moet by jou kom bieg. Jy is die priester."

„Nee," protesteer ek. „Daar is 'n tyd vir alles. Jy is nou kinderagtig!"

„Dis net 'n speletjie. Ek speel dit gewoonlik alleen. Maar vannag is daar 'n hele jaar verby."

Ek maak 'n tam gebaar. „Ek gaan nie na jou luister nie!"

„Jy hoef nie. Priesters luister gewoonlik nie, dink ek." En toe kom kniel sy by my voete met haar elmboë op my knieë. „Vader," sê sy. „Ek weet nie eintlik waar om te begin nie. Ek het so baie sondes."

Ek maak my oë toe. Ek droom. Dis verspot. Dis 'n gek speletjie.

„Waarvoor kan ék jou tog vergewe, Nicolette?" sug ek.

„Nee. 'n Priester noem mens nie op jou naam nie. Jy moet sê: ‚my dogter'."

„My dogter."

„Dit maak nie saak of ek vergewe word nie, Vader. Gee my net kans om te bieg."

„Nou goed. Laat ons hoor." Ek kan nie help om tóg effens geamuseer te wees nie.

„Ek het vanaand gedans in plaas van Mis toe te gaan."

„Dis baie verkeerd."

„En ek het sonder klere gedans."

„Nog erger."

„En ek het 'n man gesoen."

„Onvergeeflik. My dogter."

Dis soos 'n mallemole wat stadig in beweging kom en eers momentum moet kry.

„Is dit al?"

„Nee, Vader. Dis nog maar die begin."

„Waarom het jy bieg dan so nodig?"

„Dis nie net ek wat dit nodig het nie," ontwyk sy. „dis almal wat saam met my op die verhoog was ook. En die baas wat Jeannine in die pad gesteek het omdat sy haar rok geskeur het toe sy daarop getrap het. En almal wat na ons gekyk het en gedink het ons is iemand anders. En dié wat by die deur gestaan het om hulle tweedehandse liefde te verkoop. En dié wat dit gekoop het. En al die ander in die stad, in al die ander saaltjies. Dié wat sing en dit nie bedoel nie. Dié wat enigiets doen en dit nie bedoel nie. Ek kán nie sing nie. Ek het vir jou gelieg. Maar ek het gesê jy moenie saamkom nie en jy wou nie luister nie. Ek moes by jou gebly het. En ek moes nie daardie aand na jou toe gegaan het en jou gepla het nie, want jy was besig. En ek het vanoggend 'n koekie seep in die Prisunic gesteel en hulle het my nie gesien nie. En ek het in die Luxembourgtuin probeer wegkruip met toemaaktyd, maar hulle het my gekry en my uitgejaag. Hoekom jaag hulle mens altyd uit? Ek pla tog niemand daar nie. Maar miskien sal mens bang word as jy in die nag alleen tussen die bome moet bly. Ek was eenkeer in Versailles, in die bos, toe hulle die hekke gesluit het en alles was toe en donker; en toe ek by die waterplaat aankom, het 'n string voëls hoog bo-oor gevlieg en aaklig geskree, dit was soos doodgaan, en op die end moes ek oor die tralies klim want ek was te moeg om weer deur die hele bos terug te loop na die een hek wat altyd oopbly, en buitendien was ek bang vir die pikswart bome, en my rok het geskeur toe ek afspring. Hoekom is dit so? Hoekom wil ek binne wees as ek buite is; en as ek toegesluit word, is ek bang? Hoekom kan ek nooit rus kry nie? Ek het weggeloop van die huis af hiernatoe en ek het nooit briewe geskryf nie. Net een keer om geld te vra. Ek moes so baie dinge doen om geld te kry, en partykeer het hulle my nog gekul ook en my uitgegooi nadat – jy weet –"

So gaan sy voort; en algaande begin dit voel of ek deelneem aan 'n fantastiese stuk sonder begin of einde, met mense wat in- en uitdwaal sonder doel, lag en huil sonder rede, voortdurend in opstand kom teen alles; en die moeg en die vaak laat die toneel boonop telkens voor my slinger, asof ek deur water daarna kyk. Maar wanneer ek dan tog weer terugkeer en alles reglynig om my sien, hoor ek haar stem toonloos maar algaande moeër verder praat. Haar sinne begin verstrengel raak, sommige dinge begin sy herhaal, en 'n paar keer lê sy haar kop so moeg op my knieë dat ek beswaarlik kan hoor wat sy sê. Eers toe sy aan die einde 'n hele paar minute doodstil bly sit, besef ek dat sy dalk wag op my.

„*Ego te absolvo*," prewel ek, meer om haar onthalwe as myne.

„Nee!" keer sy en lig haar kop vinnig op. „Waarom sê jy dit? Waarom probeer jy my vergewe? Jy weet nie eers wáárvoor nie! As ek iets verkeerds gedoen het, wil ek nie vergewe word nie. Ek wil skuldig wees, ek wil gestraf word! Anders is daar mos geen sin in sonde nie!"

Ek staan op en probeer haar aan die hande optrek, maar haar knieë bly op die vloer. „Jy is moeg," paai ek. „Ons is altwee doodmoeg. Jy weet nie meer wat jy praat nie. Die speletjie is verby."

„Dis nooit verby nie." Ek vermoed dat sy dit sommer willekeurig sê, maar dis onmoontlik om haar te peil. Daar is geen groter raaisel as 'n mens sonder raaisels nie.

„Kom, ons gaan slaap," sê ek. „Dis jou straf."

Sy glimlag, en skud haar kop. „Nee." Maar sy laat my toe om haar op te help; en dan bly sy voor my staan sodat ek haar kan uittrek. Dis die begin van 'n nuwe speletjie, 'n mooi speletjie, 'n vriendelike, warm speletjie; en speel-speel skakel ons die lig oor ons af en stel ons tevrede met die reghoekie voor die venster, en die skaduwee van die kruisbeeldjie in die weerkaatsing daarvan.

II

Ek skryf te selde. Maar sou jy daarvan hou as ek elke Sondag vir jou 'n netjiese inventarissie maak, tussen 'n liefdevolle aanhef en 'n liefhebbende slot, van elke partytjie of onthaal waarby ons die afgelope week was, van elke ding wat ons gekoop het, elke plek wat ons uit pligsgevoel, lus of blote verveling besoek het? Die alternatief is dus dat ek eintlik elke keer 'n taamlik verwarde emosionele uitbarsting op papier beleef en van jou verwag dat jy dit sal lees. Wat sal ons vriende sê van die besadigde, beheerste Erika? Jy sien: ek het dalk net gans te veel tyd om te karring in my eie binneste. Dis soos die bottel slegte sjerrie wat Anna ons destyds gegee het, met die moer onder in. Sodra jy dit 'n slag te vinnig gelig het met die skink, moes jy dit dadelik weer in die kas wegbêre. Hoekom het ons dit nooit weggegooi nie? Bang om Anna se ‚gevoelens seer te maak'? Mens het soveel mooi beleefde vresies. Pleks dat ons haar 'n keer spesiaal oorgenooi en haar 'n gróót glas van haar eie moer voorgesit het.

Maar dis hopelik die laaste keer dat ek al die slikkerigheid uit my binneste aan jou sal opdring. Want ons kom – eindelik – terug.

Eintlik is dit 'n onverwagte besluit wat taamlik banaal begin het toe dit uit-geraak het tussen Annette en haar Italianer. Ek het naamlik drie dae daarná eers terloops daarvan gehoor en soos 'n goeie moeder my oor my dogter se gebroke hart ontferm; haar probeer oortuig dat dit in haar beste belang is om my alles te vertel. Sy het taamlik heftig geweier. Uiteindelik het dit uitgeloop op 'n volbloed gekyf omdat ek haar beskuldig het dat sy my nie meer vertrou nie, dat sy dinge opsetlik geheim hou, ensovoorts. „En hoekom mag ek nié?" wou sy weet – ons gehoorsame, inskiklike klein Annette! „Hoekom mag ek nooit 'n stukkie lewe van my eie hê nie?" Wat daar in die loop van dié kwartier of halfuur nie alles uitgegrawe is nie! Dat ek haar altyd behandel het soos 'n plantjie wat nie mag son kry nie. Dat ek haar nie toegelaat het om alleen te bad voor sy tien was nie. Dat ek al haar klere altyd self uitsoek. Dat ek voorskryf wat sy eet, en doen, en dink. En, samevattend ten slotte: dat sy heilig sat daarvoor is en dat sy voortaan sal doen wat sy wil. Ek self het geen woord gesê nie. Ek was eenvoudig te verslae voor dié mens wat nie meer my kind was nie. Dit het seker lankal in dié rigting beweeg, maar ek het altyd geglo dat dit maar tydelik was en ‚weer sou oorwaai'. (Op hoeveel maniere kan jy jouself om die bos lei?)

Toe ek eindelik loop, het sy nog één ding agterna gesê („sê" is 'n taamlik beskaafde weergawe van die manier waarop sy gepraat het): „Ek sal nie toelaat dat jy my langer versmoor met jou jaloesie nie!"

„Jaloesie?" het ek gevra, want dit was die laaste beskuldiging wat ek te wagte was.

„Ja! Jy was nog al die jare jaloers op my. Jy wou deur my probeer lewe. En jy was bang Vader sou my van jou afneem. Dís waaruit al jou danige ‚liefde' bestaan het!"

Toe het sy my daarvan beskuldig dat ek al die jare tussen jou en haar gestaan het en julle nie wou toelaat om by mekaar uit te kom nie. Dat dit my skuld is dat julle vreemdelinge vir mekaar is. Naderhand het ek net omgedraai en die deur oopgemaak en geloop. Wáár ek die aand oral gedwaal het, weet ek nie. Mens dink baie, en taamlik deurmekaar, as jy so dool. Ek het onthou hoe ek daarteen opgesien het om 'n kind te hê. Dit was feitlik een van die voorwaardes wat ek by ons troue gestel het. Ek glo nie jy het geweet hoekom nie. Ek sélf dalk nie. Maar miskien was dit een – taamlik kinderagtige – manier om my te wreek oor die vernedering wat jy my aangedoen het: nie deur agtien maande van my af weg te vlug nie, maar deur terug te kom en dit as vanselfsprekend te beskou dat ek weer in jou arms sou val. En hoekom het ek dan tóg uiteindelik ingewillig? Dís mense se veel geroemde vrye wil, Paul: ek het „ja" gesê omdat moeder by my aangedring het dat ek van jou afsien omdat jy my so ‚sleg behandel' het. En omdat ek teen háár in opstand wou kom, het ons tog getrou. Ek hét jou ook liefgehad, Paul. Ek het. Maar die Here weet, daar was 'n wrok in my. En hoe kon ek eerlik wees en 'n kind in die wêreld bring voor ek dit wóú, uit liefde? Maar sy het dan toe tog gekom. Jy was in jou skik. Juis daarom was ek bang. Want met die kind sou dit so maklik kon gebeur dat ek heeltemal uitgeskuiwe word; dat julle bondgenote word en ek 'n teenstander. Wat kon ek doen, Paul? Ek weet nou dat ek gek was. Maar al uitweg wat ek tóe kon sien, was om te sorg dat ék die bondgenootskap sluit. Dís wat ek ,liefde' genoem het: om vas te klou aan 'n kind wat ek nooit wou gehad het nie, omdat sy op stuk van sake my enigste eie ding was en maklik 'n teenstander sou kon word. En dit terwyl ons temperamenteel eintlik nooit bymekaar gepas het nie. En nou? Ek weet nie of dit nou vir alles te laat is nie.

Maar ons kom terug. Ék kom terug; nie baie trots op myself nie. Ek is nie ontnugter deur wat gebeur het nie; net deur wat ek in myself ontdek het daardie nag. En dis nie net een nag se vlaag van selfbeklaging nie: daarvoor was daar te veel vermoedens en onderdrukte vrese vooraf. Ek sal eers moet leer om myself te vergewe voor ek kan verder gaan: maar gebeur dit so maklik? En hélp dit? Dis nie genoeg om mens self te beskuldig as jy wil vry word van skuld nie. Hoekom sal dit dan genoeg wees om jouself te vergewe? Dis of jy nie anders kán nie as om uit jouself uit te beweeg na iets of iemand ánders, iemand minder ellendig as jyself. Om dáár te ,bely'? Is die drang om te bly en te offer dan tóg 'n oerding in 'n mens se hart? Maar wáárheen gaan jy? Die kerk is nie meer ,mode' nie; dis 'n vergelyking wat x nie meer kan oplos nie. Maar êrens, êrens moet mens uitkom, anders word die skuld te swaar; dit raak te veel mense róndom die enkeling wat sondig: dit word kollektief; en elke geslag maak dit swaarder (swaarder in gewig; en swaarder om daarvan ontslae te raak).

Help my drink aan my bottel sjerrie, Paul. Dalk, as jy jou oë styf toeknyp, raak die bottel tóg later leeg.

Liefde. (Probeer dié woord maar ontsyfer.) Erika.

12

Met haar hare deurmekaar teen my nek en haar lippe oop teen my skouer waar sy my 'n minuut gelede gebyt het, vra sy onverwags: „Hoe sê mens in Afrikaans: *faire l'amour* – to make love?"

„Mens sê dit nie. Daar's wel twee soorte woorde: maar die een klink soos 'n mediese teksboek en die ander soos 'n inskripsie op 'n latrinemuur."

Sy lag effens, maar haar oë bly ernstig. „Hoe het júlle dan altyd gesê?" vra sy: „Jy en jou vrou."

„Ons het nooit daaroor gepraat nie."

„O." Sy lê rustig en asemhaal. Na 'n rukkie sê sy: „Marc-Louis sê altyd: ,Sit die duiwel in die hel –' "

„Wie is Marc-Louis?"

Haar oë, wat verby my gekyk het, beweeg terug na myne. Het sy effens geskrik? Het sy ingedagte gesê wat sy nooit wou of moes gesê het nie?

„Sommer 'n student," antwoord sy dan.

„Hoe kom dit dat jy hom ken?"

„Ek ken baie mense in Parys."

„Maar hy."

„In 'n kafee of êrens ontmoet. Ek onthou nie. Hy kom partykeer gesels."

„Net gesels?"

„Hoekom wil jy dit alles weet? Maak dit saak as ons nié net gesels nie?"

Ek durf nie antwoord nie.

„Jy is jaloers."

„Nee." Ek is nie. Dis die heilige waarheid. Ek is net moeg. Ek het nooit geweet dat détresse – dié anderkant-die-wanhoop – só stil kan wees nie.

Ek trek my terug van haar.

Sy roer teen my rug. Ons sit 'n oomblik langs mekaar. Dan staan sy op en begin aantrek. Ek sit en afkyk na myself. Marc-Louis: is dit die jongste naam vir die lot? En al die tyd terwyl ek gemeen het dat ek in my nuwe illusie van lewe tog besig was om in die rigting van iets te beweeg, was hy daar, vir haar ewe werklik; dalk werkliker. „Sommer 'n student –" Daar sit nie baie eer vir mens in so 'n ontdekking nie. Dit kan wees dat ek soms hier opgedaag het terwyl sy „geheime" nog in haar was (dis hoe sy dit noem). En sy het dit nooit laat blyk nie. Hoekom? Omdat dit verlede tyd was, reeds-gelewe, bélewe, klaar geabsorbeer in haar, en dus vergeet? Of was – en is! – alles deel van haar nimmereindigende spel? En hoe lank gaan dit aanhou? Daar is min, min van my drie maande oor. En daarná – ?

Sy kom staan onverwags voor my en neem my gesig in haar klein hande, dwing my om op te kyk na haar.

„Hoekom verstaan jy nie?" vra sy. „Dit maak tog geen verskil aan óns nie."

„En ,ons' maak geen verskil aan jóú nie." Vir die eerste keer sê ek dit reguit: „Weet jy dat daar waarskynlik oor 'n rukkie 'n kommissie van ondersoek kom?"

„Waaroor?"

„Oor ons."

Eers lyk sy ongelowig; daarna onseker. „En dan? Moet jy weggaan?"

„Nie noodwendig nie." Ek bly stil, en waag dit na 'n oomblik: „Sal dít enige verskil aan ‚ons' maak?"

Sy skud haar kop, maar sy draai half weg. Op daardie oomblik wéét ek, sonder dat 'n enkele woord nodig is.

Tog dring ek aan: „Sal jy dan by my bly, Nicolette?"

Sy swaai haar kop skielik ongeduldig, wanhopig om: „Ek weet nie, ek weet nie, ek wéét nie! Waarom hou jy aan met vrae vra? Hoe kan ek weet wat later sal gebeur?"

„Dan sal dit tussen ons ook verby wees?"

„Sal jy ontslaan word?"

„Maak dit verskil – aan jóú?"

„Ons is nou *hier,*" sê sy. „Dis al wat saak maak."

Ek staan op en begin aantrek.

„Moenie weggaan nie." Sy neem my arm. „Bly by my. Bly altyd by my. Moet nooit weggaan nie."

„Het jy my lief?" vra ek.

„Wat *beteken* dit?" vra sy. „Mens sê dit elke dag. Dis so maklik. 'n Woord is niks. Wat *is* dit?"

„Ek weet. 'n Woord is niks. En liefhê is niks. Maar ek het jóú lief."

Ek neem haar in my arms. Oor haar skouer sien ek ligte sneeuvlokkies geruisloos teen die ruite beweeg. Die venster oorkant is verlig, maar die gordyn is toegetrek.

Sy vermoed wat ek sien, want sy sê met 'n laggie: „Sy is skaam vanaand. Of dalk is dit die sneeu!"

13

Ek stap deesdae baie deur die stad: met haar, of alleen. Dit het meer as 'n behoefte geword: 'n soort noodsaaklikheid. Is dit eenvoudig 'n drang om te verken terwyl ek nog hier is? Is dit 'n poging om déúr die warboel van strate en geboue te dring tot 'n plan wat minder verbysterend is? Ek het 'n vermoede dat al dié moontlikhede eintlik oorvereenvoudiging is. Dis eerder 'n daaglikse oortuiging dat alles wat gebeur, en gaan gebeur, en gebeur hét, deur die stad as predestinerende mag so beskik is. Dis meer as 'n kader vir alles: dis self aan die gebeur met ons. Daarom is dit ook nie net 'n milieu vir haar of 'n simbool van haar (of andersom) nie, maar tegelyk sy sélf, en iets met 'n volwaardige, eie bestaan. Die stad het sy eie kop, en hart, en maag, en geslag. En dis of – namate alle ander oortuigings, opvattings, sekerheid, moontlikhede van my afgestroop word – die stad self al méér lewe kry, en al dringender noodsaaklik word.

14

In 'n warm, rokerige, gesellige kafeetjie in die pers vroegaand, terwyl ons wag op ons groot koppies koffie, sit sy met 'n haarnaald op die hoek van die tafel en krap, afgetrokke, alles om haar vergete. Dis 'n enkele woord wat daar so sonder opset witterig in die ou bruin hout verskyn: *Moi*. En toe sy sien ek kyk daarna, lê sy 'n bietjie verleë haar hand daaroor en laat die haarnaald in 'n goedkoop groen asbakkie val.

15

Los gedagtes in die serene kloosterhoffie van Saint-Sévérin:

Dis maklik om oor die liefde te praat (selfs sy het so gesê). Dis die dink daaroor wat moeilik is. En dit gebeur so dikwels deesdae, onvermydelik, namate ek al meer gevang raak tussen Erika, en Gillian, en Nicolette.

Ek het lank daarin geslaag om alle gedagtes aan Erika weg te hou; om net mooi Sondagbriewe te skryf soos sy nie aan my wil skryf nie. Maar nou dat sy moet terugkom, ná alles wat sy bely het, moet ek tog leer om my daarby aan te pas.

Ook destyds, toe ek na haar terug is, het ek nie juis daaroor *gedink* nie. Dit was alles tog vanselfsprekend. Gillian was dood. Iets was afgelope, verby, finaal, sonder berou of bespiegeling. Dit was die *voor die hand liggende* ding om te doen. Trouens, dit het my verbaas dat sy nie onmiddellik ingewillig het nie, maar eers „wou dink" – hoewel ek selfs toe geen twyfel oor die uitslag gehad het nie. Daar was gewis geen oorskatting van myself in my houding nie: dit was nooit eers ter sprake nie. Ek het eenvoudig aangeneem dat daar hoegenaamd geen alternatief bestaan nie – vir geeneen van ons nie.

Die eerste keer dat ek 'n oomblik van paniek belewe het, was ná die gaste almal weg was van die huweliksonthaal en ons myle deur stortreën gery het om te kom waar ons wou wees, en ons uiteindelik sonder waarskuwing in 'n netjiese, alledaagse hotelkamer na mekaar omgedraai en besef het dat ons inderdaad alleen daar voor mekaar staan. Sy het effens geglimlag, eintlik om haarself vertroue in te boesem. Maar dit het nie gehelp nie: sy het vertroue by *my* gesoek. En ek het skielik niks gehad om aan te bied nie. Iewers moes ons 'n aanknopingspunt vind voor ons die – eensklaps – skrikwekkende ding kon doen wat omstandighede of gebruik van ons vereis het. Maar uiteindelik het ons tóg die lig afgeskakel om die aand se mislukking te bekragtig. En hoewel dit twee weke daarna tóg ‚geslaag' het (volgens mediese handleidings altans; maar ook nét daarvolgens), het ons deur die jare aan mekaar begin knaag, al het ons geleer om neutraal saam te lewe.

Soms het ek my onvermydelik daarteen verset en gewonder wat sou gebeur as ek die onbevredigbare honger elders sou gaan stil. Maar ek kon byvoorbaat sien hoe Erika haar keurige wenkbroue effens sinies sou lig as sy sê: „Maak gerus soos jy lekker kry." Met die implikasie dat dit eintlik 'n bietjie adolessent sou wees.

En tog was sy sorgvry, vroeër, voor ons troue, en voor Gillian. Maar dit was nog altyd anders as Nicolette: Erika was altyd ‚ordentlik'; met Erika kon mens nie ‚sulke dinge' doen nie; en haar eie sekerheid, destyds, het my minderwaardig laat voel.

Hoe rym ek dit met die mens wat die briewe uit Italië geskryf het en wat nou terugkom? Hoe pas dit in by die ‚ons' van amper dertig jaar? Hoe pas dit in by *nou*? Ek weet nie. Hoe sou daar sprake kan wees van liefde as dit eintlik uit die staanspoor 'n onvervulde moontlikheid was?

En Gillian. Dit sal óók ‚liefde' heet. Liefde? Here: *odi et amo,* 'n vlam wat alles wil skóónbrand, en homself op die duur uitbrand. Of sou dit 'n soort beswering van die niet gewees het, en daarom geraak het aan iets wesenliks van liefhê – dat dit die *is* teen alles in wil bevestig, desnoods teen homself? (Of is die liefde op stuk van sake net die eenvoudigste antwoord op die ondraaglikheid van alleenwees – en dus 'n sinsverdowing? Maar daarvoor is dit te akuut. Te genadeloos eerlik.)

En Nicolette? *Lassata, non satiata,* soos Faustina: sy wat ure, nagte aaneen speletjies kan versin, nuwe houdings, intieme klein verrukkings wat by die terugdink banaal en soms skokkend voorkom – maar dit nooit is terwyl dit gebeur nie, omdat elk 'n skoon, oop, suiwer daad is, vry van die smet van gedagtes en woorde. By haar is dit die voortdurende geheimspel, die soek na oplossings vir onoplosbare raaisels, na die oorspronge van mites. By haar is die liefde 'n verwildering, omdat dit mens blootstel voor die chaos in jou eie binneste; haar lyf is 'n „wildernis, 'n genesis en eksodus", 'n Minos-labirint waaruit ek nooit sal loskom nie – of wíl loskom nie.

En die ironie wat daagliks meer onontkombaar word: die liefde sou glo ‚bestendig' wees, sou glo ‚ewig duur' – maar *hierdie* verhouding, hierdie pit-van-liefde, was uit die staanspoor al kortstondig, berekenbaar in die dae en ure van drie maande; en daarom by voorbaat futiel – en tog is daar niks anders wat ek *kan* doen nie. Uiteindelik sal selfs Nicolette nie vir my oorbly nie: *niks.* (Dus maar: *Amare liceat si non potiri licet* – ?) Maar nóú, terwyl dit dúúr, is sy vir my onontbeerlik: nie eng, selfsugtig nie, maar essensieel. Ek dink die begrip ‚wedergeboorte' is net die Christelike vertolking van iets wat vir elke mens noodsaaklik is: 'n vernuwing, 'n distansiëring van homself, 'n kennisneem van die wêreld en homself. En in dié sin is sy dan vir my 'n wedergeboorte. Dis onmoontlik om in die moederskoot terug te kruip (hoewel die man juis dít sy lewe lank probeer); net so onmoontlik is dit om dié ontdekking van die wêreld ongedaan te maak. Dis geen spieël wat jy kan vernietig om van die beeld daarin ontslae te raak nie.

Sou dit die blote feit van ‚beskawing' wees wat dit vir mens so moeilik maak: omdat die patroon jou wen aan ingewikkelde behoeftes waarsonder jy op die duur nie meer kan klaarkom nie, sodat jy beswaarlik dié uiteindelike eensaamheid kan verduur? (Want: die liefde is juis *nie* beskaafd nie, maar 'n oer-nood.) Ek weet nie. As dit is, sal ek ook die onnodige behoeftes wat nou nog in my oorgebly het, uit my gestel moet *uitwerk,* terwyl die tyd daagliks minder word. Maar gebeur dit willekeurig? Of moet jy wag op genade? En waar, God, kom dié vandaan –?

16

Die vorige aand was dit nog winter. (Ek onthou dit goed, want ek sien nog die wasem teen die ruite waar ons staan en uitkyk na die mense van die oorkantse venster. Ek hoor haar sê: „Sy't nou nie meer lank nie. Dit moet al agt maande wees." En ek onthou die verwildering in haar oë toe sy vervolg: „Ek weet nie wat ek sal doen as so iets met my gebeur nie. Ek sou nie omgee om 'n kind te hê nie – as dit 'n dogter is – maar dan moet sy sommer daar-wees; ek wil nie hê dít moet gebeur nie; dit moet 'n soort doodgaan wees; dit moet mens heeltemal vaskeer in jouself. Dit sal my gek maak –") Die sneeu was al weke gesmelt, maar dit was nog snerpend koud; snags – ook dié nag – het ons dankbaar in mekaar se hitte geskuil teen die dun beweging van die wind oor die skuins dak. En toe, die volgende oggend, was die lente onverklaarbaar daar. Dit was daar in die vroeër inkom van die lig by die venster; en in die nuwe roep van die buurt se brocanteur onder in die straat by sy waentjie; dit was daar toe ek later die dag die werk net so laat lê het en saam met haar en honderde ander in die vriendelike son op groen stoele by die spuitfontein in die Luxembourgtuin gaan sit het; dit was sigbaar in die eerste groen van die bome; hoorbaar in die lag van kinders wat hul winterjasse tuis laat lê het; voelbaar in die kafees waarvan die glasterrasse verdwyn en die stoele en tafels oornag soos skuim vooraan 'n nuwe gety op die sypaadjies uitgestoot het.

„Die koue sal weer terugkom," hoor ek haar nog sê. „Dis al-jare so: die vals lente van Februarie."

Maar dit het nie werklik saak gemaak nie. Niks was werklik meer van dringende belang nie. Die iets krampagtigs wat daar altyd in my vasklou aan haar was, het vanself verdwyn; alles het groter en rustiger geword. Dalk was dit óók maar 'n illusie, nes die te-vroeë lente. Maar dit was dáár; dit was daar om te geniet. Dit was serene dae, tydeloos stil: miskien die laaste stilte wat ons saam sou ken, maar ook dít het ons nie gekwel nie. Vir die eerste keer, miskien die enigste keer, het ek soos sy in 'n durende hede leer bestaan.

Ek onthou –

Ons stap op die onderste voetpad van die Seine en gaan sit teen 'n kliptrap lui in die son, sy met haar ligte rokkie opgetrek tot hoog bokant haar seunsknieë, met haar sandale langs haar en haar tone in die troebel water. Ons stap hand aan hand onder die vroeë groen kastaiingblare deur en drink coca-cola by 'n tafeltjie op die sypad. Sy loop met perskebloeisels in haar hare in die smal paadjie onderkant die Palais de Chaillot. Ons staan op die oop agterdek van 'n ou groen bus en ry roekeloos in die wind na die Bois de Vincennes. Sy speel ligvoets in 'n dun rokkie voor my uit, haar lyf en bene binne-in gesilhoeëtteer teen die lig soos 'n kers se pit in die hart van die vlam. Ons staan op die Eiffeltoring, op die Arc de Triomphe, op die torings van Notre-Dame: sy is bang vir hoogtes – of is dit 'n soort ekstase? – maar dwing altyd teen hulle op. Ons sit in 'n goedkoop bioskoop en sy huil haar sakdoekie papnat.

Ons gesels. Sy vertel van haarself: telkens 'n ander storie, maar ek het lankal geleer om my nie te vererg oor haar leuens nie, want elkeen is op die oomblik heilig waar. In enkele ligte oomblikke vat sy 'n hele skaduryke verlede saam.

Soms, al meer gereeld, praat ons oor Erika. Gaan dit niks aan ons verander nie? vra sy – rustig, nooit dringend nie. En ek antwoord ewe seker: Niks kan aan ons iets verander nie. Niks kan aan ons verskil maak nie. Immers: as Erika se terugkeer iets tussen my en Nicolette beslissend kan beïnvloed, kan dit alleen wees omdat die verhouding begin het *omdat* Erika weg was. En só eenvoudig is dit nie.

Maar ek weet onderlangs – gelate, omdat dit onvermydelik is – dat Erika se koms wel *iets* sal meebring: wát, is nog nie voorsienbaar nie. Miskien maak dit nie onmiddellik aan ons verskil nie; maar die hele groot, rustige, onkeerbare beweging sal deur haar terugkeer noodwendig 'n dringender vaart moet kry. Dán sal dit saak maak; dan sal alles onontkombaarder word; maar aan nóú, aan hierdie vroeë lente bymekaar, kan niks ooit iets verander nie.

Sy het op die middag van 22 Februarie teruggekom. Ek het vroegtydig uitgery na Orly om haar te ontmoet. Terwyl Farnham egalig voortbestuur oor die breë snelweg met sy sierlike kurwes en die rye lamppale met die geboë koppe, het ek probeer vooruit dink, my probeer voorstel hoe dit sou verloop: op die lughawe, en veral daarna. Hoe en wanneer sou Nicolette tussen ons ter sprake kom? – want dit was onvermydelik. Hoe sou sy reageer? Hoe sou dit die loop van sake beïnvloed? Maar iets in my het vasgehaak: ek kon nie eens aan móóntlike antwoorde dink nie; tot my skok kon ek my nie eens meer Erika se gesig duidelik voorstel nie.

Tog, toe sy weg van die ander reisigers van die Boeing af oor die beton aangestap kom na die spesiale V.I.P.-ontvangskamer, het ek onmiddellik besef dat sy effens skraler was. Nie veel nie, maar tog. Origens was daar niks merkbaar nie. Ek was amper teleurgesteld, omdat ek verwag het dat wat sy in haar briewe geskryf het op 'n subtiele manier tóg in haar waarneembaar sou wees. Maar selfs toe sy eindelik by my kom en ek haar soen en naarstig, maar onopsigtelik, haar gesig verken, was sy die koel, beheerste, bekwame vreemdeling van tevore; haar hare 'n tint ligter gekleur; haar grimering onberispelik; haar oë berekend vriendelik.

„Dag, Paul."

„Dag, Erika. Dit darem geniet?"

„Dankie, ja."

„Bly om terug te wees?"

„Natuurlik." Met 'n klein spottrekkie aan haar lip. „En met jou gaan dit goed?"

„Baie goed, dankie."

Toe het Annette nadergekom, met die eerste oogopslag ewe formeel en mondaine as haar moeder (wat so min ouer as sy gelyk het); maar nog nie ervare genoeg om iets onsekers weg te steek nie: 'n effens beweging van die mond, 'n vraag in haar donker oë.

„Dag, vader."

„Dag, Annette." Dit was net 'n ligte, koel soentjie, asof sy skrikkerig was dat ek haar lippe sou voel beef – of dalk wou sy maar net nie haar rooisel laat afgee nie.

Ek het speels bygevoeg: „Jy lyk mooi.” Eintlik het ek dit bedoel.

Terwyl Farnham die bagasie versorg, het ons aangestap na die ampsmotor.

„Donald-hulle stuur groete.”

„Dankie. Het jy hulle dikwels gesien?”

„Amper elke dag. Die personeel hier nog dieselfde?”

„Ja. Joubert kry oor twee maande tuisverlof.”

Annette het ’n rukkie agter geraak om te kyk na ’n paar duiwe. By die motor het ek en Erika teenoor mekaar bly staan, en geweet dat ons alleen is.

„Erika – ?”

Haar ooglede het effens geroer, maar sy het nie geantwoord nie.

„Gaan dit *werklik* goed?”

„Natuurlik.” Sy het my ’n oomblik onbevrees in die oë gekyk en toe weggedraai om in te klim. „Het jy verlang?”

Daarop was dit my beurt om te antwoord: „Natuurlik.”

Annette het saam met Farnham en die kruier nadergekom. Ek het my kind staan en dophou en verbaas ontdek dat sy ’n jong vrou is. By die deur het sy my blik gewaar en ’n vinnige, verleë glimlaggie gevorm, toe gebuk en ingeklim.

Onderweg het ons nie veel gesels nie: ’n paar opmerkings oor hulle vakansie, oor amptenare in die ambassade in Rome, oor ’n komende modevertoning in Parys. Net eenkeer het Annette gesê: „Vader het maer geword.”

„Dis maar jou verbeelding,” het ek uit gewoonte geantwoord.

En Erika het gesê: „Jy sien daar eintlik goed uit so.”

Daarmee is die toon aangegee vir die volgende dae. Ek was byna verbaas om te sien hoe min verskil hul teenwoordigheid in die ampswoning werklik maak. Ons het mekaar etenstye gesien en oor voor die hand liggende dinge gesels. Dalk was dit ook goed so. Maar dit sou nie kon voortduur nie; vroeër of later sou ons vatplek aan mekaar móés kry, en uitpraat. Hierdie geskerm was te doelbewus. Boonop het dit frustrerend begin werk omdat ek voorwendsels moes bedink wanneer ek saans na Nicolette gaan. Aangesien ek geweet het dat hulle my nooit op kantoor kom steur nie, het ek een of twee keer „laat gewerk”; ’n paar keer moes ek na die Britse of Kanadese Ambassadeur vir „samesprekings”. Maar teen elfuur of twaalfuur moes ek dan tog terugkom; en dit het swaar gerus op die aande by Nicolette. Ons het nie direk daaroor gepraat nie, maar ek kon tog sien dat dit haar ook begin kwel. En dit moes vermy word; alles het té fyn inmekaar geskakel; daar durf niks aan die delikate ewewig versteur word nie.

Ongeveer 'n week na Erika se koms het ek die aand taamlik somber die ampswoning se voordeur agter my toegemaak. Nicolette was besig om te verander onder die druk van ons nuwe lewe. Vir die eerste keer het sy dié aand pertinent daaroor gepraat toe sy my toenadering geweier het en ek wou weet waarom.

„Ek is nie 'n straatmeisie nie!" het sy gesê.

„Maar waar kom jy aan so 'n gedagte?"

„Dis al wat jy deesdae by my kom soek. En altyd moet ons op 'n sekere tyd klaar wees. Ons is nou agterbaks. Hoe lank gaan dit so aanhou?"

Dít was die laaste waarskuwing. As daar nou geen natuurlike geleentheid kom om met Erika te praat nie, sou ek die gesprek eenvoudig daarheen moes *dwing*. Ek het te bedruk gevoel om dit dié aand nog te doen; maar die volgende dag sou dit tot 'n punt moes kom.

Effens verlig deur dié besluit, het ek met die trap opgegaan. Erika se deur was al toe, hoewel daar 'n strepie lig onderdeur geskyn het. Annette se deur het oopgestaan. Ek het 'n oomblik bokant die trap bly talm. Net toe het die badkamerdeur oopgegaan en Annette het uitgekom, haar wange gloeiend van die bad, haar ligterige hare effens klam. Sy het 'n kamerjas van geel handdoekstof aangehad, met 'n bondeltjie klere onder die arm. En dit was amper 'n fisieke skok om haar so te sien: weerloos jonk, vriendelik, mooi.

„O – naand, vader!" Sy het op haar effens huiwerige manier geglimlag en toe 'n treetjie nadergekom. „Kom vader nou eers terug?"

Ek het geknik. 'n Oomblik kon ek nie gewoonweg praat nie. Ek moes my dwing om aan haar te dink as my kind. Sy wás 'n kind: 'n mooi dogtertjie; maar sy was meer: 'n jong vrou met die sagte vry beweging van haar lede in die japon. Sy het tot by my gekom.

„Vader werk te hard."

„Dis al gewoonte."

„Wat van 'n koppie tee?"

„Ons sal die huis wakker raas. Dis al so laat."

„Nee. Dit sal nie lank neem nie." Sy het met die hand vol klere haar japon vasgehou en met die ander myne geneem – nog 'n bietjie selfbewus, maar vasberade.

Onder in die kombuis het ek op 'n regop stoeltjie gesit en kyk terwyl sy vaardig koppies regsit en water kook.

„Jy is een van die dae neëntien," het ek eenkeer gesê, meer vir myself as vir haar.

Verbaas het sy oor haar skouer na my gekyk. „Ja. Hoekom?"

„En dis byna die eerste keer dat ek alleen met my dogter gesels."
Sy het met haar rug na my bly werskaf.

Ek het haar nie geken nie. Hoe kon ek haar liefhê? En tog – ek het dit daar op die wit stoeltjie in die kombuis ontdek – ek hét haar al die tyd liefgehad. Want sy was 'n kind-meisie; daarom was sy vry; ék kon in die patroon bly bestaan, maar sy sou namens my vry wees. Dis die áárd van 'n meisie; sy is die draer van die enigste absolute dinge wat ons nog in ons beskermde, verwaterde lewe ken. Daarom het ek haar al dopgehou toe sy klein was; deur 'n venster gekyk as sy speel; geluister as sy lag. Maar namate sy grootgeword het, het ek gesien hoe Erika haar skool in die patroon, hoe sy 'n klein gasvroutjie word, 'n modelkind, 'n mooi gedresseerde apie. En sy het die *aanvaar*. Daarom het ek my opsetlik afgesluit van haar; van haar vergéét. Wat 'n negatiewe manier van haat is.

En nou staan sy voor my in die genadelose lig van die wit kombuis, en ek ontdek dat sy nié is wat ek geglo het sy is nie; dat sy nog steeds *meisie* is. As ek dit vroeër ontdek het – ? Maar vroeër, vóór die vakansie, was sy inderdaad anders. Toe was sy 'n nugter stelling : nou 'n vraagteken.

Sy het my koppie tee voor my neergesit. Ek het dit geneem en aan haar geraak en haar hand vasgehou. Sy het vinnig opgekyk in my oë en verbouereerd probeer glimlag.

„Wat het in Italië gebeur, my kind!" het ek gevra.

Ek het haar gesig sien verstrak; sy het eensklaps baie soos haar ma gelyk. „Waarom wil vader weet?"

„Erika het my iets geskryf."

„Sy het waarskynlik gelieg." Net so hard en onverbloem het sy dit gesê.

„Was dit 'n baie groot teleurstelling, my klein Annette?"

Sy het bly spartel teen die emosie. Toe het sy begin huil, met haar kop op haar arms op die tafel. Ek het my hand op haar skouer laat rus en haar laat begaan. Eindelik het sy taamlik deurmekaar gesê : „Hy was te haastig. Hy was met alles te haastig. Hy wou net trou, trou! Hy wou my *hê*!"

„En jy het hom nie liefgehad nie."

„Ek hét!" Sy ruk haar kop op en kyk my driftig aan. „Ek het hom nou nog lief!" Sy wil weer begin huil, maar sluk dit weg en vee haar oë aan haar japon se mou af. „Maar ek was bang. Ek wil nie vasgevang word nie. Ek wil nie hê dat daar met my gebeur wat met júlle gebeur het nie."

Ek kan nie antwoord nie.

„Ek het na Erika toe gegaan. Sy was in die wolke. Sy wou ook net hê ek moes trou. Sy kon nie verstaan ek soek *hulp* nie!" Weer kyk sy my met haar driftige oë aan: „Waarom het jy my altyd net aan haar oorgelaat, vader? Waarom het jy my nooit gehelp nie? Weet jy nie ek het jou nodig gehad nie?"

Die beleefde voorkamerhorlosie slaan halfeen. Sy skrik effens en staan dan op, kyk nie meer na my nie, tel net haar koppie en haar bondeltjie klere op en maak aanstalte om te loop.

„Annette."

Sy bly staan, sonder toegeeflikheid, maar ook sonder verset.

„Ons het altyd by mekaar verbygelewe. Maar dalk is dit nog nie te laat nie."

Ek sien haar huiwer, haar kop effens beweeg. Dan haal sy diep asem en sê saggies: „Nag, vader," en gaan uit, deur die donker eetkamer na die trap.

Die volgende middag net ná werk het Anna Smit vir 'n „heneweertjie" oorgekom – sy was 'n paar dae siek – om mevrou weer „in ons midde te verwelkom" en die hoop uit te spreek dat die vakansie darem aangenaam was. „Ons het u almal gemis," het sy met groot oortuiging gesê. „En die arme Ambassadeur! Mevrou weet, hy't party dae heeltemal verstrooid geraak: en dis mos die laaste ding wat mens van hóm sou verwag. Ek gee nie om om dit reguit te sê nie (my oorlede vader het altyd gesê mens moet blomme aandra vóór iemand begrawe is): ons het 'n grenslose dunk van u man." (Dit alles voor my.) „En hy is net 'n halwe mens as u nie hier is nie. Haai, u moet tog nou nie verkeerd verstaan nie: ons gun u natuurlik die vakansie van harte –"

Erika se ironiese oë het na my gekyk en weer vroom na Anna teruggekeer.

Toe ons uiteindelik meer as 'n uur later saam van die voordeur af terugkom, sê Erika met ligte spot: „My arme man. Het jy regtig soveel verlang?"

„Dis tyd dat ek en jy met mekaar gesels, Erika."

„Gesels? Ons doen dit al vandat ek terug is."

„Nee. Ons skerm net. Ons kom nooit uit by wat belangrik is nie."

Sy bly op die drumpel van die private sitkamer staan, regop, afwerend, koel. „Wat is dan so belangrik?" vra sy.

„Jy het vir my baie dinge uit Italië geskryf. Dalk was dit vir jou net so vreemd as vir my om dit in jóú handskrif op jou mooi, geurige skryfpapier te lees. Jy het verander, Erika: waarom wil jy dit nie erken nie?"

„O, die briewe?" sê sy vinnig en stap opsetlik ongeërg by my verby na haar pakkie sigarette wat op 'n lang tafeltjie lê. „Jy moet die goed verbrand. Dis inkriminerende getuienis. Vals waarskynlik: ek kan beswaarlik onthou wat daar alles in staan." Maar haar hande wat die sigaret aansteek, weerspreek haar. „Ons Franse vriende sou dit noem: *une crise de conscience*. Mens moenie te veel waarde daaraan heg nie."

„Jy praat verniet daarby verby," maan ek stil.

Sy skud haar kop en blaas die eerste rook uit. „Nee. Ek was weg uit my bekende omgewing, weg van jou. Ek het meer gedink as wat goed was vir my. Dis al. Dis nou verby."

„Veel daarvan was waar."

„So?" Haar oë vernou effens deur die ligte rook.

„Net: jy het jouself beskuldig. Maar ek dra my deel van die verantwoordelikheid."

„Nie jy óók nie," sê sy, té vinnig. „Dit was genoeg om met myself opgeskeep te sit. Dit gaan melodramaties raak as jy ook begin." En toe opnuut: „Dis *verby*, ek sê jou. Moenie bly torring nie. Ons het geleer om klaar te kom só."

„Jy wíl dus nie daaroor praat nie?"

„Ek glo net nie aan die geneeswaarde van woorde nie." Daarmee draai sy van my weg. „Ek moet gaan kyk hoe die aandete vorder," sê sy. „Die bediendes het begin hand-uit ruk terwyl ek weg was."

„Ek het nog iets om vir *jou* te sê."

„Ja?" Sy draai beleefd om, maar ek ken haar goed genoeg om te weet dat sy geïrriteer voel.

„Ek gaan weer vanaand uit."

Sy haal haar skouers op. „Nou ja – "

„Ek sal waarskynlik eers môreoggend terugkom," sê ek vasberade en heeltemal kalm.

'n Oomblik frons sy. Dan verander haar gesig, net effens. „Ek sien." Sy staan 'n oomblikkie stil en knik stadig. „Ek sien. Dis seker – nie heeltemal onverwags nie."

„Ek weet nie of jy verstaan nie, Erika."

„Jy hoef nie om verskoning te vra nie," sê sy vinnig. En glimlag dan 'n bietjie, koel. „Ek bind jou nie."

Daar is niks wat ons verder kan sê nie. Net, toe ek omdraai om te gaan, vra sy: „Was dit nodig om my daarvan te sê?" Maar ek antwoord nie daarop nie.

As ek reg onthou, was dit net drie dae later dat Erika self die middag ná werk my koffie na my gebring het. Haar houding het my laat dink dat sy iets op die hart het, maar sy het verby my vraende blik gekyk en rustig in 'n *Marie-Claire* sit en blaai terwyl ek die koffie drink.

Toe, terloops tussen die omslaan van twee bladsye deur, sê sy: „Sy was toe vanmiddag hier."

„Wie?"

„Jou klein – hiërodoel, sal ek maar sê. Mejuffrou Alford."

„Nicolette?" vra ek stadig, onnodig, 'n oomblik van stryk. (En tog, as ek daaroor dink, is dit presies wat ek van haar moes verwag het.)

„Jy sal haar waarskynlik so noem," antwoord Erika onverstoord. Dan, met 'n flikkerinkie van die mond: „En wat noem sy jóú: ‚U Eksellensie', of ‚Meneer'? Of sommer ‚Oom'?"

„Jy is kinderagtig, Erika!"

„Ek is. Ek is jammer. Maar dan: ek het ook 'n effens meer volwasse smaak van jou verwag." Sy sit oënskynlik aandagtig na 'n paar mode-illustrasies en kyk. „Iemand in jou posisie kon tog seker beter kies?"

„Ek is nie bereid om haar met jou te bespreek nie. Nie só nie."

„Dis dalk beter dat ons dit maar verswyg, ja. As dit inderdaad jou smaak is, is dit nie veel van 'n kompliment vir my nie, nè?"

Ek sit my koppie op die tafeltjie neer en staan op. „Wat het sy hier kom maak?" vra ek styf.

„Blomme gebring. Ek kon nie mooi uitmaak of dit vir jou of vir my bedoel was nie. Toe het ek dit maar vir die bediendes gegee. Duur nogal, want dié tyd van die jaar moet alles uit broeikamers kom."

Ek steur my nie aan haar nie. Maar toe ek by die deur kom, laat sy vir één oomblik haar koel masker sak en sê: „Here, Paul, ek skaam my vir jou!"

Ek loop deur 'n paar vertrekke, blindweg, woedend, met klein spikkels wat voor my oë dans. Is dit vir háár wat ek kwaad is, of vir Nicolette? Ek weet nie. Al wat saak maak, is dat ek 'n oomblik heeltemal koersloos voel, tot ek my met geweld regruk. Wat moes ek dan anders verwag het? Ek het dit tog vooraf geweet; en ek het willens en wetens *gekies*.

Half ingedagte vee ek die fyn sweetdruppeltjies van my voorkop af en stap na die voordeur, uit, en na die metro.

Aanvanklik was ek van plan om met haar rusie te maak, maar dit verander onderweg. Wat Nicolette gedoen het, was immers net om die onvermydelike te verhaas. Dalk moes ek haar selfs dankbaar wees daarvoor. As wat gebeur het, tussen óns moet kom staan, sou daar geen sin in enigiets meer oorbly nie.

Maar daar was nog Annette. Dis nóú moeilik om te sê of sy my opsetlik ontwyk het, en of dit maar die gewone verloop van ons lewe was wat ons daardie paar dae verhinder het om by mekaar uit te kom. Toe het ek egter een middag van onder af met die trap na my kamer opgeklim net toe sy van bo af kom. Ek het my verbeel dat sy 'n oomblik vassteek asof sy wou terugdraai; maar sy het haar kop laat sak en vinnig, sonder groet, verbygesteek. Ek het iets in my voel saamtrek; dit was – vreemd – asof dié oomblik met veel groter nood gelaai was as die twee kort gesprekke met Erika.

Ek het haar geroep.

„Vader?" Sy het nie omgekyk nie.

„Waar is jy so haastig heen?"

„Sommer – uit."

„Wat makeer?"

Sy het haar kop geskud. Dit het gelyk of sy botweg wou weier om te praat. Maar toe swaai sy om na my, haar hand vasgeklem op die reling, en sy laat dit uit haar uitskok: „Ek het gedink – in Italië, en nou die aand – en jy het gesê –" 'n Oomblik het haar stem haar begewe. „En al die tyd het jy dít gedoen! Jy het my bedrieg! Ek het gedink – en geglo, en gehoop – dat iets nou anders sou wees. Maar nou – ! Ek het nog nooit in my lewe so vuil gevoel nie!"

Sy was al lank weg, met 'n dawerende klap van die voordeur, toe ek nog daar staan. Eindelik het die gevoel stadig begin terugsypel, en ek het my probeer troos met ou sinsnedes: Die absolutisme van die jeug – Tyd gee – Later meer balans – Maar dit het nie gehelp nie. En ek kon myself ook nie *wysmaak* dat dit sou help nie. Ek sou moes leer aanvaar: alles wat tot nou toe nog deur die skyn in stand gehou is, begin nou wegval. Ek weet nie tot waar die proses nog moet aanhou nie. Ek kan dit nie meer keer nie. Ek kan net verder gaan.

Maar: my dogter, my onbekende kind, Annette – !

17

Deur my kantoorvenster bokant die lessenaar met die almanak en 'n prysopgawe van Franse wapens, sien ek laatmiddag 'n geluidlose spuitvliegtuig bo die gebouelyn teen die lug uitklim en soos 'n hand wit kurwes teen die skemermuur van die hemele skrywe.

18

Toe Douglas Masters die môre sy opwagting in my kantoor maak, was dit die heel eerste keer dat ek hom verbouereerd gesien het.

„Ambassadeur," het hy gesê. „Ek weet dat ek eintlik onreëlmatig optree deur met u te kom praat, maar dis vir my net onmoontlik om iets anders te doen."

„Wat is dit dan, Masters?" Die ongewone bleekheid in sy gesig het my opgeval.

„Ek het 'n brief van die Minister ontvang – " Hy het 'n vae handbeweging met 'n stapel papiere gemaak. „Ek weet eenvoudig nie wat om te doen nie – "

„Waaroor handel die brief?" Die vraag was eintlik oorbodig, want ek het reeds vermoed wat aan die kom was.

Dit was 'n opdrag van die Minister om diskreet in te gaan op Stephen se verslag, waarvan 'n afskrif aangeheg was, en dan so gou doenlik sy mening te rapporteer.

„Die opdrag is taamlik duidelik." Ek het hom in die oë gekyk en die dokumente na hom teruggestoot.

„Maar – U begryp tog dat dit buitensporig is, Ambassadeur! Waarom is die man nie onmiddellik terugverplaas nie? Kon die Minister u nie self genader het nie? Waarom moet daar só te werk gegaan word?" Hy moet inderdaad hoogs ontsteld gewees het om sy gewone bedaardheid só te verloor.

„Ek het die verslag Desembermaand al gesien," het ek geantwoord.

„Maar waarom is die saak nie toe onmiddellik stopgesit nie?"

„Ek het verkies om nie kommentaar te lewer nie."

Hy het my 'n rukkie sprakeloos aangegaap. Uiteindelik het hy amper pateties gevra: „Maar dis tog – 'n spul flagrante leuens?"

„Die feite is korrek, Masters. Net die afleidings was onjuis."

„Maar dan – "

„Intussen het die saak enigsins verander. Onder die huidige omstandighede sou ook die afleidings korrek wees."

Byna afgetrokke, asof die hele gesprek hoegenaamd niks met my te doen het nie, het ek hom sit en dophou, gesien hoe hy sukkel om die slag te bowe te kom. Eindelik was dit tog asof hy 'n besluit neem.

„Ek sien nie kans om dislojaal teenoor u te wees nie," het hy met stram lippe gesê. „Ek sal ook geen kommentaar lewer nie."

Ek het my kop geskud, teen wil en dank getref deur sy opregte bedoelinge. „So maklik is dit ongelukkig nie, Masters. Aan my is die keuse gestel of ek myself wil beskerm of nie. Aan jou is 'n opdrag gegee wat jy sal moet uitvoer."

Hy het stilgebly, gesluk, die papiere amper irriterend oor en oor gerangskik. „Wat moet ek doen?" Dit was amper 'n fluistering.

Die situasie het iets van die groteske begin kry. „Ek sou aanbeveel dat jy met Lebon praat. Hy sou kan verslag lewer oor my bewegings. Origens staan dit jou vry om te sê dat jy ook met my gepraat het en dat ek by my standpunt bly."

„Dit sou so maklik wees om alles net hier te beëindig!" Hy het byna gepleit. „U besef tog waarop dit afstuur. Ons het u nodig hier. Ambassadeur, dis geen tyd vir vlei nie: maar u moet self wéét dat u vir die regering in dié pos amper onmisbaar is. En veral nou, in dié stadium van die wapenonderhandelings!"

Moes ek met die vanselfsprekende cliché antwoord dat ‚niemand onmisbaar is nie'? Ek het nie daarvoor kans gesien nie. Ek het wél baie goed geweet wat hy my op daardie oomblik aanbied. En ek wil baie eerlik sê dat as ek gedink het heroorweging van die saak kón nog daaraan iets verander, ek dit sou gedoen het – meer om sy ontwil as myne. Maar dit was in dié stadium eintlik so 'n nietigheid, so 'n bloot akademiese probleem, dat dit verspot sou wees om selfs 'n oomblik te *hoop* dat die loop van sake nog gekeer of verander kon word, of – veral – dat keer of verandering vir my van *waarde* sou wees.

Daarom het ek net my kop geskud.

„Meneer die Ambassadeur – " Maar alles was al verby woorde; en hy het dit ook geweet. En ek het hom jammer gekry in dié krisis waar Satow en sy jare diens hom nie kon help aan 'n formule nie.

„Daar is net één ding, Masters," het ek gesê. „In Keyter se verslag sal jy natuurlik die persoon se adres vind." (Ek wou opsetlik nie haar naam noem nie.) „Ek weet nie of dit van jou verwag word om ook dáár te gaan inligting soek nie. Maar as jy daarsonder sou kon klaarkom – "

„Natuurlik!" Daar was amper aandoenlike vreugde in sy gryp na dié halmpie.

Daarmee was die saak nie verby nie. Dieselfde aand, by my terugkeer van een van die min amptelike afsprake waaruit ek nié kon loskom nie, het Stephen Keyter saam met Lebon die buitedeur kom oopmaak en gevra of hy my 'n oomblik kon spreek. Ek het voorgestel dat ons instap huis toe, maar hy was blykbaar bang dat Erika of Annette ons sou steur; dus is ons op na my kantoor. Hy was opgewonde, dog hy het geen woord gesê voor ek die deur bo agter ons toegemaak het nie.

„En toe, Keyter?"

„Ambassadeur." Hy het gesukkel met 'n sigaret wat ek hom

aangebied het. „Mnr. Masters was vroeër vanaand by my."

„Hy het my vanmiddag kom spreek."

Dit het hom uit die veld geslaan. „U – u weet dus – ?"

Ek het geknik.

Dit was of hy 'n oomblik alles staan en weeg, en dit toe te swaar vind; want hy bars skielik uit: „Waarom is hulle so omslagtig, Ambassadeur? Waarom glo hulle my nie?" En toe, impulsief: „U self wou nooit glo dat ek dit nie persoonlik bedoel het nie."

„Inteendeel. Dis net met die prosedure dat ek nie saamgestem het nie. Origens het jy jou plig gedoen."

„Dit was nie net plig nie." 'n Oomblik raak hy weer geslote. Sy bolip trek effens senuweeagtig. Dan sê hy vinnig: „Ek weet dit sal vir u gek of verwaand klink, maar my loopbaan is ál wat vir my saak maak. En vanaand het Masters gesê – hy was kwaad – dat my hele toekoms dalk – Ambassadeur –" 'n Oomblik soek hy amper moedeloos na woorde. „Ek glo nie u sal dit verstaan nie. Niemand het dit nog ooit verstaan nie. Vir u is niks moeilik nie. U doen nooit iets wat nie slaag nie. Maar ek – Selfs toe ek 'n kind was. My pa wou 'n seun gehad het: nie 'n pieperige kind wat kort-kort siek geword het nie. Hy wou van my 'n man maak; dit was sy ideaal, omdat hy in ander opsigte 'n ongelukkige mens was. En toe was ek sy grootste mislukking. Ek het by die Diens aangesluit omdat die moontlikhede vir my so onbeperk gelyk het. En nou?" Hy lê sy hande op my lessenaar. „Wat moet ek nou doen?"

„Net wag. Dis al wat jy kan doen." Ek bly stil, en voeg dan gelate by: „Dis al wat *albei* van ons kan doen."

Hy stut sy kop tussen sy hande en bly so sit, die sigaret vergete op 'n rand van die asbak, met 'n lui rookspiraaltjie wat boontoe krul. En amper met 'n skok dring dit tot my deur hoeveel dié gesprek reeds tussen ons verander het. Vroeër was daar agterdog, miskien haat, van sy kant; wrok en minagting van myne. Hy het eintlik die hef in sy hande gehad; ék was die gejaagde. Maar nou is hy verslae, en hy kom by my hulp soek; en ek kan in my binneste net meelye met hom voel: dié jong mens wat altyd sy gevoel agter siniese intellektualiteit verberg het, en wat nou ontdek het dat hy die slagoffer van sy eie impulsiwiteit kan word.

„Wat het jy vir Masters gesê?" probeer ek hom aanspoor.

„Niks. Ek het gesê ek wil eers daaroor dink."

„Waarom het jy dan hiernatoe gekom?"

„Daar is niemand anders nie."

„Jy is te jonk om jou so in jouself terug te trek," probeer ek paai, effens van stryk gebring deur sy woorde. „Jy moet meer normaal leer leef : met vriende, met meisies."

„Dink u nie ek het al probeer nie? En elke keer – "

Ons bly altwee stil sit. En eers na 'n hele ruk sê ek – waarom? – half hardop : „Nicolette."

Hy kyk vinnig op na my, skud sy kop, en laat weer sy oë sak.

„Jy het haar tog geken."

Hy antwoord nie.

„Sy het my dit self vertel." Iets het my nou voortgedwing. „Die heel eerste aand, verlede November, toe sy hier na my kantoor toe gekom het nadat jy haar uitgegooi het."

Dít moes tot hom deurdring. Hy kyk stadig op. Maar sy antwoord is eintlik 'n verrassing : „Het u haar dan tóe eers ontmoet?"

„Ja. Waarom?"

„Maar ek het gedink – " Hy voltooi nie sy sin nie. Dit lyk asof hy hewig met homself sit en stry. „Dit was in elk geval 'n leuen," sê hy dan. „Dis sy sélf wat geloop het. Sy wou loop."

„Ek moes dit kon geraai het."

Hy bly stil asof hy iets meer verwag, knik dan net en sê :

„Natuurlik. U ken haar."

Ek beweeg my kop. Hoe kan ek antwoord, dat hy kan glo : ek ken haar *nie,* niemand ken haar nie?

„Ek wou haar gehad het," sê hy na 'n ruk. „Miskien sou ek háár kon liefgekry het. Miskien. Maar dit sou nooit gewerk het nie. Sy het my altyd verfoei en dit probeer wegsteek deur met my te speel." 'n Bietjie selfbejammerend voeg hy by : „Miskien het ek dit verdien. Ek het niemand nog ooit enige vertroue ingeboesem nie."

„Dit bring mens nêrens om jouself te beskuldig nie, Stephen."

„Nee. Dis wáár," dring hy aan. „My moeder destyds al. Sy was die enigste mens wat ooit vir my omgegee het. Sy wou altyd in die bresse tree vir my. Maar ek wou nie hê iemand moet uit jammerte vir my voorspraak doen nie. En daarom het ek my van haar ook teruggetrek, terwyl sý dalk die een was wat simpatie nodig gehad het. My vader was so 'n harde mens – " Hy sug. „U sien hoe deurmekaar alles was. Maar hoe kón ek haar vertrou nadat ek ontdek het dat sy eintlik skynheilig was, en klei in my pa se hande – " En onverwags begin hy in 'n lang, deurmekaar relaas uitpak : oor Sondagaande tuis, met vroom gebede gevolg deur 'n walglike gedoente in die slaapkamer. „Toe is sy dood," sê hy eindelik, uitgeput. „My pa se rewolwer gebruik. Dis nie iets waarvan mens ooit weer loskom nie. Ek sien haar nou nog soms voor my. Dis soos 'n gif in mens, en dit word al meer en meer tot jou hele gestel uitgeroei is. Ek kan nie meer nie. Ek weet nie meer wáárheen nie. En by dit alles het ek ú dit nou aangedoen."

Hy staan op. Hy is weer geslote, asof sy laaste woorde hom in homself laat terugskrik het. „Ek moet loop," sê hy amper formeel. „Ek het al klaar te veel van u tyd in beslag geneem."

„Jy moet jou dit nie onnodig aantrek nie," paai ek. „Jou verslag sal waarskynlik aanvaar word. En jy kan hulle oortuig dat jy met goeie bedoelinge opgetree het. Ek sal dit kan bevestig."

Hy reageer nie. Eers toe ons onder in die binneplasie kom, sê hy: „Ek is jammer, Ambassadeur. Oor alles. Ek is verskriklik jammer."

Ons hande raak in die donker aan mekaar. Dan gaan hy. Ek bly nog staan, en dink: vreemd, vreemd, dat Nicolette vroeër die kloof tussen ons was; en nou is sy die enigste ding wat ons gemeen het: haar speletjie, haar leuens, haar nimmereindigende raaisel.

19

Die dierbare manier wat sy het om sodra sy ontsteld of treurig voel, 'n los krulletjie op haar voorkop met haar voorvinger om en om te draai, al vinniger, tot sy getroos word of aan die slaap raak.

20

Kersoggend laat sy al haar duur geskenke links lê en trek 'n gewone warm rok aan, met 'n jas daarby, en 'n lelike plastiekreënjassie bo-oor; en die gehawende ou bruin rosekransie hang sy met versigtige vingers soos 'n halssnoer om haar nek, onder die jas.

Lank voor die Mis begin, is ons al binnekant Notre-Dame.

Aanvanklik is dit een groot ruimte duisternis met net die veraf flonkering van 'n skare kerse voor die Maagd, en die rooi en blou gloed van die gebrandskilderde vensters. Maar algaande verskyn daar groot, swaar suile uit die donker; en stoele; en lomp relings wat die hele middelblok afkamp.

In die ligskynsel van die deur is 'n paar klein dogtertjies giggelend besig om teen 'n vont op te klouter en mekaar met wywater te besprinkel. Ek hoor hoe Nicolette haar asem intrek: ontsteld en woedend oor dié speelse godslastering. Voor ek kan keer, is sy self by die vont en begin links en regs onder die twee kinders klap. Een skarrel doodverskrik by die deur uit; die ander sit 'n keel op. Ek sien Nicolette vinnig, skrikkerig rondkyk. Dan raak-raak sy self met haar regterhand aan die oppervlakte van die water en maak 'n vlugge kruisteken.

Met net 'n effense beweging van haar kop met die groen serpie om, wink sy my agter haar aan, die donker in. Haar klein hande, toegevou om haar verfomfaaide missaal, hou sy sedig voor haar bors. Ek volg haar, verby die kapelle, met dowwe ligvlakke uit die vensters oor bruingerookte ou skilderye, agter om die koor se fyn tralie- en houtsneewerk, en teen die ander muur terug.

„Ons moet plek kry voor daar te veel mense is," fluister sy.

Ek knik. Maar sy gaan nie sitplek soek nie: teen een van die massiewe donker suile bly sy staan, vooroorgeleun oor die tralie-afskorting.

„Ons kan nie ingaan nie," sê sy. „Dis net vir dié wat gedoop en aangeneem is."

„Wie sal weet?" vra ek.

„Ons."

Die orrel begin dreun in die gewelwe. Ek voel haar gespanne langs my. Maar van my het sy lankal vergeet. Dis die voorbereiding tot die Mis wat begin. Amper teen my sin voel ek my nie meer nét toeskouer en buitestaander nie: ek wil probeer, hartgrondiglik probeer om sáám met haar tot 'n ekstase deur te dring. Dit sou soveel dinge makliker maak as dít 'n oplossing kon wees.

Ek het nooit juis dramaties ,weggebreek' van die kerk nie. In my jeug het ek Sondag vir Sondag gegaan omdat dit so gehoort het: sonder vurige oortuiging, maar ook sonder twyfel. Dit was eenvoudig 'n feit waaroor daar geen redenasie nodig was nie. Toe: Gillian wat die Bybel stukkend geskeur het, en daarmee gespot het soos met al die ander dinge waarvan ek eertyds oortuig was. Tydens my agtien maande in Europa was ek nooit in 'n kerk nie: wéér nie uit verset of oortuiging nie – eenvoudig omdat dit nooit nodig voorgekom het nie. Dit was net so vanselfsprekend dat ek toe sou uitbly as wat dit later, ná my troue, was dat ek die gewoonte van vroeër sou hervat. Miskien was dit die reglynige, higiëniese calvinisme wat geen besondere aantrekkingskrag vir my gehad het nie: te star, verbeeldingloos, nugter, met die wonder van brood en wyn gereduseer tot 'n formule wat lank nie eens meer simbool was nie. Dit sou dan ook die rede wees waarom ons vanaf my eerste verplasing oorsee dit doodnatuurlik gevind het om op te hou met gaan. In Suid-Afrika was dit reël; deel van die patroon van Afrikaans-wees. Oorsee nié. En ons het eenvoudig gekonformeer. Dit gebeur natuurlik meermale dat ek 'n ampsgeleentheid in 'n kerk moet bywoon. Dan geskied dit eenvoudig op dieselfde manier as wat ek vir samesprekings na 'n ander ambassade sal gaan. Dis deel van my plig. Of: was –

Die biskop, beklee met die heilige gewade, is besig om die gelowiges met wywater te besprinkel. En daarmee begin die ingewikkelde patroon van die Mis self; amper huiwerig, versigtig, eerbiedig – *In nomine Patris, et Filii, et Spiriti Sancti* – en ek voel haar opnuut langs my roer: geen definitiewe beweging nie, nouliks 'n gebaar, eerder 'n trilling, asof sy uit haarself wil uitreik, oor die tralies wat ons van die gelowiges skei, oor alles, na 'n groter ruimte, 'n suiwerder vorm van bestaan, 'n saligheid; en ek voel die hunkering in my saam met hare groei, omdat dit in die groot verwarring soveel dinge sinvol sal maak as ek daarmee êrens sou kón uitkom, dat ek kan weet: *hier; dít; dít* –

Die altaar word bewierook; dan die biskop sélf. Dis 'n losmaak van die aardse en 'n oorbeweeg na die gebed, die bestaan tussen hemel en aarde, die ewige uitreik.

Die stadig beweging van netnou begin groter dringendheid en noodwendigheid kry.

Kyrie eleison.
Christe eleison.
Kyrie eleison.

Die biskop strek sy hande wyd oor die altaar uit, bring hulle weer na mekaar terug; en dan sidder die mure: *Gloria in excelsis Deo* –

Sonder dat sy self beweeg, roer haar hand effens om 'n bladsytjie van haar missaal om te slaan.

In die groot liturgiese beweging van gebed, voorlesing, sang en teensang, in die reaksie van die gemeente wat opstaan, die kruis slaan en weer gaan sit, wonder ek: is dít wat sy kom soek het – om deel te wees van 'n reëlmaat en 'n sekerheid, 'n onveranderlike patroon waarby sy soms uit haar vryheid kan kom skuiling soek: (Soos Gillian daar steeds van wou *weg* – ?)

Credo in unum Deum – Alles vasgelê in die ondubbelsinnige woorde van die Latynse teks. Here, as ál ons woorde en belewenisse só met essensie gelaai kan wees – ! Waar het die verwatering dan gekom van alles wat eers onontbeerlik was?

Da nobis per huius aquae et vini mysterium – Eenkeer, byna in 'n ander bestaan, het sy dié woorde langs my in 'n donker motor gesê. Ek het toe gedink sy bedoel dit ligtelik; ek sal dit nooit weer kán nie.

Met die aanvang van die Sanctus maak sy haar oë toe. Ek wil aan haar raak, asof dit my sal kan bring tot in die ruimte waar sy nou is. Maar êrens het ek die draad verloor. Êrens het ek agtergebly. Ek hoor die hosanna in my ore, maar dit bly klank, sintuiglike waarneming, oppervlakkige melodiese vreugde. En daarom, toe die biskop begin met dieselfde klein seremonie wat sy die vorige nag in haar ligte kamertjie by die tafel voor my laat afspeel het, is ek opnuut net toeskouer.

Hoc est enim corpus meum.

Alles het nou doodstil geword. Elke gebaar is essensieel, elke woord ingeperk tot suiwer simbool.

Is dit ál waardeur ons op stuk van sake kan lewe : 'n lang reeks simbole? Want elke ding is enig; die kleinste gebeurtenis is onherhaalbaar; selfs laasnag se ontroering is vanmôre, by dieselfde seremonie, heeltemal afwesig. En omdat daar nêrens volstrekte herhaling van wat-ook-al kan wees nie (en vroeër, één keer, het ek gedink : ek lewe Gillian in Nicolette oor!), moet ons voortdurend maar na gemene delers bly soek, simbole wat die chaos leefbaar maak? Ons kan nie daarsonder nie. En tog : daardeur word ons juis *weggehou* van essensies, waarhede, pit!

Pater noster qui est in caelis –

Ek word gedwing om tóg te luister; in my eie taal saam te dink, opnuut te probéér, vir laas, om elke woord 'n klein Mis te maak wat die wyn sal verander in bloed.

Et ne nos inducas in tentationem. Sed libera nos a malo.

Dit kom so nugter, liturgies onvermydelik; en tog, toe die woorde gesê word – ook langs my, in háár stem – is dit of soveel onbegrypbare dinge eensklaps klaar word. *Sed libera nos a malo.* Verlos ons van die Bose. Dis nie om die Mis dat dié skare vandag hier is nie; nie om die wyn en die brood en die uitsprei van die wierook en die sprinkel van die wywater nie : maar *hierom.* Dís hoekom sy hier is, en telkens terugkeer, en tevrede kan wees om sonder deelname aan die Mis buitekant die relings te staan en luister. *Libera nos* – Dit gaan skaars om God as God. Dit gaan dáárom dat ons verskrik sit voor die onbekende wat ons – omdat ons dit nie durf verken nie – die Bose noem. Daarvan wil ons gered word. Nicolette wil tog g'n ewige lewe beërwe nie. Sy wil eenvoudig wegkom van dié vrees : dat die vryheid ook die bose kan wees; en dat sy haarself sal vernietig as sy daarin bly. En nou vlug sy hierheen : na dié mooi patroon wat haar *ewe* seker sal vernietig as sy daarin gevang moes raak.

En ek? Is dít wat ek ook hier wou hê? *Libera nos* – Maar ek het klaar weggebreek uit een patroon; ek het klaar die onbekende gekies : wil ek dan nou ‚bevry word van die vryheid'? Waar sou dít my bring? Die ‚verlossing'. Die mooi ritueel. Die geloof as kerk : die ontsaglike organisasie, die onfeilbare raad vir alle kwellinge, die antwoord op alle vrese (*Kom na My toe* – !) Is dit nie maar weer terug by Génesis nie? – die keuse tussen die geluk sónder weet; en die angs mét die weet – Is die hele grond van die religie nie die volhou van die illusie dat die Paradys nog bestaan nie? Dit bly in ons leef omdat ons dit nie kan verduur om in Nod te bly swerwe nie. Ons weet die engel met die swaard staan voor die ingang van die Tuin: nou plant ons ons eie tuintjie en probeer onsself daarvan oortuig dat dit Eden sélf is.

Ite, missa est.

21

Dit was die laaste keer (hoewel ek dit toe nog nie geweet het nie) dat my hele bekende mooi wêreldjie bymekaar was.

Die hele mooi ritueel van wellewendheid. Ek en Erika by die deur (Annette wou nie in die openbaar verskyn nie), sy elegant in een van haar Italiaanse kopies, met geen plooitjie sigbaar ná die urelange voorbereiding nie, met elke haartjie op sy voorbestemde plek. Derde sekretaris Harrington, 'n aantreklike Don Juan met 'n donker snorretjie, vergesel van sy mooi vroutjie met haar gebleikte hare. Koos Joubert breed en glimlaggend 'n paar tree voor sy vrou, in die rok wat sy na al sulke geleenthede dra. Stephen Keyter, hoflik en geslote; en Victor le Roux, sy kuif, soos altyd, deurmekaar. Dan Douglas Masters, gladgekam, skoongeskeer, blinkgeborsel, met 'n buiginkie vir Erika en 'n reeks oortuigende verskonings vir sy vrou se afwesigheid. Anna Smit, gedrapeer in pers sy, met groen krale, 'n sterk geur van Chanel en 'n hoedjie wat bibber van veelkleurige blomme. Kolonel Kotzé, die militêre attaché, 'n korterige laaistok met 'n borselkop langs sy gesette, moederlike vrou. Herman Verster, die handelsattaché, met sy groot sagte bok-oë agter dik brilglase, vergesel van sy maer vrou. 'n Paar kennisse van ander ambassades. Een of twee mense wat Erika by esoteriese sosiale funksies ontmoet het.

Die drankies en die eerste gesprekke, wat begin vlot namate die tradisionele groepies uit die konglomeraat nader aan mekaar dryf. Kelners wat wit en onopsigtelik met skinkborde rondbeweeg. Lag. Praat.

„You should have seen it. It was absolutely brilliant –"

„Hutchinson is glo van Wenen af Kopenhagen toe verplaas."

„Die kriekettelling op Lords –"

„Now surely –"

„Dis nou maar eers in die komiteestadium –"

„I can't see how Britain could possibly –"

„Maar vertel ons van Italië –"

„Ag, die heerlike Kaapse son –"

Byna sonder dat enige teken nodig is, asof alles vooraf so ooreengekom was, word daar na die eetvertrek beweeg. Anna Smit beland regs van my en vertel uitvoerig hoe sy eiehandig haar hoed geskep het en waar sy die kuns geleer het. Aan my linkerkant verseker 'n Kanadese dame my telkens in ander woorde hoe sy uitsien na sonnige Suid-Afrika, waarheen haar man so pas verplaas is. Oorkant my word die Franse beleid in Europa gekritiseer. Iemand komplimenteer Erika met die hoofgereg; daarop word dit deur elkeen in sy eie welgekose woorde beaam.

Elk met sy bestemde rolletjie in die hiërargie. Elk met sy beproefde stelletjie beskouings en oortuigings wat by elke geleentheid herhaal word: dis soos inligting wat in kodevorm op 'n kaartjie gepons word, en telkens wanneer jy dit op die sleutel pas, kry jy die oorspronklike formule terug. Ek weet nie of iemand dit werklik nog glo nie; maar niemand oorweeg eens 'n alternatief nie, omdat dié bestaan so beproef, so harmonies, so geslaagd is. Die lewe is 'n awendmaal sonder kon- of transsubstansiasie meer; maar die wyn bly ons drink, die brood bly ons eet, die tekens bly ons maak – anders word ons gek. Dus: lig die glase. Môre, godlof, sterwe ons. *Et après nous* –

Ná die lang ete vloei die beweging georden na die ontvangsvertrek terug. Die vroue sit in 'n hoek op rusbank en stoele; die mans staan in klompies. Ek gesels met kolonel Kotzé. Daarna met 'n Brit. Dan gaan ek met my leë koffiekoppie na 'n tafel wat vir dié doel teen die verste muur geskuif is, by die boogdeur na die eetsaal.

Net anderkant die boog staan ook 'n paar mans en gesels. Ek hoor Koos Joubert verontwaardig sê: „Maar verdomp, laat die man sy ‚fling' vat as hy wil! Wie doen dit nié? Vroumense is dáár om gestreep te word – !"

Nie een van hulle het my gewaar nie. Ek sit die leë koppie netjies tussen die ander neer, en draai om, en keer terug na die naaste groepie.

„I've always maintained that the French –"

„But you have to consider –"

In die agtergrond: „Dis so jammer dat al die ou boeregewoontes aan die uitsterf is –"

„Ek woon darem nog liewers in Parys as –"

„He's such an up and coming young man –"

Nou is dit net met inspanning dat ek kan meedoen; die ligte geamuseerdheid waarmee ek vroeër vanaand nog saamgespeel het (inderdaad juis: gespéél), is nie meer toereikend nie. En nou hou dit aan en aan:

„Maar dink jy nie –"

„Hoe sou u sê –"

„But it's preposterous that – "

Halfelf begin die eerste gaste vertrek. („Moet julle regtig al gaan?" „Are you sure you wouldn't like to stay?" „Nee, werklik – " „It was absolutely – ")

Ons kom net van die voordeur af terug, toe Stephen op die drumpel van die ontvangsaal verskyn. „Ek moet ook begin dink aan huis toe gaan," sê hy.

„Jy kan gerus nog bly," dring Erika, volgens etiket, aan.

„Nee, dis werklik onmoontlik."

„Ek sal saamstap voordeur toe," sê ek, sonder dat ek dit tevore so beplan het. Maar dit was eensklaps net daar: 'n uitkoms, 'n kans om te vlug, 'n dringende behoefte. Byna ongeduldig wag ek dat hy en Erika die nodige komplimente wissel en groet.

„Jy is seker haastig?" vra ek by die voordeur.

Hy lyk effens verbaas. „Nie juis nie – "

„Dis bedompig binne. Ek voel lus vir 'n bietjie vars lug. Kan ek 'n entjie saamstap?"

„Natuurlik. Ek het in elk geval met die metro gekom."

Lebon maak die buitedeur oop en raak aan sy voorkop by wyse van saluut. Een van sy boordjiepunte is opgeslaan.

Ons stap swyend op die stil sypaadjie aan. Miskien wag hy dat ek moet praat. Miskien was dit naïef van my om saam te kom. Maar die hart se nood vra nie na behoorlikheid nie.

„Dit was – 'n aangename aand," sê hy na 'n ruk.

„Jy hoef nie die skyn voor my te bewaar nie Stephen."

Hy antwoord nie.

„Die aap is toe uit die mou," sê ek eindelik, doelbewus, toe ons by die Rue de Tilsitt vir 'n stroom verkeer staan en wag.

Hy kyk vinnig na my.

„Ek het Joubert oor die verslag hoor praat," verduidelik ek.

„Dis nie ek wat dit uitgelap het nie!"

„Ek het geen oomblik gedink dat dit jy was nie, Stephen."

Hy kyk na my, takseer my uitdrukking en sê: „Ek het afgelei dat Sylvia Masters iets laat glip het."

Dít verklaar dan haar afwesigheid. (Ek kan haar in my verbeelding hoor sê: „You'll have to tell them I couldn't come. I just can't face it. To think that all this time – ")

„Dit moes vir u swaar gewees het – "

„Net 'n bietjie onverwags. Ek sal daaraan gewoond moet raak."

By die metro-ingang gaan hy staan. „As u lus voel, kan ons 'n likeurtjie in my woonstel gaan drink."

„Dankie."

Onderweg praat ons min. Saam klim ons op na sy woonstel. Binne drink ons swyend die klein glasies leeg.

„Jy't dit smaakvol ingerig hier."

„Dis nog nie juis gesellig nie."

„Daarvoor is *mense* nodig. Nie dat dit altyd help nie."

Hy knik net. Na 'n rukkie sê hy, met sy oë stip op sy glas: „Nicolette het 'n rukkie hier gebly toe ek eenkeer met vakansie weg was. U moes die plek *toe* gesien het."

Ek kan my dit voorstel; en ek glimlag.

„Sy het soms in kantoortyd hier kom bad ook. En een aand – " Hy neem 'n slukkie en laat die sin onvoltooid. 'n Minuut later sê hy: „Net voor Kersfees was sy weer een aand hier."

Ek kyk op en hou die glasie baie styf vas; en wag.

„Sy't probeer maak asof daar niks gebeur het nie. Ek was 'n bietjie kortaf. As sy net iets kon sê – net 'n gebaartjie kon maak – sodat ek kon weet dat sy jammer voel, of skuldig voel. Maar sy het net gekom om my uit te tart. Sy wou altyd sien hoe ver sy met my kon gaan: en dan het sy my uitgelag. Dié aand het sy my vermakerig vertel dat sy 'n verhouding met u het – ." Hy kyk af na sy onrustige hande. „Ek het vir haar gesê dit kan my nie skeel met wie sy flankeer of wat sy doen nie. Om alles te kroon, het sy my toe nog 'n das gewys wat sy vir u gekoop het en gevra of ek dink dis mooi. Ek het die deur oopgemaak en gesê sy moet loop. Sy het."

„Ek sien." Ek aanvaar dit asof dit alles lankal aan my bekend was.

Net soos die vorige keer, is dit *sý* wat ons uiteindelik laat gesels. Nie veel nie, maar sonder haas of dwang. En eindelik stap hy saam met my af ondertoe.

„Dis lekker buite," sê hy.

„Dis 'n aand vir stap."

Dis koelerig, met 'n effense luggie, en 'n gesuggereerde sekelmaantjie delikaat agter ragfyn wolke.

Asof dit afgespreek was, begin ons stap – weg van die metro, sonder vaste koers, met die donker laninkies van die Bois de Boulogne langs. Af en toe praat een. Maar meestal stap ons net, tydsaam, hande agter die rug, elk versonke in homself maar dankbaar bewus van die ander. 'n Kwartier, 'n halfuur, 'n uur. Later maak tyd nie meer saak nie. En toe ons eindelik terugkom, is die metro al gesluit en ek moet 'n taxi soek.

„Nag, Ambassadeur."

„Nag, Stephen. Dankie."

Asof alles doodnatuurlik só is. En eintlik ís dit: want in die nuwe leemte rondom my het hy, sonder dat een van ons dit so kon voorsien of bedoel het, die enigste mens geword met wie ek kan gesels.

Met dankbaarheid dink ek aan hom in die taxi op pad huis toe – terug na Erika se koel misnoeë oor my „pligsversuim" en die „belediging" teenoor my gaste.

22

Ten spyte van die mistieke bekoring wat die Kerk vir haar het, gewaar ek dat sy telkens, wanneer 'n non of priester op straat by ons verbykom, die teken van die horinkies teen die Bose Oog maak.

23

Ons het saam van die berg afgekom, laat die somermiddag, hand aan hand, met 'n leë rugsak oor my skouers. Gillian het ligvoets beweeg, onaanraakbaar in haar geluk, met son op haar hare en in haar oë; en 'n seldsame rustigheid op haar gesig. Daar was die hele dag niks waarteen sy haar hoef te verset het nie. Ons het vroeg met 'n maklike roete uitgeklim, bo tussen die bont rotse vuurgemaak, op ons rûe hoog bo die see onder die los wolke gelê en niks meer gesoek nie.

„Alles is baie dae deurmekaar," het sy met die afkom gesê. „Môre sal dit miskien wéér so wees. Maar as dit stil is, soos vandag dan het ek jou lief. Ek wil nie *hê* dit moet weer anders wees nie."

Dis selde dat mens belangrike dinge só oombliklik ontdek dat dit nie nodig is om in jou te groei nie, maar sommer net volledig en onontkenbaar voor jou staan. Dit was dié dag so, met dié woorde van haar. Ek het gesien hoe die wind haar hare om haar gesig deurmekaar waai en hoe sy dit af en toe sorgeloos met 'n ligte polsbeweging probeer terugveeg. En ek het geweet: dié geluk is te onmoontlik; dit kan nie duur nie; en sy verwag juis van my dat ek dit sal laat duur. Sy *eis* dit; en as ek nie daarin slaag nie, sal nie net ék nie, maar *alles* vir haar vernietig wees. Sy het soos 'n skulp aan my kom vassuig in die desperate geloof dat ek haar kan help. Maar ek kán nie. In my hart is ek te gewoond aan klein, normale dinge; ek steun te veel op gewoonte.

En toe ek van haar af weg is dié aand, het ek nog steeds met dieselfde kalmte in my, begin bereken hoeveel geld ek vir my troue met Erika gespaar het; ek het inventaris gemaak van my besittings; die volgende dag het ek al wat oortollig was, gaan verkoop, my geld getrek, reëlings getref om plek te kry op 'n skip; en 'n week later was ek weg. Dit was nie vlug nie. Dit was net ál wat ek kon doen as ek haar die laaste klein kans – hóe onwaarskynlik ook al – wou gun om uiteindelik tog êrens iets te vind wat ons nie altwee in die afgrond sou laat beland nie. Ek het nie geweet of sy dit sou regkry nie. Maar die *kans* was daar, en dit was al wat saak gemaak het. En ek self moes my gaan afsonder om tussen alles wat sy om my afgebreek het, iets te probeer vind wat nog geldigheid en betekenis sou hê.

24

Dis nie net ter wille van die volledigheid dat ek ook dít moet vertel nie, maar omdat dit inderdaad noodsaaklik is. Die verbasende daarvan was nie dat dit gebeur het nie – daarop was ek voorbereid – maar dat dit nog so lank getalm het om te gebeur.

Anna Smit het die môre in my kantoor kom huil: „Ek weet nou nie meer wát om te doen nie. Ek het geweier om dit te glo. Van enigiemand anders nog, maar nie van u nie." Sy het gesnik, gesnuit, en voortgegaan: „As ek dink hoe ek u vertrou het met al my persoonlike probleme, al my geheime – !"

Wat dit juis met die saak te doen gehad het, was nie baie duidelik nie. Maar dit sou nie baat om haar in die rede te val nie. Sy wou weet wat ek nou gaan doen: of ek maar rustig met my werk wou voortgaan.

„Daar is eintlik geen ander moontlikheid nie, is daar?" het ek kalm gevra.

„Dan sal ek moet bedank," het sy gehuil. „U moet tog besef: ék kan nie so voortgaan nie. Ek het 'n reputasie om aan te dink. Wat sal my mense tuis sê as hulle moet weet dat ek al die tyd hier saam met u in een kantoor was?"

Klugtig; grotesk – já. Maar daarby moes ek al die tyd weet dat die verhouding tussen my en Nicolette voortaan nooit weer heeltemal suiwer sou wees van dié oordele en veroordelings deur ander nie. Of: dat dié dinge op die minste 'n voortdurende bedreiging sou vorm waarteen ons elke oomblik sou moes bly waak.

Met die uitsondering van Masters – wat my formeel kom verseker het dat hy na rype beraad oortuig was daarvan dat ons persoonlike verhouding net soos tevore kon voortgaan, maar dat hy my in alle eerlikheid moes inlig omtrent sy sterk afkeer van die professionele immoraliteit van my optrede – het nie een van die ander self met my kom praat nie. Maar ek het geweet dat dit voortaan aanhoudend die onderwerp van hul onderlinge gesprekke sou wees. En ek kan my goed hul onderskeie reaksies voorstel:

Harrington: „Dis tog doodnormaal. Ek dink enige man van sý jare kry maar so 'n jeukplek. Dis eenvoudig hormoonwerking –"

Kolonel Kotzé: „Skokkend. As 'n man in sy posisie nie die selfbeheer –"

Victor le Roux het ek toevallig eenkeer hoor sê: „Ek weet nie of dit ons eintlik betaam om te oordeel nie –"

Maar toe ek kort daarna alleen saam met hom by die voordeur kom, het hy ook – soos enige van die ander – net gegroet en sy eie koers ingeslaan. Waarskynlik nie omdat hy my tog kwade gevoelens toegedra het of verleë gevoel het nie: maar eenvoudig omdat daar geen rede ter wêreld was waarom hy met my moes gesels nie. Daar was geen gemene deler tussen ons nie.

25

O, julle meisietjies van Parys – !
Met hoë tuimelhare en smal bruin kuite en lenteborsies, swart wimpers, sappho-lippe, drasakkies in die hand of boeke-onder-die-arm:
wat met ligtheid en bewustheid skerts met die gendarme by die Luxembourg se hek, skemeraand as die park moet sluit –
wat in die metro tussen mense en stampe opleun teen swartbebaarde bleek jong mans met fel oë en maer hande, en soen, kop-agteroor, met jul smal rûe gekeer op gebreklike ou vroutjies wat struikel-struikel sitplek soek –
wat oor die Seine se brûe stap (waar weleer mark en kermis was, met waarsêers en dansers, en nou net af en toe 'n skilder, af en toe 'n bedelaar, en toeriste met kameras) en jul heupies swaai, en soms uit wanhoop julle in die slikgroen water onder die hoë katedraal werp –
wat teen parktralies, metrorelings, kostoonbanke, ou deure, of beskrewe grys mure die óu minnespel bedryf, met meer of minder oorgawe, meer of minder bedoeling, meer of minder vertoon –
en elkeen, *elkeen* van julle, dra – soos sy – tussen julle gladde dye die afgrond van Baudelaire!

26

Ek het die hele tyd besef hoeveel dit van Erika verg om gewoonweg met alles voort te gaan en te maak asof daar niks gebeur het nie; maar ek het ná soveel jaar ook geweet hoe onversetlik haar wilskrag kon wees. Eintlik het ek verwag dat sy dit enduit sou volhou; en dat sy, ás die saak ooit weer tussen ons ter sprake sou kom, dit met dieselfde neerbuigende sarkasme sou benader as die vorige keer.

Dit was daarom eintlik onverwags toe sy een middag aan tafel (Annette was iewers in die stad by 'n kunsklas of iets dergeliks) op haar beheerste manier vra: „Hoe lank moet dit nog so voortgaan, Paul?"

Ek het opgekyk. Haar oë het kalm in myne bly kyk. „Ek het gedink ons het die saak klaar bespreek," het ek gesê. „Ons hoef nie in mekaar se pad te kom nie."

„Jy kon tog nie gedink het dit sou uitwerk nie."

„Eintlik was dit jy wat dit voorgestel het."

„Dit help nie om oor en weer te skerm of te verwyt nie, Paul." Sy het 'n swaar silwerlepel in haar hand geweeg. „Die saak is buitendien nie meer so eenvoudig as wat dit 'n week gelede was nie."

„Dis nog net dieselfde."

Sy het haar kop geskud. „Die mense weet nou daarvan." Daar was 'n pouse. Haar oë het effens dringender na my gekyk. „Dis selfs nie meer net tot ons ambassade beperk nie. Ek was vanoggend by die Australiese ambassadeursvrou. Daar was 'n hele paar mense. Sonder dat enigiemand iets direk gesê het, het hulle te kenne gegee dat dit op die oomblik een van die interessantste skinderbrokkies in ‚amptelike kringe' is."

Ek het afgekyk. Maar die afgelope week het my noodwendig geleer om op sulke dinge bedag te wees. „Vroeër of later moes dit seker rugbaar word," het ek kalm probeer antwoord.

„Maar verstáán jy nie, Paul? Dis nie meer net ek en jy nie. Wat van jou posisie? Daar is verantwoordelikhede wat jy nie sommer maar van jou kan afskud nie: dis dinge wat jy vrywillig op jou geneem het. En dit *bind* jou."

„Nee. Dink jy nie ek het lankal dit alles oorweeg nie? Dis miskien nie maklik nie, Erika. Maar ek het nie blindelings hierin beland nie."

„En wat van *ons?*"

„Ons?" Ek het werklik nie gesnap wat sy bedoel nie.

„Ek en jy. Ek is nie meer sentimenteel of idealisties nie, Paul. Toe ek teruggekom het uit Italië, het ek nie gedink ons sou weer nuut êrens kon begin nie. Maar ek was ten minste bereid om te *aanvaar*. En nou – "

„Ons is sewe-en-twintig jaar getroud. Waar het dit ons gebring? Het ons ooit, wérklik, iets aan mekaar gehad? En ons *het* probeer."

„Maar wat wil jy dan *doen?*" Sy het geen poging meer aangewend om koel of beheers te praat nie.

„Net wat ek nou doen : so voortgaan. Dit sal nie lank duur nie. Wat daarná mag gebeur, weet ek nie. Ek probeer om nie daaroor te dink nie. Selfs wat ek nóú het, is dalk bloedmin, amper niks. Maar dis *iets*. En dis meer as wat ek ooit in dié sewe-en-twintig jaar gehad het."

„Tog was dit jy wat destyds teruggekom het en aangehou het dat ons moes trou, selfs toe ek nie wou nie."

„Ek het gedoen wat ek gedink het ‚reg' is. Ek het dit altyd probeer doen. Nou weet ek van anders, en ek probeer nie my skuld ontken nie. Maar sal ek iets aan die saak verbeter as ek die enigste ding wat nou vir my waarde het, laat vaar, en my van 'n nuwe leuen probeer oortuig – *wetende* dat dit 'n leuen is?"

„Ek maak dus nie vir jou saak nie."

„Daar is niks wat ek eerder sou sien as dat jy gelukkig is nie, Erika. Maar dit sal nie kan gebeur as ek saam met jou blindemol speel nie : nie één van ons sal dit kan verduur nie."

Sy het opgestaan. „Daar is dan niks aan te doen nie – ?"

Ek het net my kop geskud, en nie geantwoord nie. Ek sou my arms na haar wou uitsteek en haar help, maar ek kon nie meer nie. Die jare agter ons was te steriel daarvoor. Ons het albei deel daaraan gehad. En *ek* was skuldig. Maar sy het self in haar laaste brief uit Italië geskryf, as ek dit nog reg onthou : „Dis nie genoeg om jouself te vergewe nie, nes dit nie genoeg is om jouself te beskuldig nie – "

As sy dit maar saam met my sou leer aanvaar. Maar daar het 'n desperaatheid, 'n verlorenheid in haar gekom wat ek nie geken het nie; iets waartoe ek haar nooit eers in staat geag het nie. Dit het uitgeloop op die aand wat ek so graag, ter wille van ons albei, sou wou vergeet – hoe noodsaaklik dit ook al was vir alles wat daar nog voorgelê het om te gebeur.

Toe ek van my kantoor af bo in my slaapkamer aankom om vir die aand te verklee, het sy in haar japon op my bed gesit. Haar hare was deurmekaar, waarskynlik van die bad.

Ek het verbaas op die drumpel vasgesteek toe ek haar sien. „Erika – en nou?" het ek gevra.

„Is dit só uitsonderlik om jou vrou in jou slaapkamer te sien?" Sy het 'n bietjie skel gelag.

Dit, én haar manier van praat, het my op my hoede gestel. Sy het te veel gedrink. Dit was die eerste keer sedert haar terugkeer uit Italië.

„Voel jy sleg?" het ek opsetlik klinies objektief gevra.

„Nee, ek voel goed. Daarom is ek hier." Sy het lomperig aan haar japonlapelle gepluk. „Of wil jy my nie hê nie?"

Sy kon my ewe goed geklap het. Maar ek wou nie my humeur verloor nie – nie terwyl sy in dié toestand was nie. Tog was my stem nog effens gejaagd, dalk bitter, toe ek sê: „Dis nie nou die tyd vir voorgee nie. Wat wil jy daarmee bereik? Jy het jou nog nóóit vrywillig aan my gegee nie. Nie eens die eerste keer nie!"

Sy het effens onvas gelyk toe sy opstaan; maar haar stem was nie dronk nie: „Hoe kon ek? Jy het my nooit vrygemaak sodat ek dit kón doen nie. En ek wou. Ek *wou*. Ek het daardie eerste nag die hele tyd moedeloos gelê en bid: ‚Liewe Here, asseblief laat hom dit regkry. Laat ons *iets* regkry. Laat iets *gebeur!*' Maar daar het nie." Haar woorde het begin deurmekaar raak, pleitend; sy het later op haar knieë gestaan. „Maar dis nog nie te laat nie. Ons kán weer probeer. Ons kan nie alles so laat wegglip van ons af nie!" En eindelik het sy uitgeput met haar kop in haar arms teen die rand van die bed bly lê.

„Hou nou op, Erika. Ons het al oor alles gepraat. Jy is dronk."

„Dronk?" Weer die lag, terwyl haar kop agteroorval. „Nou is ek dronk. Maar ek wil jou *hê* – ! Jy gaan nie vanaand weg nie. Jy gaan hier bly, by my!"

Ek het op my tande gebyt, haar onder die arms geneem en opgetel. „Jy moet gaan lê, Erika. Kom."

Sy het na my probeer klap, maar gestruikel. As ek haar nie gehou het nie, sou sy geval het.

„Los my!" Sy het na 'n rukkie weer alleen gestaan, nog nie heeltemal vas nie. En sy het nog aangehou met sê: „Jy moet hier bly vannag. Jy gaan by my bly."

Ek het eindelik omgedraai om te loop.

„Jy weet nie eens van die dokter nie!" het sy skielik amper uitdagend geroep.

„Wat van die dokter?" Ek het nie meer geweet wat om te verwag nie.

„Ek gaan geopereer word. Hy het my dit gesê nog voor ek Italië toe is. En ná die operasie sal dit te laat wees. Jy moet *vannag* hier bly – !" En daarmee het sy haar japon heeltemal oopgeruk en bewend en wit bly staan.

Ek het die wee in my voel opstoot. As dit dan alles móét gebeur: waarom kan daar nie 'n bietjie waardigheid behoue bly nie? Is dít ook nodig?

Ek het gesien sy gaan val; en haar gevang en na haar eie kamer geneem en daar op die bed gaan neerlê. Daarna het ek die dokter gaan bel. Nog voor hy gekom het, het Annette iewers uit die stad se baie dwaalweë tuisgekom. Sy het my nie gegroet nie.

„Gaan op na Erika toe," het ek net gesê, sonder om te beweeg. Sy het vinnig na my gekyk en met die trap opgeklim. 'n Minuut daarna het sy van bo af geroep : „Wat het gebeur? Wat het jy met haar gedoen?"

„Bly by haar." Ek het haar vrae geïgnoreer. „Die dokter kom."

Ek sou wou sê : Dis nie my skuld nie. Maar sy sou dit nie glo nie. En dalk ek sélf ook nie meer nie. Ek het nie meer geweet of daar enigiets was wat ek kón glo nie.

Die dokter het gekom en haar 'n inspuiting gegee. Oorspanning; niks om buitengewoon bekommerd oor te voel nie, het hy gesê. Eintlik was dit simptomaties van haar toestand. Daarom sou hy opnuut aanbeveel dat ons nie te lank talm met die operasie nie.

„Ek het eers vanaand daarvan gehoor," moes ek erken. „Is dit ernstig?"

„Dit sou kan word. Dis natuurlik betreklik algemeen – in dié jare."

Ná hy weg is, het ek opgegaan na haar kamer. Sy het geslaap. Annette was langs die bed, maar sy het nie opgekyk nie.

Ek het uitgestap. Só kon ek nie na Nicolette gaan nie. Ek wou selfs nie met Stephen praat nie. Daarom het ek in 'n restaurant gaan eet en tot laat in my kantoor gaan sit en werk – soos dikwels vroeër.

Die volgende dag was sy oënskynlik weer normaal, hoewel nog effens moeg. Net, ná middagete, nadat Annette weg is na haar kamer, het sy op haar ou kalm manier gesê : „Dit spyt my oor die *scène* gisteraand – "

„Jy was nie normaal nie. Vergeet daarvan."

„Mens is soms juis normaal as dit nie so lyk nie. Maar dit was taamlik onsmaaklik. Dit sal nie weer gebeur nie."

„Natuurlik nie."

„Ek bedoel : ek gaan weg."

Ek het vinnig na haar gekyk.

„Suid-Afrika toe. Ek moes eintlik al gegaan het toe ek Italië toe is. Dis die beste so."

„Maar daar is niemand na wie jy kan gaan nie."

„Daarom. Ek vlug nie. Ek probeer juis verantwoordelik wees – soos jy sou wou hê."

„Is dit werklik *nodig*?"

„Dink jy nie so nie?" Haar oë het baie wys na my gekyk. En ek moes teen my sin erken dat dit tóg die beste oplossing was – vir die oomblik. Ek sou verkies het dat dit nie juis tóé gebeur nie; maar haar oorwegings was belangriker as myne. Waarom sou ek buitendien probeer steun op die laaste bietjie skyn van ons huwelik terwyl nòg onsself nòg enigiemand anders dit werklik geglo het? En tog – as sy sou bly, kon dit die laaste beweging dalk nog effens vertraag het. Maar dit was oorbodig om met blote moontlikhede te speel. Sy het klaar besluit.

En minder as 'n week later het ek haar en Annette met die ampsmotor teruggeneem na Orly, waar ek hulle so kort tevore gaan haal het. Omdat ek vroegtydig amptelik deur die ambassade laat reëlings tref het, was daar geen oponthoud by die doeane nie. In 'n formele klein luuksesitkamer het ons die laaste paar minute bly sit.

Ons het gepraat oor die manjifieke gebou van die lughawe. Die onfeilbare lugrooster. Die paar vriende wat sy in Londen sou gaan opsoek voordat sy oor drie dae verder reis na Suid-Afrika. Annette het nie deelgeneem aan die gesprek nie.

Toe is hulle vlug oor die luidspreker aangekondig. Ek het hulle na die laaste glasdeur vergesel.

„Tot siens, Erika."

Ek het haar gesoen.

Op die heel laaste oomblik het ek net haar vingers voel kramp om my arm. „Here, Paul – !" het sy gefluister.

„As alles afgehandel is, kom ek dalk self terug," het ek gesê – eenvoudig omdat iets gesê moes word. „Dan sien ons mekaar weer. Dis dalk net 'n paar weke."

„Dink jy regtig dit sal so eenvoudig wees?" het haar stem koel gevra, soos gewoonlik.

„Dit help nie om nou te spekuleer nie. Dit sal kom wanneer dit moet. Intussen gaan dit jou goed."

Sy het geknik en na die verligte, afgetraliede gang begin stap.

„Annette – ?"

My dogter het teenoor my gestaan, na my gekyk; maar sonder om my te soen, het sy geloop. Sy het gehuil.

Ek het omgedraai. Ek wou nie na die uitkykpawiljoen opklim nie. Sommer onder êrens, buite, 'n ent van die kolossale gebou af, het ek teen 'n reling gaan staan. Die ontsaglike leë donker ruimte van die lughawe het voor my in die nag gelê. Dit het begin reën. Maar ek het bly staan, en gekyk hoe die trap na die vliegtuig deur 'n sleepwa weggeneem word. Geluister na die oorverdowende geskreeu van die motore. Die klein vlerkliggies eentonig sien knip-knip terwyl die bande gil oor die nat teer en hulle stadig wegbeweeg in die donker. Na 'n paar minute het hulle agter ander vliegtuie verdwyn. Ek het nog bly staan. Dit het harder gereën. Eindelik het ek in die verte die toenemende gedreun van die motore gehoor. In die verskiet het die klein rooi liggie dwars voor my verby begin beweeg, toe stadig 'n grafiek begin boontoe trek. Dit was nie lank sigbaar nie. Dit het te hard gereën. Koud en deurnat het ek teruggestap na waar die motor sou wag.

Die weer is aan die verander, het ek gedink. Nicolette was reg: die vroeë lente van Februarie is gewoonlik onbetroubaar. Die koue is aan die terugkom.

NICOLETTE

Mens kan nie in 'n skotteltjie bad nie. Ek moes maar leer om daaraan gewoond te raak, want ek kon niks anders doen nie. My wit skotteltjie het ek in die Monoprix gekoop die eerste week toe ek hier was en hom oral saamgedra. Hy begin nou ingee. Gans te duur gekos ook, eintlik, maar destyds het ek nog nie van beter geweet nie en ek het toe nog geld gehad, want dit was nog voor ek my jas verkoop het. Dis nie *bad* nie. Dit hou net jou voete warm. En dan staan die ou mank man altyd op sy balkon oorkant die straat en inkyk deur my skuins vasistas en daar ís nêrens anders om te staan nie. Dalk vir hom ook nie en dit maak buitendien nie saak nie, want ek kyk weer vir die mense skuins oorkant, en hulle kyk weer vir die ou Hongaarse paar wat op die derde verdieping van my gebou op hulle balkonnetjie sit en sonbaai, en húlle seker weer vir iemand anders, en so ryg ons heen en weer tot onder in die straat. Ek wonder of hy met sy mank been ooit onder in die straat kom. Ek het hom nog net altyd daar bo sien staan. Dalk is hy nie eens meer daar nie. Ek moet gaan kyk. Gewoonlik bly ek nie so lank van my kamer af weg nie, tensy ek uit Parys uit gaan, natuurlik. Maar dit doen ek ook nie meer baie nie. Vroeër gereeld. Dis al dae lank dat ek hier is, drie of vier. En nou lê ek toe onder die warm water in die groot wit bad en die stoom teen die dak en die mure is al besig om huil-huil in blink strepies teen die teëls af te loop. Dis seker al 'n uur dat ek hier lê. Of langer. Dit maak natuurlik nie saak nie, ek kan lê so lank soos ek wil, want hier's niemand wat my kan pla nie. Die een bediende wat haar so parmantig gehou het, het gister al geloop. Ook goed. Ek weet nie hoekom die ambassade so 'n klomp nodig het nie. Ek hou van die groen badsout ook, al het ek 'n bietjie te veel ingegooi. Sy vrou het dit seker hier vergeet. Of sy dogter. Ek vergeet dat hy 'n dogter ook het. Sy was nie hier die dag toe ek die blomme gebring het nie. Net sy. Sy was baie vriendelik, behalwe haar oë, en sy't my ingenooi om tee te drink. Sy wou alles van my weet. Ek kan nie meer onthou wat ek haar alles vertel het nie, dit maak ook nie saak nie. Hoekom wil mense altyd weet? Stephen ook. Ek het destyds in sy woonstel gebad. Soggens. Een keer in die aand ook.

Dis die lekkerste as mens jou kop teen die rand kan stut en jou voete weerskante van die blink krane sit. Hy't toe nooit vir my gesê of my bene mooi is nie. Ek wens hulle was effens dikker. My voete is gelukkig darem nie seningrig nie. Snaakse ding 'n lyf. En die een krulletjie daar. Marc-Louis word nooit moeg van speel daarmee nie. Nicolette-à-la-houppe noem hy my. *Minette* noem hy dít. *Faire minette*. Hy kan die hele nag aanhou. Nie die ambassadeur nie. Hy word gou moeg, of dalk dink hy dit hoort so. Ek wonder of hy geskok voel oor die speletjies wat ons speel. Hy kan so ernstig wees. Maar ek weet hy dink ek is eintlik net 'n soort sirkusdiertjie wat toertjies uithaal. Net 'n snaakse kind, in elk geval. Iemand wat hy kan bederf. Iemand wat hom amuseer. En hy sal een van die dae moeg wees vir my en my laat staan, want ek is te onbelangrik vir iemand soos hy. Hy praat partykeer daaroor dat daar moeilikheid mag kom, maar dis net om my gewoond te maak aan die gedagte, sodat dit my nie seermaak as dit gebeur nie. Waarom sou dit hom eintlik skeel? My hare word nat as ek so kop-agteroor lê, maar dit kan maar. Moeder het altyd geraas. Vader het nie omgegee nie. Hy het saans my voete kom was. Hy móés, anders het ek 'n kabaal opgeskop. Die ambassadeur kom partykeer op die rand van die bad sit, veral as ek onder die stort staan. Eintlik is dit lekkerder as bad, om die fyn druppeltjies so amper seer op jou skouers te voel steek, en te staan en te staan tot dit voel of jy self water word en jou hare alles papnat is. En dan moet jy 'n appel staan en eet. Gister was daar nie appels nie, toe het ek probeer rook, maar dit het gou pap en slobberig tussen my vingers geword. Ek het destyds in die garage ook altyd appels gelê en eet. Die skemerdonker garage wat altyd na vars strooi geruik het, en effens muwwerig, en iets na teer of olie. En die fluisterstemme van die seuns. Ek was die enigste wat gelag het, saggies by myself terwyl ek aan my appel lê en kou. Gek om so te lê met mens se rokkie opgetrek sodat hulle kan kyk. Maar ek het dit nooit verniet gedoen nie. Hulle het al my huiswerk vir my gedoen, en dan die appels aangedra, en lekkers ook, en hulle sakgeld natuurlik; eintlik net wat ek gevra het. Duiwe ook, commons en 'n paar regte homers waarvoor hulle 'n groot hok vir my gemaak het. Maar van die duiwe-in-die-hok het ek nooit gehou nie en naderhand het ek hulle almal laat wegvlie. Dit voel soos twee klein duiwe wat in sy hande sit en asemhaal, sê die ambassadeur. Hy hou van hulle só. Ek dink hulle is te klein. Ek onthou hoe ek hulle eenkeer met watte opgestop het en hoe skaam en trots dit my laat voel het. Hy't mooi hande, die ambassadeur, effens breed, maar vriendelik en sag. Vader s'n was skraler en nie so sterk nie. Ons het saans gaan stap, en op die eerste hoek was daar die kanferfoeliebos wat wild in die heining van die leë erf gegroei het. Ek onthou die geur van die aande. En as dit op die teer gereent het. Hy't partymaal van die blommetjies in my hare gesteek. En as ons te lank wegbly, het moeder geraas. Dit was altyd so. Sy met ons, of sy met hom. Tot dit net nie meer so kon aangaan nie en hy weg is. Ek wonder of sy ook partymaal in 'n bad lê en lank week. Ek glo nie. Sy lyk nie so nie. Ek probeer speel dat ek regtig hier woon noudat sy weg is. Dis dié dat Francine weg is, omdat ek haar te veel rondgeorder het, bid jou aan. Al die kamers en die matte en die tapisserieë teen die mure. Dis soos 'n museum. Maar hulle moet dit seker maar neem soos hulle dit kry. Stephen s'n is mooi en huislik, ek wonder of hy dit alles self uitgesoek het.

Die badkamer is so groot soos my hele slaapkamertjie. Ek moet teruggaan soontoe. Ek wil sien hoe gaan dit met die mense in die oorkantste venster. Dit kan nie meer lank wees nie, dalk net 'n paar weke, of nog minder. Ek het nooit besef mens kan só uitswel nie. Ek het eenkeer 'n koei gesien wat opgeblaas het, seker toe ek met vader iewers was. Hulle moes 'n gat in haar pens steek, net so, met 'n mes. Groen lusern of iets. Maar dit het niks gehelp nie, sy's tog dood. Die laaste ruk gaan hulle nie meer so te kere nie. Sy huil ook baie. En ek hou nie van 'n huilery nie. Ek gaan spring liewers in die Seine as dit met my moet gebeur. Hoe sou dit voel? Die water lyk so groen en diep. Mens moet net nie spartel nie, jy moet jou oorgee aan die stroom, dat dit jou wegneem, stadig in die rondte laat kolk, tot jy minder en minder onthou, en minder en minder omgee, en voel hoe die dood jou vat, nie haastig nie, op sy tyd, onder die stad se brûe deur, onder die mistige lug wat donkerder word tot jy niks meer kan sien nie, en jy jou ore hoor sing, alles hoor sing, en jy heerlik doodgaan, soos wanneer iemand in jou is en jy die klein gevoel voel groter word, eers net dáár, ín jou, met sy stem in jou ore, heeltemal laag en sonder om woorde te praat wat jy kan verstaan, met sy hande om jou skouers of in jou hare, tot dit uitsprei deur jou, deur jou maag en jou bene, jou bors, jou arms, jou vingers en tone, en jou kop begin klop, en jy jou oë toeknyp en jouself hoor roep en soebat en huil en bid, nie bid met woorde nie, maar self bid-word, die hele jy, die jy wat nie meer nét jy is nie, tot jy anderkant die laaste donkerte in verskriklike lig beland en weer stadig terugkom, eers na donker, na skemer, na stillerige lig, en jou oë weer oopgaan en jy effens glimlag, met jou mond nog oop teen sy skouer, maar 'n glimlag wat nie bly is nie en nie treurig nie. Ek het so baie keer al doodgegaan. Maar dis elke keer net ek self wat bid. En dit sal eendag ook so wees. Nooit 'n priester nie. *Dies irae, dies illa.* Ek gaan altyd na begrafnisse as ek die kans kry.

Partymaal ry ek saam in die munisipaliteit se swart bus. Almal dink ek is maar een van die familie of vriende. Anders gaan stap ek in *Père Lachaise,* veral in die somer as mens kan wegkom van die son onder die swaar groen bome tussen die grafte. Partymaal neem ek blomme saam. Daar's so baie grafte wat nooit blomme kry nie. Maar ek wil nie dood wéés nie. Doodgáán is anders. Jy weet jy gáán. Maar as jy eenmaal dood is, weet jy nie eers jy's dood nie. Jy lê maar net onder jou klip. *Pie Jesu Domine, dona eis requiem.* Dit klink soos die sprokies wat hy my vertel het, saans as ons stap, met al die spreuke en toorwoorde wat mens nie verstaan nie, maar wat die storie mooier maak. Dis snaaks om aan hom en moeder te dink. Maar hulle moes tóg, anders sou ek nie daar gewees het nie. En aan die ambassadeur en sy vrou. Maar hulle het later apart begin slaap. Ek kan dit goed verstaan, want ek glo nie sy kan *voel* nie. En wanneer sy na haarself kyk, sal sy seker skaam wees, en dink dit was eintlik 'n fout, soos mens by 'n lapspeelding partymaal 'n gleuf vergeet waar jy kapok ingestop het, of wol. Daarom is hy eintlik soos 'n seun wat nie juis weet hoe nie. En elke keer sê hy nog dankie. Dis of hy iets by my kom soek, en wat het ek tog om te gee? Marc-Louis is anders. Hy's amper kwaai as hy my wil hê en hy maak met my net wat hy wil, en maak my seer as hy wil, en dis heerlik, dis wat ek wil *hê.* Hy is self so seker van alles dat mens by hom kan gaan wegkruip teen die wêreld, teen eensaamheid, teen koelbloedigheid, teen *on*sekerheid. En tog, as ek by die ambassadeur is, en hy is so sag, hy is soos my vader sou wees, dink ek, dan wil ek vir hom wees wat hy by my soek, álles; en vir my is hy hande en 'n stem, en partymaal 'n gesig. By Marc-Louis is dit of ek mal word, of alles om my begin te tuimel, of die gebou instort, en of die aarde val, val deur die nag. Hy maak iets oop en laat my vry uitskiet, seker van myself, van alles, van die hele wêreld. En tog: by die ambassadeur voel ek eintlik meer. En as dit verby is, en ons slaap bymekaar, kan ek dit amper nie hou nie, óók van vry-wees, maar alleen in die nag, met niks wat ek om my kan herken nie, en al wat ek wéét, is dat ons twee heeltemal alleen daar bymekaar is en dat ek hom al nodiger het omdat dit al moeiliker word om in die donker my pad alleen te kry. Ek moet hom nie toelaat om met my te speel nie. Maar aan die begin was dit ék wat met hóm wou speel. Nou kan ek nie anders nie. Sou dit sonde wees? Hoekom wéét ek van sonde by hom? Dis niks wat ek *doen* of *is* nie. Ek weet nie. Hy ook nie. Oujaarsnag het hy nie geweet waarom ek wou bieg nie. Hy het gedink dis weer 'n speletjie. Eintlik wou ek net vra: Here, vergewe my dat ek hom liefhet, maar dis soos my vader; en wat ons doen, is soos die blommetjies wat hy in my hare gesteek het saans by die leë hoekerf, en my voete wat hy gewas het as ek bad; vergewe my dat ek wéét hy sal my laat staan en maak asof ek nie omgee nie; vergewe my Here omdat ek nie weet wat ek verkeerd gedoen het nie, en net weet dat hy *dink* dat ek verkeerd gedoen het. Dis nie my skuld nie: vergewe my daarvoor ook. Mens raak altyd deurmekaar as jy bid. Baiemaal bid ek nié want dan gaan ek nie dood as dit gebeur nie, soos by Stephen. Toe was dit sommer net soos tandarts toe gaan. Soos die laaste keer in die garage toe die bure se seun die lelike woord gesê het en ek opgestaan en my rok agter afgestof en geloop het. Ek het dit nooit weer vir een van hulle gedoen nie, selfs nie toe hulle een week ál hulle sakgeld bymekaar gesit en vir my gebring het nie. Want vir Stephen was ek net 'n avontuurtjie, 'n heuweltjie om te klim, 'n liggaam. Nie eens 'n liggaam nie, net 'n *orgaan*. Hy het niks gesoek by my nie; daarom het hy niks gekry nie, en toe het hy gedink dis my skuld. As hy net geweet het.

Dis jammer die spieël bokant die wasbak is in dié muur ingebou. Mens behoort in 'n badkamer 'n groot spieël reg oorkant die bad te hê, skuins vooroor, sodat jy jouself kan sien. Ek kon nog nooit verstaan waarom party mense so skaam vir hulleself is nie. Ek wonder of dit waar is dat nonne en kinders in kloosterskole nooit sonder klere mag bad nie, of net in die donker. As ek eendag 'n huis moes laat bou, sou ek sorg dat al die mure vol spieëls sit, veral by die bed. Elke keer as jy jou kop roer, moet jy 'n honderd of 'n duisend keer jouself sien, van alle kante tegelyk. Toe ek klein was, het ek my altyd in my kamer toegesluit, die spieëlkas se lang spieël uit sy hakies gelig en dan ure lank na myself gekyk met allerhande klere aan, of kaal. Sommer net gewoonweg, of anders het ek gesigte getrek, gestaan, gesit, links en regs geleun, oor my skouer gekyk, handeviervoet gestaan, partymaal bo-op die spieël gaan sit. Die dag ná my elfde verjaardag het ek die spieël uit my hande laat val net toe ek hom weer in sy mikkies wou laat inglip. Ek het nog nooit 'n ding so gesien breek nie. Skielik het ek orals rondom my op die vloer gelê: hier 'n neus en oë, daar 'n been, daar 'n hand, daar 'n stukkie lyf, daar oë, en daar oë, en daar oë, oral oë. Ek het die stukkies probeer optel, en my hand gesny, en bang geword en weggehardloop. Eers die aand het ek teruggekom. As dit nie vir vader was nie, sou ek slae gekry het. Hy het my in sy arms geneem en getroos, want toe eers het ek begin huil. Nie net oor die spieël en die oë nie, maar oor die verskriklike sewe jare wat daar voor my gelê het. En dit het ook presies so uitgewerk. Net 'n week daarna is hy weg en hy het nooit teruggekom nie. Moeder wou my nie by haar hou nie en het my kosskool toe gestuur. Ek het weggeloop. Toe 'n ander skool. Later het sy die huis verkoop. Ons het 'n jaar op 'n plek gebly; partymaal net ses maande. Gewoonlik in hotelle. Ons koffers was altyd gepak. Ons het nêrens ingetrek en geweet ons gaan daar bly nie. So het dit aangehou tot op die dag ná my agtiende verjaardag. Toe het ek geweet die vloek is gebreek, die sewe jaar is verby, en ek kon nou weer maak wat ek wou. Moeder was soos gewoonlik aan die rondflenter met iemand. Charl of iets, ek kan sy naam nie meer onthou nie. Daar was ook soveel van hulle deur die jare. Met hóm wou sy trou, en ek sou in die pad wees. Daarom het ek na hom toe gegaan en geld by hom geleen om hiernatoe te kom. Ek het nooit die geld teruggestuur nie. Ek sal nog eendag. Maar ek het eerlik nooit genoeg nie. Ek weet nie hoe dit gebeur nie. Partykeer verloor ek dit. Ek gee te veel vir bedelaars. En as ek my kom kry, sit ek in die knyp. Die ambassadeur kan dit nie verstaan nie, want hy is so sekuur met alles. Hy gee my baie, net wanneer ek vra, net soos vader gemaak het; maar net 'n dag of wat, dan is dit op. Ek kan ook nie elke keer gaan vra nie. Dis dié dat ek in die nagklub gedans het tot hy my verbied het om aan te hou. En watter verskil maak dit tog aan hóm? Dis net elke tweede week en dit hou gewoonlik net tot twee- of drie-uur aan. Ek trek my tog voor hóm uit. Hoekom nie voor ander ook nie? Ek behoort nie aan hom nie. Ek behoort aan niemand nie. Maar mans wil mens gewoonlik *hê*. Asof hulle nie klaar genoeg het nie. Maar dalk hoort dit so; en dalk is dit goed. Want dit maak dat daar elke keer, selfs as jy dit self wíl, eintlik 'n offerande van jou gemaak word. En dít is nodig. Dis nie bygeloof nie. Dit ís so. Toe ek nog klein was, was daar een nag 'n donderstorm. Ek was seker die wêreld sou vergaan. Die volgende oggend het ek besluit dat ek 'n offerande moes bring sodat daar nie weer 'n storm kom nie. Ek het 'n padda in die tuin gekry en hom op 'n hoop papiere bo-op 'n stapeltjie klippe neergesit en sy kop afgesny. Dit was verskriklik, die bloed wat oor my geloop het en die padda wat so in my hande geskop het. Ek glo nie ek was al ooit só bang nie. Teen die tyd dat die padda dood was, het ek hard gestaan en huil. Maar dit móés. Ek het die papiere aan die brand gesteek en weggehardloop en dae lank nie weer daar naby gekom nie. Dit was baie lank voor daar weer so 'n kwaai storm was. En eendag het vader siek geword, taamlik ernstig, want ek het snags in my kamer gelê en voetstappe in die huis gehoor, en die dokter se stem, en ek kon lig onder my deur sien inskyn. Dit was die eerste keer dat ek bang geword het vir die dood. Ek het wéér geweet dat net 'n offerande sou help. Vir 'n lewendige ding het ek nie kans gesien nie. Maar ek het my heel mooiste pop geneem en haar kop afgekap en haar verbrand. Dit het gevoel of my hart gaan breek toe ek haar so doodmaak. Ek het 'n pak slae daaroor gekry; en dit was seker my verdiende loon. Buitendien sou moeder nooit verstaan dat dit nie uit haat gedoen was nie, maar juis omdat ek die pop so liefgehad het. En vader het gesond geword. Later, met die seuns, het ek hulle partymaal gevra om eers my hande vas te bind. Dan het ek daar gelê met rillings tussen my blaaie, net oor die gevoel van magteloosheid om daar te lê en „geoffer" te word. En dit was wat ek ook gedink het die heel eerste nag toe dit met my gebeur het, hier in Parys. Ek kan van die kamer en die man niks onthou nie. Ek weet nie eens in watter deel van die stad dit was nie. Dit was net êrens. Êrens by 'n flou gloeilampie. En ek was magteloos. Dit was seer. Maar selfs dít het my amper bly gemaak, want ek was besig om geoffer te word – aan iets, ek weet nie wie of wat nie, en ook nie waarom nie. Maar dit *moes*, vroeër of later; en ek was bly dat dit kon gebeur. En daarna altyd, altyd. Partykeer was dit maar 'n ou Kaïnsofferandetjie wat die rook laat platslaan het. Partykeer was dit 'n stil, tevrede soort gebeurtenis. Mens kan jou voorstel dat dit met Abel so gegaan het, met oop blou lug en die rokie amper onsigbaar, roerloos, pylreguit boontoe soos 'n deurskynende boompie wat voor jou oë groei. Party offerandes het ek vrywillig gebring. Ander is met geweld genéém. Maar elke keer het ek ligter gevoel daarná. Ek kan niks juis meer onthou nie. Net één nag. Want dit was die enigste man, dink ek, wat ek ooit heeltemal liefgehad het: só liefgehad het dat ek hom gevra het, toe hy in my was, om sy hande stywer en stywer om my keel te druk en my dood te maak. Dit was op pad na Chartres, in die vroeglente, kort nadat ek die eerste keer hier aangekom het, 'n soort pelgrimstog van duisende jong mense hier uit Parys uit. Dit het 'n paar dae geduur om daar te kom, hoeveel onthou ek nie meer nie. Ons het gestap. Dit was 'n snaakse gevoel: dié een groot beweging van 'n hele skare onbekende mense om jou, oral om jou, voor en agter, en jy tussen hulle, op pad iewers heen. Ons het in klompies gebondel om uit ons rugsakke te eet. Die nag het ons in die veld geslaap, oop onder die groot hemel. Dit was effens koel, maar daar was nie 'n enkele wolkie nie. Ek het gedink aan die katedraal wat voorlê, die katedraal waarheen ons almal aan die stap was. Nog nooit het enigiets vir my sóveel beteken nie. Ek het die hele tyd in 'n soort duiseling gestap, alleen tussen almal. Party het gesing. Daar was 'n paar met ghitare. Die aand het die musiek bly en treurig oral in die donker getonkel. Ek het niemand geken nie, want die paar met wie ek begin stap het, het ek langs die pad tussen al die duisende verloor. Eintlik was ek bly daaroor, want nou hoef ek met *niemand* te gesels nie, behalwe as ek werklik wóú. En dan kon ek ook sê wat ek wou, omdat dit vreemdelinge was wat nie later sou onthou waaroor ek juis gepraat het nie, en ás hulle onthou het, sou dit nie saak gemaak het nie. Mens was gebind aan niks. Niemand het iets van jou verwag nie. Almal en alles was aan die beweeg, soos 'n groot rivier wat afkom, vorentoe en vorentoe. En toe die nag. Dit was laat, seker lank na middernag, want dit was al doodstil behalwe vir één yl ghitaartjie baie ver van my af. Daar was net 'n dun maantjie en mens kon skaars jou eie hand sien. Toe was daar iemand by my. Ek was nog wakker. Ek het arms-onder-die-kop op my rug gelê en opkyk. Vaagweg kon ek hom teen die lug sien staan. Toe het hy gehurk. Ek het gevra hoekom hy nie slaap nie. Hy het effens geskrik toe die stem so skielik langs hom praat. Waarom slaap ék nie, wou hy weet. Ons het begin gesels, fluister-fluister om die ander om ons nie te steur nie. Sommer oor die stap, en die katedraal, wat hy goed geken het, en die weer, en die heerlike nag. En toe oor Pase en die Heilige Week, en enigiets, en alles. Net nie oor onsself nie. Dít was onnodig. Later het hy langs my kom lê en nog sagter gepraat en toe het sy hande begin voel aan die knope op my bors, tydsaam asof dit die natuurlikste ding op aarde was. Later het sy stem opgehou met praat en sy hande het alleen verder gefluister, en 'n bietjie skaam het myne ook begin roer oor hom. Sy lyf was glad en jonk. Niks kon hom haastig maak nie. Dit was nie nodig nie, want ek het geweet alles was lankal vooruitbestem, en die nag was lank en goed. Ek dink ek het selfs half aan die slaap geraak, en begin droom. Maar eindelik het ek hom op my gevoel, en in my, en oral, en toe, dink ek, was dit nog net die droom. Toe hy eindelik opstaan, het ek leeg en vol bly lê en die hele tyd oor en oor bly dink : *Hic est enim corpus meum.* Hy het effentjies met sy hand aan my wang geraak. En toe het hy geloop. Of sommer net verdwyn in die nag. En ek het met die Paternoster begin en aan die slaap geraak voor ek klaar was. Ek glo nie ek het ooit enige ander man só goed geken as vir hom nie, al het ek nooit eens sy naam gevra of sy gesig gesien nie. Dit was juis omdat dié dinge *onnodig* was, dat ek hom so lief kon hê. Hy wou niks hê nie. Daarom kon ek hom alles gee. Ek wens dit kon altyd so wees. Waarom kon Stephen nie so wees nie? Waarom was hy so haastig, asof daar nooit tyd was nie? Waarom wou hy my *dwing?* Het hy nie geweet –

Dis spesiale seep dié wat hy my gegee het en dit ruik soos baie duur parfuum. Ek dink dis die seep wat ek sal onthou as ek later weer in my eie kamertjie terug is of nadat hy my laat staan het as hy vir my moeg geword het. Dis met alles so. Ek kan glad nie die bure se seun onthou nie, al was dit hy wat die eerste keer met die speletjie begin het. Maar ek onthou hoe die garage geruik het. Ek ruik dit tog nog elke keer. En die appels, half soet, half suur, in die skemerdonker. Dit was glo nie 'n appel wat Adam en Eva geeet het nie. Ek wonder wat dit was, en hoekom hulle vir my gejok het. En dan die kanferfoelie van die hoekerf. Vader se gesig is ook weg en die foto'tjie wat ek van hom gehad het, het agtergebly in een van die sakke van die jas wat ek moes verkoop. Ek kon dit nooit weer opspoor nie. Snaaks dat iets so heeltemal kan verdwyn, veral iets wat *joune* was. Maar ek onthou die dowwe, treurige ruik van sy baadjies. En sy hande nadat ons 'n ver ent gaan stap het. Die man in die nag ook, maar dis eerder die gekneusde gras wat ek onthou, en die klammerige grond. Dis ook effens treurig. Die ambassadeur laat sy werksklere te veel droogskoonmaak, nou ruik hulle net na bensien. Maar daar is 'n paar ou baadjies in sy kas waaraan ek elke dag gaan ruik as hy weg is. Iets van tabak. Iets van skeerseep. 'n Bietjie sweet. En iets van hóm. As hy dit weet, sal hy weer lag en dalk sy hand deur my hare stoot asof ek net 'n snaakse kind is wat haar sin kry. Hy weet nie hoe bekommerd ek partymaal voel voor hy kom nie, hoe bang ek is dat hy van iets nie sal hou nie. En ek wil hê hy moet van my hou. Hy moet hou van álles aan my. Hy moenie dink ek is te skraal of my bene is te lank of my borsies is te klein nie. Hy moenie dink ek is sleg of ondankbaar nie. Hy moet *verstaan.* Hy moet alles glo wat ek sê en my vertrou en hy moenie vir my lag nie. Ek het nie geweet wat sou gebeur toe ek die aand hier onder by die buitedeur die klokkie gedruk en vir die concierge 'n leuen vertel en na sy kantoor toe gegaan het nie. Op die pad terug van Neuilly af het ek die hele tyd geloop en wonder hoe ek kon wraak neem op Stephen, hoe ek hom kon seermaak, hom in die moeilikheid kon laat beland. Ek was al by die Arc voor ek gedink het aan die ambassade hier naby, en aan die ambassadeur. Ek het gemeen ek sou na hom toe kom en hom vertel dat Stephen allerhande dinge aan my gedoen het. Maar toe ek by sy kantoordeur kom, die een waar die lig was, het ek hom binnekant onder die ronde wit lig sien sit en skrywe nes vader saans by sy gedigte gesit het. Ek het altyd in my kamerjas, met my voete onder my ingevou, op die groot leunstoel met die katruik tjoepstil gesit en kyk as hy werk. Toe het ek gedink ek sou hom net vra om my huis toe te neem. Hy het moeg gelyk. Ek dink hy het effens geskrik ook om my so skielik daar te sien. En ek was bang hy sou my wegjaag en alleen laat huis toe loop. Die hele ent pad in die Avenue de la Grande Armée was ek niks bang nie. Hoekom moes ek wees? Ek het al énige plek in Parys in die nag geloop. Maar *toe* was ek bang om verder te loop, in die reën en die donker. En ek *was* moeg. Hy het gefrons en ek het gedink hy gaan met my raas. Ek het skielik gewonder wat hy sou doen as ek my klere begin uittrek. Dalk sou ek glad nie eers omgegee het dat hy my daar in sy kantoor neem nie. Daarna kon hy my huis toe geneem het, of my geld gegee het vir 'n taxi. Maar hy het nie. Hy het my jammer gekry. As hy my geneem het soos ek wou hê, sou ek nie weer teruggekom het om hom te pla nie. Maar omdat hy goed was vir my sonder dat dit nodig was, móés ek die volgende dag terugkom. En weer, elke keer, totdat hy van my sou begin *hou,* sodat ek kon weet sy goed-wees was nie sommer liefdadigheid nie. Toe ons by my gebou stilhou, wou hy met my saamkom. Ek het nee gesê, maar ek was seker hy sou tóg. Enige man sou. Maar hy het nie. Hy het gedink dit sou my bang maak. Ek het in die reent bly staan met sy baadjie oor my kop en ek wou hom amper soebat dat hy móét uitklim, dat hy asseblief moet saamkom kamer toe (en by my kom slaap). Dan kon alles daarmee kláár gewees het. Dan sou ek hom niks geskuld het vir sy goedheid nie. Maar hy het weer gedink ek bedoel dit toe ek sê hy moenie uitklim en ook natreent nie. Hy moes nie goed gewees het vir my nie. Dit bind mens net so vas soos sleg-wees. René was so. Dit het maande lank aangehou. Hy het my geslaan en my uitgeskel en my seergemaak. Hy was baie maal dronk en dan het hy nie omgegee wat hy doen nie. Hoeveel keer het hy my nie by sy kamer uitgesmyt nadat hy met my gedoen het net wat hy wou nie? Hy't nie omgegee of dit gereent het buite en of dit koud was nie. Ek het 'n paar nagte amper verkluim. Maar ek het elke keer weer na hom toe teruggekom en dan het hy my weer uitgeskel en my seergemaak. Eers later, toe hy bang geword het dat ek met iemand anders sou wegloop en my beter begin behandel het, het ek vry geword van hom. Dis nie reg dat hulle mens so bind nie. Ek het die ambassadeur elke keer probeer uittart. Ek wou *hê* hy moes my neem. En tog, as hy my geneem het, tóé, nadat hy die eerste maal self na my toe gekom het, sou ek ook baie opstandig gevoel het. Dit is alles so ingewikkeld. Hy móés dit doen. Maar ás hy dit gedoen het, sou hy nie meer goed gewees het nie en dan kon ek nie by hom bly nie; en hy sou dit met my gedoen het net omdat ek hom getart het, en dan sou hy gedink het en geweet het dat ek sleg was, en dit sou ek nie kon verduur nie, nie van hóm nie. Miskien sou ek dan in die Seine gespring het. Want dan sou ek wel my doel bereik het en my van hom losgemaak het, maar ek sou vuil gevoel het. Ek wil nie gebind wees deur hom nie, maar ek kan nie van hom los wees nie, tensy hy my vry kan laat weggaan sonder om op te hou goedwees en dit is tog onmoontlik. Ek weet ook nie meer nie. En toe het hy tóg daardie nag na my kamer toe gekom. Hy het die kombers van my afgeruk en my op die bed gestamp en my geneém. Maar dit was nie ek wat hom daar ingelok het nie. Hy het dít ook gedoen omdat hy goed was. En daarmee het hy my eintlik vaster as tevore gebind, want tevore was dít nie tussen ons nie. Dit was die nag toe Marc-Louis by my was. Eers in 'n cave, en toe in sy kamer, en toe het hy my huis toe gebring en alles het weer van voor af begin. Hy was dronkerig. Ek onthou hoe ons die hele wêreld wakker gesing het en hoe ons stemme in my gebou weergalm het soos ons sing-sing van onder af opgeklim het. *Au clair de la lune*. Ons sing dit nog. Maar dis nie ‚ons' liedjie nie. Dis *myne*. Dit het aan my behoort vandat ek die eerste dag in Parys 'n dronk ou clochard dit in die tuin van St. Julien le Pauvre hoor sing het. Dit was kompleet asof hy sélf die arme ou Lubin van die liedjie was wat buite in die donker deur die strate loop en vir Pierrot vra om oop te maak en lig te bring sodat hy kan skrywe. Wat sou hy tog eintlik in die nag wou staan en skryf? En Pierrot wil nie oopmaak nie, hy lê te lekker in sy bed. Dis soos die bruidegom wat van binne af vir die arme meisies met die leë lampies skree dat hulle moet buite bly, hulle mag nie inkom en saam feesvier nie. En dan gaan ou Lubin maar hulp soek by die buurmeisietjie. Maar hy't slim geword van die dwaal deur die donker. Hy sê nie meer: Maak oop, vir die liefde-van-God nie. Hy sê: Maak oop vir die god-van-liefde. En dan soek hulle saam na 'n pen en 'n kersie, en in die soekery gaan die deur agter hulle toe en dan maak dit ook nie juis meer saak of hulle iets kry nie. Dit is anders as my droom, want dié eindig nooit gelukkig nie. Dit eindig nóóit. Dis soos ná vader weg was en ek 'n paar maal in my slaap geloop het, eers net in die huis, maar toe een aand uit. Toe ek wakker skrik, was ek buite in die straat verdwaal. Dit was pikdonker. Ek het glad nie geweet waar ek was nie en ek het begin hardloop om terug te kom by die huis, maar ek het ook nie geweet wáárheen nie. Ek het 'n horlosie twaalf hoor slaan en verskriklik bang geword, want dis die tyd dat al die geeste begin ronddwaal en hulle tande kners en huil soos wind of uile. Daar was 'n park met 'n hoë heining. Die bome het geswaai in die wind. Agter elke boom het iets weggekruip om my van agter te bespring nes ek verby is. Ek het begin huil en vinniger gehardloop en die straat het my voete seergemaak. Ek kon nie wegkom van die donker strate nie. Ek kón later nie meer nie. En toe het 'n motor stilgehou. Hy móés, want ek was in die middel van die straat. Ek het die bande hoor skree en gedink: Nou hét hulle my. En toe ek weer sien, was ek by die huis in 'n warm bad en in die bed. Ek het seker vir hulle my adres gesê. Dit was die enigste keer dat die lopery my só ver weggeneem het. Maar die droom het gebly, en dit is nou nog by my, behalwe as hy by my slaap. Hy hou ook van die liedjie en partymaal neurie hy dit saam as ek dit sing. Hy weet nie hoekom ek dit sing nie, dis vir hom net 'n liedjie, en dalk is álles uiteindelik maar 'n soort liedjie wat iemand sing, bietjie treurig, bietjie bly, maar dit maak seker nie saak nie, al is dit beter as dit gelukkig kan eindig. Vir Stephen het dit net vies gemaak en een aand toe ek dit gesit en neurie het, het hy gesê: „Ek wens jy wil ophou om ewig dié vervloekste, neulerige ou deuntjie uit te kerm!" Ek sou dit vir hom wou verduidelik, maar Stephen is altyd so ongeduldig. Hy kan my nie verdra nie. Hy kan geen vroumens verdra nie. Ek wonder of hy dalk 'n ‚queer' is. Maar ek dink nie so nie. Ek glo nie. Ek hoop nie so nie.

Dit het begin reën buite teen die venster. Nou sal ek langer moet lê, want nou wil ek nie uit die warm water uitklim nie. Dit voel so warm en stil en beskerm, veral hier waar hy glad nie eers die straat kan hoor nie; nes dit moet voel in jou ma se maag. En tog hou ek van die reën en ek stap graag daarin. Dit laat mens so heerlik treurig en alleen voel. Veral die eerste ruk net nadat ek hier aangekom het en nie juis geweet het waarheen om te gaan nie. Ek kan dae lank net stap deur die strate. Van die Champs-Élysées en die buurt om die Opéra en die modebuurt by die Rue François I en so hou ek baie. Dalk die meeste. Nee. Die meeste hou ek van die vuil straatjies om Les Halles en die Rue St. Denis en al die doodloopstraatjies daar, juis snags as die lorries die groente kom aflaai. Of natuurlik die strate tussen die Rue Monge en die Rue Claude Bernard. En die hele stuk stad rondom die Place des Vosges. Dalk hou ek daarvan omdat dit my bang maak. Niemand steur hom aan jou as jy daar loop nie, maar daar is altyd onsigbare donker oë agter die gate van die deure en in die kielietjies van die geboue wat jou aangluur. Daar is stemme wat aan niemand behoort nie. En maer katte. Ek haat katte. En die ou geboue moet gestut word met stellasies, anders val hulle om. Daar is van die arme ou clochards wat ook nie meer alleen kan staan nie. Hulle bly onder hulle brug sit en die hele tyd bewe hulle hande. Horries seker, of sommer van oud, of van siek dalk. Ek wonder wat gebeur met hulle as hulle doodgaan. Daar is seker êrens 'n spesiale begraafplaas, soos vir honde. Of dalk word hulle verbrand. Ek hoop nie so nie, dis soos die hel. Mens moet hulle eintlik in die rivier gooi dat hulle kan wegspoel. Hulle woon hulle lewe lank tog langs die rivier. Ek dink as ék 'n clochard was, sou ek daarvan hou om af te dryf as ek die dag dood is. En as ek weet hulle gaan my verbrand, sal ek self oor die wal rol net voor ek doodgaan, sodat hulle my nie kan kry nie. Ek het vir Stephen gesê ek sal graag 'n clochard wou wees. Dis nie die waarheid nie. Ek *is* een. Ek stink nie soos hulle nie, en ek is nie oud of lelik nie, en ek drink nie juis nie, en my klere is nie so voos nie, maar ek glo nie dit hang af van hoe mens *lyk* of jy een is of nie. Ek glo nie mens kan 'n clochard *word* nie. Jy word so gebore, soos party katjies sommer straatkatte is al kom hulle uit 'n pragtige huis uit. Dis soos 'n siekte in jou. Net, dit *is* nie 'n siekte nie, want dis nie iets slegs of iets wat jy nié wil hê nie. Of dalk sou party mense nie daarvan hou nie. Maar maak dit saak of jy daarvan hou of nie? Jy kan tog nie kies nie. Stephen is ook 'n clochard. Hy weet dit nie. Hy sál dit nooit weet nie, want hy wil nie. Hy sal altyd daarteen baklei. Maar hy *is*. En daarom behoort ek en hy –

Ek was die aand hier in die bad, met sy vrou se groen badsout en al, of sy dogter s'n, toe hy terugkom van Orly af. Dit was later as wat ek gedink het. Eers het ek gemeen hy gaan nie kom nie, en gewonder of hy dalk tóg na my kamertjie toe is om my daar te soek. Maar ek het geweet hy sou nie. Miskien moes ek ook nie hiernatoe gekom het nie, want ek het vooraf geweet hy sou neerslagtig voel. Maar hy het my nodig gehad. Hy het dit nooit gesê nie, maar ek het dit geweet lank voordat hy sy vrou nog weggeneem het. Hy was kwaad toe hy hier inkom en my sien. Hy wou hê ek moes dadelik uitklim en afdroog en aantrek en loop. Hy wou alleen wees. Ek het vir hom gelag. Ek het geweet dit sou hom eers nog kwater laat voel, maar hy moes. Anders sou hy nooit van sy vrou ontslae raak nie. Ek is nie jaloers op haar nie. Ek glo nie dit was ooit nodig nie. Maar as ek nie gekom het nie, sou hy na haar begin verlang en allerhande onmoontlike dinge begin glo het, en ek moes hom help. Mans is so. Hy is amper nog meer onbeholpe as die meeste ander. Hy is partymaal nes 'n seun en dan voel ek ouer as hy. Hy het gedink dis maar weer 'n speletjie toe ek hom vra om vir my 'n appel te bring en ek dit hier lê en eet. Ek het gespeel in die water en my voor hom ingeseep en hom uitgedaag om my te was, en gestaan en fluit terwyl ek afdroog, en hom gevra om my warm te maak omdat my klere in sy kamer bly lê het. Hy het eers die handdoek opgetel wat ek op die vloer laat val het, en gekyk na die ring teen die bad se blink rand: seker die eerste keer dat dié deftige badkamer so gelyk het. En toe moes hy my maar optel, want my tande het begin klapper van die koue. Hy het my saamgeneem kamer toe. Hy het die lig laat brand. Hy wou my laat aantrek. Selfs tóe wou hy nog liewer hê ek moet loop. Maar ek het sy baadjie uitgetrek. Toe het hy ook geweet dat hy niks anders mag doen nie, anders sou hy altyd alleen bly. Hy het my geneem, daar, op sy bed. Maar ek het skielik gevoel dat hy begin ruk. Hy het gehuil. En hy wou nie van my weggaan nie. Dit was die jongste van al sy nagte by my. En toe ons eindelik aan die slaap raak, met die eerste daglig al buite, was dit nog so in mekaar, asof ons saam dood was, saam gelukkig. Ek dink ons het al geslaap toe hy teen my wang sê: „Here, Nicolette, bly by my." Ek het geglimlag en iets probeer sê, maar ek was te moeg, en ons het geslaap. Hy het dit nou alweer vergeet. Hy het dit tóé bedoel, ek weet. Maar toe die dag ons wakker maak, was hy al lankal weer die ambassadeur en ek sy optelkind, sy speelkind, sy snaakse kind aan wie hy gewoond begin raak, van wie hy moeg gaan word. As dit net tot Pase kon hou. Ek weet nie hoekom nie. Ek weet net dat ek dit *wil*. Hy moet saam met my na die Hoogmis toe gaan. Daarna kan enigiets maar gebeur. Ek weet nie waarom Hy toegelaat het dat hulle Hom kruisig nie. Hy moes nooit 'n mens geword het nie. Dit was nie waardig van God om so te maak nie. Dit moenie altyd nodig wees om te offer nie. Dit maak mens net skuldig, álmal. As ek net kon *weet* of die brood regtig verander in Sy liggaam en die wyn in bloed. Dit sou alles soveel makliker maak. Dit sal alles die moeite werd maak. Maar nou weet ek nie. En ek is bang. Ek wil nie alleen na Goeie Vrydag se Mis toe gaan as alles swart is en die altaar kaal nie. Ek kan nie meer nie. Nie vanjaar wéér nie. En tog mag ek nie wegbly nie. Hy moet saamgaan. Ons kan weer teen die pilaar staan. Dit sal makliker wees as hy by is. Stephen wou nooit saamkom nie. Hy het my net uitgelag en gesê ek probeer nonnetjie speel. Hy dink ek is skynheilig. Hy wou nooit eers inkom net om te sien hoe dit binne lyk nie. Hy glo nie, aan niks nie. Maar ek glo nie hy bedoel dit nie. Ek dink hy is bang. Hy het kwaad geword toe ek dit vir hom sê. Hy het die hemel gevloek en ek moes my vingers kruis sodat Niemand dit moes hoor nie. Hy kon maar saamgekom het. Dalk wou hy eintlik. Dalk sal hy eendag nog. As hy net eers kon leer om aan my te glo –

My hare is nou so nat asof ek hulle gewas het, maar ek gee nie om nie. Ek geniet dit om my kop droog te vryf, en daar is 'n vuur onder waar ek kan gaan sit. Ek was skaam die aand toe hy na my kamer toe gekom het en ek besig was om my hare te was. Nie skaam vir my nie, maar vir sy oë. En toe het ek moedswillig nie my boklere aangetrek nie. Ek *wou* hom skok, ek *wou* hom seermaak, ek *wou* hom uittart, sodat hy my kon neem en self net so sleg kon wees soos wat hy gedink het ék was. En hy wou my uittart, want hy wou weet van al die ander mans wat ek ken. Wat maak dit tog saak? Ek *ken* nie ander mans nie. Hulle is net daar. Hulle kom soms, en dis goed, en dis nodig, en dis heerlik, en dis verby. En al die tyd wou ek hom soebat om op te hou; en dalk wou hy mý soebat om op te hou, maar nie een van ons kon nie. En toe het Stephen gekom en met my geraas. Hy het gedink dit was weer Marc-Louis of een van die ander, en hy wou inkom, maar ek het hom gekeer. Ek wou hê hy moes *sê* dat hy jaloers is, en *hoekom* hy jaloers is. Maar hy't net gesê ek speel met vuur. Waarom? Het hy gedink ek sou skrik en hom belowe om nooit weer vir Marc-Louis of iemand anders te sien nie? Het hy gedink ek sou bang wees dat hy my dalk sou doodmaak? Hy het omgedraai en weer geloop. Ek het agter hom aangegaan en oor die rand van die relings afgekyk. Toe hy by die eerste verdieping onder myne kom, het ek hom geroep – saggies, sodat die ambassadeur nie moes hoor nie. Maar hy het gemaak of hy nie hoor nie en verder afgeklim. Eers wou ek agter hom aangaan, hom vra om net te wag dat ek 'n rok aantrek sodat ek saam met hom kon gaan, wáár hy ook al wou heengaan en wát hy ook al met my wou doen. Ek kon die gesprek daarbinne nie meer verduur nie. Iets sou moes padgee. Die ambassadeur sou hom vererg en my neem soos ek hom uitgedaag het om te doen. En dan sou ek niks meer vir hom kon voel nie. En hy sou niks meer van my dink nie. Hy was al klaar besig om alle respek vir my te verloor. En hy *moes* nie. Hy *kon* nie. Stephen moes my wegneem voor dit gebeur. Hy moes net nie weer haastig word nie. Of dalk sou ek nie eers omgegee het ás hy die aand haastig wou wees nie. Maar hy was al weg en ek moes teruggaan. Kort daarná het die ambassadeur tóg geloop. Vir die laaste keer, het ek gedink. Maar dit was oor Stephen dat ek jammer was.

Nou het ek te veel water oor die bad se rand gestort en die mooi tydskrif wat ek netnou gelê en lees het, is papnat. Niemand anders in die huis lees dit tog nie, behalwe dalk die bediendes en dis nie so belangrik nie. Maar ek wou die sterre-rubriek nog uitgeknip het om te bêre. Nie dat dit eintlik nodig is nie, want ek ken dit tog uit my kop uit. Maar ek hou daarvan om elke maand s'n te bêre. *'n Onverwagte verhuising.* Ek wonder of dit dié paar dae is wat ek nou hier in die ambassade woon, maar die sterre se maand begin vandag eers. Dalk dan maar my teruggaan na my kamer toe, want ek gaan vanaand nog. Hy sal nie omgee nie. Dalk sal hy bly wees, want dit plaas hom seker in 'n verleentheid as ek hier bly, al steek ek skaars my neus by die deur uit. *Goeie maand vir geldsake.* Dit het ek altyd nodig. En dan: *U liefdesake word eindelik opgelos.* Dís wat my bietjie dronkslaan. Ek het tog g'n sake wat „opgelos" hoef te word nie. Tensy dit beteken ek gaan nou vir Marc-Louis sê om te loop. Eintlik moet ek. Ek hou van hom. Hy is 'n wonderlike minnaar. Maar ek begin te gewoond raak aan hom. Ek begin te vanselfsprekend word vir hom. Dit gebeur elke keer so. En daar is niks wat mens só gou vaskeer nie. Nie net met mans nie, enigiets. Destyds toe ek vir Roger geposeer het. Eers het dit maar swaar gegaan om sy foto's verkoop te kry, want hy was onbekend en hy moes meeding met al die gevestigdes. Ek was ook onervare. Maar toe het die een of ander grootkop van die studies gesien wat Roger eintlik net vir homself bedoel het. 'n Paar daarvan is gepubliseer. Die volgende week het hy sommer drie, vier kontrakte gekry. Alles het voor die wind begin gaan. En toe het ek geloop. Ek het nie met hom daaroor gepraat nie, want hy sou nie verstaan nie. Maar dit was besig om ons altwee vas te vang. Die werk en die sukses en alles. Ons kon nie meer maak soos ons wou nie. Ons was nie meer onseker oor wat sou gebeur nie. *Ons* het nie meer saak gemaak nie. In die Grande Chaumière ook. Ek het daar vir die kunsstudente gemodelleer. Daar was 'n hele paar van ons en dit was eintlik heeltemal 'n stryd om in aanvraag te bly. Maar toe is dit skielik net vir my wat hulle wil hê. En ek moes weer padgee. En Claus. Hy was 'n Duitse student en hy't hom byna doodgewerk, amper elke nag dwarsdeur. Nie net aan sy studies nie, maar hy't geskryf ook. Vyfuur smôrens het hy my wakkergemaak om vir my te lees wat hy die nag geskryf het. Ek het vir hom huisgehou. Ek het aantekeninge vir hom oorgeskryf. Sy klere gewas en heelgemaak. Ons het eintlik baie kuis saamgelewe. Ek het dit geniet, solank as wat hy my nodig gehad het. Maar later het hy dit as vanselfsprekend beskou dat dit so *moet* wees. Dit gaan altyd so. Alles kry end. Niks hou *aan* nie. Ek gee nie om nie, want mens raak daaraan gewoond en dalk moet dit so wees. As dit net hierdie keer tot Pase sou aanhou. Dis nie so lank meer nie, net 'n paar weke. Ja, ek sal met Marc-Louis praat. Stephen glo nie aan die sterre nie. Ek het eenkeer vir hom gelees wat daar vir hom voorspel word. *Gemini* is sy teken. Hy't gesê dis twak. Ons het later baklei daaroor. As Stephen net wil luister. As hy net in *iets* wil glo.

Ek moet nou begin uitklim en my met die groot nuwe spierwit handdoek afdroog wat hy vir my uit die kas gehaal het. Of met syne. Ek dink met syne. En dan gaan aantrek. Hy het vanoggend weer laat klere stuur sodat ek kan uitsoek. Ek het ure lank aangepas. Ek kan dit nie oor my hart kry om enigiets terug te stuur nie. Ek hou van klere. Ek hou daarvan om dit aan te hê en voor die spieël daarmee rond te draai en uit te gaan daarmee en dit teen my vel te voel. Veral dit. Elke rok voel anders. Elke rok is 'n soort minnaar wat jou heeltemal in hom toevou. Maar ek hou van kaal-wees ook. Dis goed om klere te dra om mooi te lyk of warm te wees, maar dis nie so *noodsaaklik* soos kaal-wees nie. Dis soos mens *is*. Jy moet asemhaal en bly-wees met jou hele lyf. Maar hier in die stad is daar nie plek nie. Ek het eenkeer na 'n nudisteklub toe gegaan, maar daar is kaal-wees net 'n ander soort klere dra. Almal wéét daarvan en voel danig trots daarop. Maar jy moet dit nié weet nie. Nie só nie. Jy moet dit net *wees*. Stephen het my probeer afloer die aand toe ek by hom gebad het. Hoekom wou hy nie inkom nie? Ek wou *hê* hy moes. Ek wou hê hy moes my sien, en bly wees oor my. Voor ek die aand soontoe gegaan het, het ek gehoop hy sou. En ek het my rooi broekie aangetrek, my klein, verspotte, pragtige rooi broekie. Ek wou hê hy moes dit sien en weet wat ek probeer sê. Maar hy het nooit eers daarna gekyk nie. Hy wou my net hê, *hê*! Maar hê soos mens iets styf in jou hand vashou, 'n kuikentjie of iets, as jy klein is, tot dit ophou spartel en dood is en nie meer mooi nie. Hy wou my aan hom vasbind. Hy het nie geweet dis onnodig nie. Hy het my kláár gehad, lankal. Nie omdat hy goed vir my was nie; ook nie omdat hy sleg vir my was nie. Maar omdat ek hom liefhet. Ek het probeer om dit nie te glo nie, want dis vir mens te veel. Jy kan nie daarmee bestaan nie. Dis nie *reg* dat mense mekaar liefhet nie, want dan het julle mekaar nodig, dan kan julle nie meër sonder mekaar lewe nie, en dit maak mens dood. En dit wil ek nie. En dit wil ek. Want ek hét hom lief. Ek wil hom hê. Ek wil hê dat hy mý moet hê. Nie om te gebruik soos hy wou nie. Maar om my te *weet* soos ek hom weet. En dan kán hy my maar gebruik ook. Dan moet hy. Dan wil ek niks ánders as dat hy my moet gebruik nie. Dan wil ek 'n liggaam vir hom wees, ek, die hele ek, syne. Ek het dit soveel maal vir hom probeer sê, maar hy verstaan dit nie of wil dit nie glo nie. Net voor Kersfees het ek na hom toe teruggegaan sodat hy dit *moes* weet. Ek het vir hom 'n das ook geneem, 'n duur Jacques Fath-das van growwe materiaal wat mooi sal lyk by sy donkergrys baadjie, maar toe ek dit vir hom wys, het hy net kwaad gesê: „Dis seker vir die ambassadeur bedoel. Ek wil die ding nie sien nie." En toe het ek gesê : „Natuurlik is dit vir hom", maar ek wou nie. Ek het hom vertel van die ambassadeur en gedink hy sou jaloers wees en my probeer terugneem. In plaas daarvan het hy my net uitgelag en toe het dit gevoel asof ek die ambassadeur eintlik verraai het. Waarom moet alles my laat skuldig voel? Waarom kan hy nie verstaan nie? Ek kan tog nie vir hom in woorde gaan uit-sê dat ek hom wil hê nie, want dan sal dit nie meer waar wees nie. En dit moet waar wees. Dit is waar. Dit is dalk wat die sterre bedoel het. Dit móét wees wat hulle bedoel het.

Ek gaan my tóg nie afdroog met sy handdoek nie, maar met myne. My skoon, skoon witte.

PATROON

I

Die eerste telegram, *en clair,* het die oggend van 3 April gekom terwyl die Ambassadeur by die groot lessenaar in sy kantoor besig was om Nicolette se wasgoedlysie van 'n verkreukelde flenterjie papier af oor te skryf op 'n stywe wit bladsy met die Republikeinse wapen bo-aan.

Nadat Harrington, wat die telegram na sy kantoor gebring het, weer die deur agter hom toegetrek het, het die Ambassadeur 'n rukkie daarmee in sy hande bly sit asof hy hom behoorlik van die inhoud wou vergewis. Daarna het hy dit netjies gladgestryk en links van hom op die lessenaar gebêre met 'n papiergewiggie in die vorm van 'n springbokkop bo-op. Hy het tydsaam die wasgoedlysie voltooi, 'n dubbele streep onderaan getrek en die datum daarby aangeteken. Toe het hy die vel papier opgevou en dit onder 'n hoek van sy kladpapierhouer ingesteek sodat hy dit later saam met die vol wasgoedsak wat hy dié oggend van die Rue de Condé af saamgebring het, aan een van die bediendes tuis kon oorhandig om dit aan die ampswoning se gebruiklike wassery te besorg. Toe het hy sy horlosie noukeurig reggestel volgens die een teen die muur oorkant die venster, die telefoon opgetel en die dametjie by die skakelbord gevra om hom na Keyter deur te skakel.

„Ambassadeur?"

„Het jy kans om 'n oomblik op te kom na my kantoor, Stephen?" het hy saaklik gevra.

„Ek kom dadelik, Ambassadeur."

Met sy hande gevou op die kladpapier, het die Ambassadeur sonder enige uiterlike blyke van haas of ongeduld gewag tot die verwagte klop aan sy deur hom laat opkyk het.

„Binne."

Die deur gaan oop.

Die jong man bly 'n oomblik staan en wag, en vra dan onseker: „Was daar iets wat u wou hê dat ek moes doen, Ambassadeur?"

„Nee. Nee, daar's niks." Daarop skuif hy die telegram oor die lessenaar na die derde-sekretaris toe. „Dis net – dit. Dit het so pas gekom."

Keyter probeer vlugtig in die Ambassadeur se gesig iets opspoor – wanhoop, bemoediging, tevredenheid, iets – maar na 'n kort huiwering kom hy nader, neem die telegram, lees dit vlugtig, en knik eindelik.

Die Ambassadeur bly sit en wag. Maar na 'n rukkie vra Keyter net: „Kan ek dit maar hou?"

„Natuurlik."

„Wou u – Het u – "

„Dit was al, Stephen." Hy leun vooroor, asof hy eers teen dié beweging besluit het, maar dit tóg uitvoer. Hy sê egter niks.

Keyter steek die telegram in sy sak. „Hoe gou is ‚onmiddellik'?" vra hy sonder om op te kyk.

„'n Week. Uiters twee."

„Ek sien." Daar sit fyn sweetdruppeltjies onder sy neus.

„Jy hoef jou nie daaraan te steur nie. Ek sal onmiddellik 'n telegram stuur en aan die Minister verduidelik dat jy hier nodig is." Die Ambassadeur staan vinnig op. Dis asof hy eindelik in woorde ontslae probeer raak van wat hy lank onderdruk het. „Daar is geen rede waarom jy iets hoef te vrees nie. Op sy minste kan ons die verplasing 'n paar maande vertraag. Wat dán ook al gebeur, sal gewone roetine wees. Dit hoef geen uitwerking op jou loopbaan te hê nie. Ek sal sorg dat die telegram vandag nog uitgaan."

„Nee, Ambassadeur."

Effens onklaar gevang, bly die ouer man staan, vooroorgeleun op sy hande. „Waarom nie, Stephen?" vra hy. „Ek kan jou nog beskerm. Jy weet dit."

„Dis maklik om iemand te vernietig, Ambassadeur," sê Keyter ingetoë. „Dis nie so maklik om mens self te red nie. Maar dis wat ek nou moet doen. Daar is ook ander senior amptenare in Pretoria wat ek goed genoeg ken om hulle te vra om vir my in die bresse te tree. Voor ek nog die verslag opgestel het, het ek hulle in gedagte gehad. Maar ek weet nou wat ek nie tóe geweet het nie : dat ek net met my gewete sal kan saamleef as ek self bereid is om al die gevolge te dra : alleen."

Só praat mens nie, dink die Ambassadeur. Dis alles te goed beredeneer. Dis 'n resitasie wat uit die kop geleer is. Dis mooi. Dis ‚eerbaar'. Dis soos dit hoort. Dis wat daar van hom verwag word om te sê. Maar dis nie *hy* nie. Nie Stephen nie. Maar hy het sy resitasie goed geleer en niemand sal dit uit hom dwing nie.

Keyter kyk na hom asof hy 'n antwoord verwag. Dan draai hy om om terug te gaan deur toe.

„Ek is jammer, Stephen," sê die Ambassadeur agter hom.

„Jammer?" Hy swaai om. „Waarom? Dis nie nodig om edel te probeer wees nie. Daar is niks edels in enigiets wat gebeur het nie.

Dit help nie dat ons mekaar probeer bluf nie. Dit maak dit net moeiliker."

Die Ambassadeur antwoord nie. Nie een van hulle beweeg nie.

„Dis eintlik alles baie, baie klein," sê Keyter dan, stiller, by homself. „'n Bietjie jaloesie. 'n Bietjie ambisie. Nie veel meer nie."

„Só maklik is dit nie, Stephen." Hy weet nie waarom hy dit sê nie. Hy moet net sy magteloosheid teenoor dié stil bitterheid probeer oorkom. „Só maklik diagnoseer mens niks," herhaal hy.

„Nee," sê Keyter. „Dis nie waar nie. Dis hoekom alles verkeerd geloop het. Ons het altwee altyd ‚moeilike' diagnoses gesoek, vir Nicolette ook. Ons het nooit daaraan gedink dat alles dalk juis eenvoudig was nie. So eenvoudig soos liefde en haat."

„Waarom praat jy oor haar?" vra die Ambassadeur moeg, amper verwytend.

„Daar is niks anders om oor te praat nie." Na 'n oomblik sê hy sonder aanleiding en sonder beskuldiging: „Ek het haar 'n paar dae gelede by die ampswoning sien uitkom."

„Sy is weer terug in haar kamer," sê die Ambassadeur.

Hul woorde trek kruislyne oor mekaar, sonder dat daar van vraag-en-antwoord sprake is; asof elk 'n paar reëls uit 'n ander toneelstuk gememoriseer het en dit nou vir mekaar staan en opsê.

„Sy het fluit-fluit by my verbygeloop en gemaak of sy my nie sien nie."

„Sy het 'n paar dae in my huis gebly."

„By die buitedeur het sy gaan staan en lank met Lebon geginnegaap. Ek het hulle hoor lag."

„Sy het gekom net ná Erika weg is."

Toe eers stel Keyter die eerste vraag: „Is sy al in Suid-Afrika, of nog in Londen? – Erika."

„Nee, sy is in Johannesburg. Of was, toe sy haar brief geskryf het. Ek het dit gister gekry. Jy moet haar maar gaan opsoek –" Hy bedwing 'n momentele onrustigheid en sê vinnig: „Sy mag alleen voel. Annette het glo aangedring dat sy haar eie potjie krap. Sy is Kaap toe om 'n woonstel en werk te kry."

„Dit kan haar goed doen."

„Ja." En na 'n oomblik: „Die egskeiding sal ook waarskynlik binnekort afgehandel word."

„Ek het nie geweet –"

„Ons het nie hier daaroor gepraat nie. Sy het dit gister eers geskryf. Dis natuurlik nie onverwags nie."

„Nee. Tog –"

„En sy sal dit swaar vind om weer haar plek – énige plek – in die land te kry. Mens sterf daarvan af as jy so lank wegbly. Sy sal dit waarskynlik waardeer as jy soms daar kom."

Keyter knik. „En die operasie?" vra hy.

„Binnekort." Asof dit bloot uit formele belangstelling is, vra hy: „Het sy jou dan daarvan gesê?"

„Ja." Keyter kyk na die Ambassadeur se weggekeerde gesig en vra sag, amper teësinnig: „Het u geweet dat ek en Erika – ?"

Die Ambassadeur kyk na hom, deur pyn en stilte. „Was dit nodig dat jy dit vir my sê, Stephen."

„Ek kan dit nie langer vir u wegsteek nie."

„Ek verstaan."

„U moenie dink – " Hy praat senuweeagtig. „Daar het nooit iets *gebeur* tussen ons nie. Ons het mekaar net in een stadium nodig gehad." Amper driftig voeg hy by: „Dit laat dit banaal en goedkoop klink om daaroor te praat. Dit wás nie."

„Woorde maak dit altyd banaal. Maar soms – jy was reg – moet dit tóg gesê word. Ons moet leer om ook met banaalheid saam te lewe." Nugterder vra hy: „Het jy onlangs van haar gehoor?"

„Nee. Ek dink sy het my ontwyk vandat sy uit Italië terug is. En ek háár, waarskynlik."

„Oor my."

„Oor alles. Dit sou buitendien nooit kon duur nie. En nou het ek u dít ook aangedoen."

Die Ambassadeur skud net sy kop.

„En ek kon u dit bespaar het, net deur stil te bly. Hoekom wil mens bieg? Hoekom *moet* mens bieg? Hoekom kan mens nie leer om alles self te dra wat daar op jou gelê word nie? Hoekom moet mens daartoe gedwing word om terug te kom na 'n godsdiens, 'n God, net om van jou laste ontslae te raak? Dis vernederend. Dis *onwaardig*. Ek sien nie kans daarvoor nie: en nou laai ek dit op *u* af. En dis nóg onwaardiger. Mens moet groot en vry en sterk kan lewe. Vry van *skuld*. Daar was geen skuld terwyl dit aan die gang was nie. Dis eers nóú daar, noudat ek ontslae probeer raak het van wat gebeur het, omdat ek dit nie langer in myself kon hou nie. Dit was met die verslag net so. Ek het *geglo* dat ek reg doen; en dalk wás dit – totdat ek dit werklik op skrif begin stel het; totdat ek begin *bieg* het. Ek het gesien hoe die ideaal voor my oë 'n peuterwerkie word. Maar dit was te laat om op te hou. Alles het net skielik verander en onnodig ingewikkeld geword. Dit was so helder vantevore."

Amper met 'n glimlag, maar moeg, sê die Ambassadeur: „Jy moes my seun gewees het, Stephen."

Die jong man kyk na hom, verwonderd maar sonder verset.

„Ek weet nie hoe ek jou sou grootgemaak het nie," sê die Ambassadeur. „Maar die Here weet, 'n man het 'n seun nodig. Hy moet met sy klein hand in joune saam met jou stap en sonder ophou vrae vra. Mens moet die wêreld saam met hom nuut leer ken. Jy moet vir hom vlieërs en rekkers maak. Hy moet kaal swem in 'n rietgat en by jou troos en lof kom soek vir die eerste voël wat hy geskiet het. Hy moet vir jou die vis bring wat hy gevang het. En die eerste meisietjie wat sy kop laat draai."

„Dit werk nie so uit nie."

„Nee. Niks werk uit nie. Maar dit moes *kon*." Met iets verskonends sê hy: „Dis ouderdom, sien?"

Stephen draai deur toe. Daar lag hy wrang asof hy iets nou eers ontdek, en sê: „Ek gaan dus terug."

„Wanneer wil jy?"

„Binne 'n dag of twee behoort al die reëlings getref te wees. Niks hou my vas nie. Wérklik niks."

„Jy moet maar sê as ek met iets kan help."

„Goed, Ambassadeur." Sy houding is formeel en geslote.

Die deur gaan toe.

„Mevrou Smit," sê die Ambassadeur net daarna in die telefoon. „Ek wil asseblief nie gesteur word deur oproepe of besoekers nie."

„Maar u het 'n afspraak met die direksiehoof van die wapenfirma – "

„Hy kan vandag met kol. Kotzé praat. Of môre terugkom."

„Ja, Ambassadeur," sê sy aggressief.

Hy leun agteroor teen die hoë rugkant van sy stoel. Daar is stillerige son buite, en die dowwe rumoer van die stad. Rondom hom is die skemerige gang en kantore van die ambassadegebou, vol van die onnaspeurlike gewerskaf van onsigbare mense. Bokant hom, êrens, is Le Roux nou seker besig om deur die dag se koerante te snuffel op soek na enigiets wat vir Suid-Afrika van belang kan wees; tussenin maak hy waarskynlik aantekeninge van pikante gebeure wat hy later in sketse kan verwerk. Verster moet besig wees om statistieke voor te berei vir aanstaande week se handelskonferensie in Brussel, en om te besluit of hy sy seun na 'n Franse skool moet stuur of in Suid-Afrika op kosskool moet plaas. Kolonel Kotzé sit met 'n prysopgawe van Franse spuitvliegtuie. Mademoiselle Hubert sit in die Hellschreiber se kantoor, besig om Le Roux se verslag in verband met 'n kulturele uitruilplan tussen Frankryk en Suid-Afrika oor te tik; met gereelde tussenposes kom sy af na die toilet, hoofsaaklik om seker te maak dat haar nuwe kapsel nog hou. In die kantoor hier langsaan is

Masters besig om sy gegewens in verband met sekere Franse beleidsake ten opsigte van Afrika te sistematiseer; op 'n memorandumvel langs hom lê die vertrek- en aankomstyd van die vliegtuig waarmee Sylvia oor 'n paar dae na London wil reis om somerklere te koop. In die volgende kantoor sit Joubert met 'n Suid-Afrikaanse besoeker en gesels oor sy tuisverlof wat voor die deur staan. Harrington werk aan 'n finansiële staat en verknies hom oor die feit dat hy as gevolg van ondoeltreffende Franse voorbehoedmiddels oor ses maande vader sal wees. In die registrasiekantoor is Anna Smit en haar tiksters en klerke ewigdurend aan die heen en weer beweeg om lêers op te spoor, briewe te tik, gedane werk te kritiseer, die vorige aand se toneelopvoerings te resenseer, en Frankryk ongunstig met Suid-Afrika te vergelyk. Onder in die leeskamer is die bodes besig om elke personeellid se posseëlkoste vir die vorige maand op te tel en hul ondervindings met vroue en mans te vergelyk. In die eerste kelderkantoor is die twee tiksters aan die grimeer vir die etenspouse wat oor 'n driekwartier begin. En anderkant die volgende deur werk Keyter aan visumvorms, of sit en kyk na die telegram deur die rook wat van die lang grys punt vooraan sy sigaret lui opdans boontoe.

En hier sit hy in sy mooi stoel voor die lessenaar met die almanak wat nog steeds op Januarie se datumpatroon oopstaan; in die stil hart van alles wat in die konsentriese sirkels om hom aan die gebeur is; afgesonder daarvan; uitgesonder daarvan; alleen; met die toegevoude reghoek van die waslysie voor hom.

Hy sit en afkyk op die oënskynlike rus van sy hande met die haartjies wat in die vensterlig op sy vingers blink. Hy wend geen poging aan om 'n pen uit die swaar silwer inkstaander te neem en te begin skryf, of een van die lêers op die lessenaar nader te skuif en oop te slaan nie.

Hy bly sit, terwyl die horlosiewysters teen die muur langs hul sirkelbaan om die tydlose en roerlose middelpunt beweeg, totdat die laaste geluide en bewegings van lewe uit die gebou verdwyn het soos water wat uit 'n bad loop. Dan, eenuur, staan hy op, steek die wasgoedlysie in sy binnesak en stap deur die leë gebou uit na die dowwe son op die grys plaveisel van die binneplaas. By die buitedeur staan Lebon en Farnham en klets met 'n verveelde gendarme. Hulle groet toe hy verbykom. Hy knik en steek die breë straat oor in die rigting van die Avenue Wagram waar hy meermale eet. Om hom besig te hou terwyl hy wag, koop hy 'n tydskrif en blaai daardeur. Op een van die laaste bladsye word die week se horoskoop in netjiese kolomme aangebied. Hy wil eers daar verbyblaai, maar talm dan en lees met 'n effense glimlag die voorspellings onder die opskrifte van *Scorpio* en *Leo*. Daar is nie veel ooreenkoms tussen die twee nie. Hy neem sy mes en skeur die bladsy netjies daarmee uit, vou dit op en steek dit in sy binnesak sodat hy dit later aan Nicolette kan gee. Daarna bêre hy die tydskrif op sy skoot, eet, betaal uiteindelik, en keer terug na die ambassade. Hy gaan by die ampswoning se voordeur in en stap op na sy kamer. Daar keer hy Nicolette se bultige wasgoedsak op die bed om en sorteer die inhoud volgens die lysie. Soos hy verwag het, het sy nie alles aangeteken nie, en hy maak die nodige wysigings. Daar is iets melancholies in die bondel verkreukelde wasgoed op die bed. Die goed is blykbaar oor 'n lang ruk opgegaar, want dis klammerig van die hitte wat daagliks in haar klein kombuisie verdamp het; en dit ruik moeg, effens muf, 'n verledetydsgeur. Dis pateties persoonlik. Op 'n onverklaarbare manier het 'n stukkende sandaaltjie en 'n paar opgefrommelde papiertjies ook daartussen beland. Dié haal hy uit. Op die papiertjies is daar net eenvoudige geldsommetjies gekrap; een repie bevat die – onherkenbare – laaste helfte van 'n woord met 'n uitroepteken daaragter. Die Ambassadeur beskou dit nietemin aandagtig voor hy dit weggooi. Uiteindelik pak hy haar wasgoed – onder meer 'n paar lakens uit die ampswoning wat hy haar gegee het – terug in die sak, plaas die lysie bo-in, en gaan gee dit aan een van die bediendes om aan die wassery te besorg.

Hy gebruik die sandaaltjie as 'n verskoning om na die Rue de Condé te gaan. Maar Nicolette is nie tuis nie en na 'n rukkie se besluitelose wag, klim hy terug ondertoe, slenter doelloos na die rivier en staan lank oor die muurtjie en kyk na platboomskuite wat traag onder die brûe deurvaar. Later gaan drink hy koffie in 'n klein kafee. Nog voor sy koppie leeg is, ontdek hy dat hy die stukkende sandaaltjie nie meer by hom het nie. Vermoedelik het dit op die muurtjie langs die rivier agtergebly. Dit ontstel hom onnodig. Sonder om die res van sy koffie te drink, betaal hy by die toonbank en stap haastig terug na die brug waar hy gestaan het. Maar die sandaaltjie is weg. Dalk het dit anderkant afgeval, in die water, en weggedryf of gesink. Dit is asof hy iets waardevols verloor het.

Hy gaan terug na die Rue de Condé, sy hart swaar in hom. Maar sy is nog nie terug nie. Hy slenter na die Boulevard St. Michel en dwaal by 'n rokerige bioskoop in. Dis 'n sentimentele, onoortuigende Amerikaanse prent met 'n amper onhoorbare Franse klankbaan. Ontrou. Trane. Ewigdurende liefde. En eindelik, melodramaties, selfmoord. Byna moedeloos sit hy en kyk, dofweg bewus van verset teen die leuen daarvan. Want so gáán dit nie in die ,lewe' nie, dink hy: hy *weet*. Of sou dit juis waar wees: alles eintlik melodramaties, swak gekonstrueer, vol clichés en onnodige lawaai? En elke anonieme akteurtjie speel in die oortuiging dat hy onontbeerlik is, iets bydra tot 'n onverstaanbare geheel; en vanaand, ná sy kostuum – sy bruilofskleed – uitgetrek is, sit hy sy paar dollar in 'n kroeg en uitsuip, en vloek, en struikel oor 'n los klip in die straat en kry nie die pad huis toe nie.

Voordat die film klaar is, loop hy uit. Hy het hoofpyn. Buite is dit gelukkig koelerig. Hy kies kortpad terug na die Rue de Condé, waar sy dié keer tuis is, met geen spore van haar dag se raaiselagtige tog deur die stad aan haar waarneembaar nie.

Hulle gaan eet; en gesels; maar hy voel vasgekeer in haar kamertjie en ontdek dat hy deurentyd eintlik aan Keyter sit en dink. Vanoggend was alles ook so verward. Hulle moet kans kry om lank en rustig alles uit te praat. Sy kom baie gou agter dat iets hom hinder; maar omdat hy weet dat sy Keyter nie kan verdra nie, en omdat hy haar nie wil ontstel nie, verswyg hy sy sorge. Dit maak haar effens prikkelbaar. En heimlik voel albei verlig toe hy teen elfuur skielik besluit om te loop. Want dit het 'n nood geword om te *praat*. En in die hele stad is daar eintlik net Keyter met wie hy dit kan doen.

Toe hy by die gebou in die Rue Jacques Dulud instap, is hy amper onaangenaam bewus van die algehele afwesigheid van reuke ná Nicolette se woonplek. Die lig val anemies oor die vloer, die bruin trapreling, die smal rooi tapyt.

Op die vierde verdieping klop hy aan Keyter se spierwit deur. Dis doodstil. Daar is ook nie lig in die deurskreef op die vloer nie. Maar hier is daar wel 'n ruik. Hy snuif effens, maar dit bly onbekend. Voor hy omdraai om terug te gaan, klop hy weer, hoewel hy weet dat hy dit nie behoort te doen nie: want as Stephen slaap, is dit beter om hom nie te steur nie. Dis immers amper halftwaalf. Hy bly nog talm en besluit om maar 'n notatjie te laat net ingeval Stephen dalk iewers heen is en later terugkom. Die reuk begin hom nou effens hinder.

Hy het net klaar 'n paar reëls op 'n bladsytjie van sy sakboekie neergeskryf, toe hy mense van onder af hoor aankom. Hy leun oor die reling, maar dis 'n middeljarige Franse egpaar, skynbaar op pad van 'n teater of konsert af, want hulle is in aanddrag. Hy vou die notatjie toe en skryf Stephen se naam daarop. Die deftige heer kom 'n treetjie voor sy pelsgeklede vrou op die vierde verdieping aan en soek na sy sleutel. Skynbaar woon hulle reg oorkant Stephen. Die vrou steek aan die bopunt van die trap vas.

Die lig val mat oor haar gekleurde hare. Sy snuif, en frons.
„Wat makeer?" vra haar man terwyl hy die deur oopsluit en opsystaan.
„Gas," sê sy en bring haar regterhand met 'n groot topaasring na haar neus. „Het jy weer die stoof laat aanbly?"
Die man snuif ook. „Dit kom nie van ons woonstel af nie," sê hy. Hy draai na die Ambassadeur, half afwagtend, half uit die hoogte. „Het u miskien gas in daardie woonstel geruik?" vra hy.
„Ek was nie binne nie," sê die Ambassadeur. „Ek het nou net hier aangekom, maar ek glo nie daar is iemand tuis nie."
„Dié jong mense," sê die vrou skerp. „Natuurlik iewers heen en die gas lek maar. Dink nie aan die bure nie." Sy kom met kort, presiese treetjies nader en snuif delikaat by Stephen se deur. „Ongetwyfeld," sê sy en druk 'n geparfumeerde sakdoek teen haar neus. Sonder om op kommentaar te wag, begin sy hard met haar ring aan die deur klop.
Dis doodstil.
Sy kyk ergerlik na die Ambassadeur. „Wel?" vra sy. „Wat gaan u daaromtrent doen?"
„Niks," antwoord hy koel. „Mnr. Keyter sal wel die kraantjie kom afdraai as hy tuiskom."
„En intussen kan ons enigiets oorkom!"
Haar dominerende houding stuit hom teen die bors. „As u daaroor begaan is, mevrou, kan u gerus self iets aan die saak doen," sê hy. „Goeienaand."
Hy begin met die trap afklim. Halfpad teen die eerste verdieping af, val dit hom by dat hy nog steeds die notatjie in sy hand het. Hy gaan staan. Op daardie oomblik kry hy die heel eerste keer die gek, ontstellende gedagte: en as Stephen *nie* uit is nie? Dis die middag se melodramatiese rolprent wat hom sulke buitensporige dinge laat dink. Maar hoe gegrond of ongegrond dit ook al mag wees: hy sal nou eers moet uitvind wat werklik aan die gang is.
Daarom kyk hy oor sy skouer terug na die vrou wat nou besig is om met haar man te redekawel. „Ek sal die concierge vra om te kom oopsluit, mevrou," sê hy kalm.
Die concierge se glasdeur is al donker toe hy aanklop. Hy hoor 'n bed kraak en na 'n hele ruk gaan die deur 'n entjie oop. „Wat is dit?" vra 'n vrou nukkerig. Sy het 'n dik bruin winterjas boor haar nagrok aan en haar hare is in krulpenne ingedraai.
„Dit spyt my om u te pla, mevrou, maar daar is gas aan die lek op die vierde verdieping en dit lyk asof daar niemand tuis is nie."

„*Merde!*" vloek sy onbeskaamd. Dan knoop sy die jas brom-brom toe en kom by haar deur uit. Haar oë is klein en agterdogtig. „As jy my verniet laat opstaan het – "

Sy klim blaas-blaas voor hom uit en brom by elke verdieping iets oor haar hart. Hy volg bedaard. Bo gee dit 'n hele redenasie met die middeljarige egpaar af. Daar word geruik, oorverdowend aan Keyter se deur gehamer, en boosaardig geskree op inwoners op die derde verdieping wat van die lawaai wakker geword het en taamlik onbeskof wil weet wat aangaan.

„Wel, *doen* dan iets!" hou die deftige vrou aan met sê.

„Wat kan ek doen?" antwoord die concierge skel. „Ek het g'n sleutel vir die deur nie. *Merde!*"

„Moet ons dan almal in ons beddens vergas word vannag?"

„Dit sal nie 'n slegte ding wees as *sekere* mense vergas wil word nie. *Merde!*"

Die deftige vrou takel nou weer haar man: „Gaan jy toelaat dat ek so beledig word?"

'n Paar ander inwoners kom ook boontoe, en begin aan die gesprek deelneem. Van die concierge is daar op die duur net die krulpenne sigbaar; en reëlmatige *merde's* tussen die stemme deur bewys dat sy onverpoos aan die gesprek deelneem.

„Sou dit nie beter wees om maar die brandweer te bel nie?" doen die Ambassadeur eindelik met beheerste ongeduld aan die hand.

Dit lei tot 'n nuwe redenasie oor wie se plig dit eintlik is om te bel; en of dit inderdaad die brandweer is wat in kennis gestel moet word, of die polisie. Maar uiteindelik druk die concierge vir haar 'n pad tussen die ander oop en begin vinnig met die trap afdraf ondertoe. Haar jas flapper los om haar knieë en haar skrikwekkende kop dobber al verder van hulle weg. Die Ambassadeur gaan tydsaam agterna. Onder in die portaal bly hy wag, en luister na die concierge wat onnodig hard oor die telefoon praat met iemand wat skynbaar nie baie geneë voel om te reageer nie.

Uiteindelik kom sy weer uit, sien hom voor die deur staan, druk haar kraag met een hand onder haar keel vas en mompel opnuut haar geliefkoosde woord. „Wat het jy ook dié tyd van die nag daarbo gaan soek?" vra sy, asof dit sy skuld is.

Hy antwoord nie.

Die deurknip gons en nog 'n paar teatergangers kom van buite af in, knip hulle oë in die lig, kyk effens verbaas na die concierge, groet, en stap verby. Maar sy keer hulle by die trap voor en begin ongevraag die hele storie vertel, met beskuldigende medusablikke in die Ambassadeur se rigting. „Party mense dink dis maklik om 'n concierge te wees. Maar ek is niemand se vuilgoed nie. *Merde!* Wanneer kom daardie brandweer?"

Kort daarna hoor hulle dit almal: die balkgeluid van die brandweerwa wat van ver af naderkom tot dit met 'n laaste luidrugtige gegalm buite in die straat stilhou. Op die tweede verdieping gaan 'n deur oop en iemand leun skrikkerig oor die reling. Intussen het die concierge reeds die voordeur gaan oopmaak, en met 'n waardigheid wat beswaarlik by haar voorkoms pas, wag sy die twee brandweermanne in.

„Bo," sê sy dadelik. „Op die vierde." En ongenooid dring sy tussen hulle in en klim oorhaastig saam boontoe. Van onder af kan hulle hoor hoe haar skerp stem die paar nuuskieriges aansê om pad te gee. Die twee wat so-ewe by die voordeur ingekom het, haal hulle skouers vir mekaar op en gaan ook kyk. Die Ambassadeur volg.

Die deur word gou oopgesluit en oopgestoot. Een van die twee brandweermanne draai dadelik om na die mense en beduie hulle om weg te staan. 'n Verstikkende gaswalm kom van binne af. Met hul gesigte in hul moue beskut, verdwyn die twee na binne. 'n Lig word aangeskakel. Byna onmiddellik kom een weer terug. Hy lyk bleek.

„Bel onmiddellik 'n dokter," sê hy. „En die polisie. Daar is iemand daarbinne."

'n Oomblik staan almal verslae. Die concierge gee 'n uitroep en begin dan histeries huil. Die middeljarige man van die woonstel regoor Stephen s'n, neem haar by sy voordeur in. Die ander begin vorentoe stoot. Die brandweerman gaan weer by die woonstel in. 'n Oomblik later kom albei saam uit. Hulle dra iemand tussen hulle. Die mense drom saam.

„Gee pad!" roep die een brandweerman woedend en stamp die naaste man met sy elmboog weg. Hulle dra die liggaam vinnig by die oorkantse deur in. Die Ambassadeur kom haastig agterna.

„Bly hier uit!" snou een van die twee hom toe en probeer die deur toeklap.

Die Ambassadeur verduidelik in 'n paar woorde die saak. Die brandweerman lyk nog agterdogtig, maar laat hom nietemin verbykom. Agter hom word die deur oorhaastig toegedruk. Die deftige vrou het reeds die polisie geskakel. Effens verward probeer sy nou by haar man uitvind watter dokter sy moet bel. Sonder om verlof te vra, neem die Ambassadeur self die telefoon uit haar hand en skakel die nommer van die geneesheer wat gewoonlik deur die ambassadepersoneel geraadpleeg word. Terwyl die vrou hom boos iets toesnou, verduidelik hy saaklik aan die dokter wat gebeur het.

Die brandweermanne is reeds besig om kunsmatige asemhaling toe te pas. Die concierge sit met wydgesperde oë op 'n Napoleon III-stoel, met agt vingerpunte in haar mond, terwyl sy beurtelings *„Mon Dieu!"* en *„Merde!"* prewel en met gereelde tussenposes een hand vinnig uithaal om 'n kruis te slaan.

„En dit in ons woonstel!" sê die deftige vrou eenkeer en kyk hatig na die Ambassadeur.

Haar man begin haar paai, maar sy kef boos in sy rigting. Daarop begin hy hande-agter-die-rug heen en weer in die sitkamer loop.

Tien minute later, terwyl die twee brandweermanne op die dik Persiese tapyt nog onverpoos besig is om kunsmatige asemhaling toe te pas, klop die dokter aan die deur. Die Ambassadeur gaan oopmaak.

Die ure daarná sou hy daarna eintlik net as 'n menigte deurmekaar indrukke onthou. Die polisie. Die rit agter in die ambulans na die groot Amerikaanse hospitaal aan die Boulevard Victor Hugo. Die stap in 'n steriele gang, onbewus van enige tyd. Die dokter, uiteindelik, moeg en saaklik: „Dit spyt my, U Eksellensie. Daar was niks wat ons kon doen nie." Die rit – saam met die dokter of per taxi? – deur nagtelike strate met robots wat eentonig geel aan-en-af flits, na Masters se woonstel aan die Avenue Malesherbes. Sylvia se ou gesig sonder grimering, wat afsigtelik vertrek as sy huil: „Oh, I've always known something awful was going to happen – !" Douglas Masters se blougestreepte nagklere met die boonste knoop af, sodat sy wit, haarlose bors sigbaar is. Die gelerige lig êrens in 'n *mairie* by 'n arrogante, lui polisieman wat oorreed moet word om die besonderhede vir die pers te verswyg. Masters wat hom voor die ambassade aflaai, met die grys oggendskemer reeds bokant die geboue sigbaar, en iets probeer sê, maar hom weer bedink. Die koue môreluggie daar op die sypaadjie onder die kastaiingbome wat skeletagtig en nog byna blaarloos teen die leë lug staan. Die gedagte: „Hy dink dat ék eintlik hiervoor verantwoordelik is – " Die gewaarwording van sweet wat yskoud op sy voorkop word. En toe hy sy hand in sy sak steek om 'n sakdoek te soek: die verfomfaaide tydskrifbladsy met die sterrevoorspelling, wat hy vergeet het om aan Nicolette te gee. (*Groot sukses vandeesweek op alle gebiede. Gebruik jou kanse. Die lewe lag jou toe.*)

Hy het met 'n kort, kwaai gebaar die bladsy in sy hand verfrommel en dit in die straat neergegooi. Toe het hy omgedraai na die swaar, lugubere ingang van die ambassade en Lebon se knoppie gedruk om binnegelaat te word.

2

Nadat Gillian alles in my afgebreek het – oortuiging van moraliteit en konvensie, geloof aan volk en godsdiens en maatskaplike instellinge en 'n bestaan waaruit alle verrassings sorgvuldig weggeweer was – het daar uiteindelik net één ding oorgebly: die lewe sélf. By dié klein, onontbeerlike feit, het ek gedink, sou selfs sy nie verbykom nie. Maar ook dié laaste sprong het sy gewaag, net so roekeloos soos al die voriges.

Of was dit – die eerste keer altans – net 'n gevaarlike uitdaagspeletjie, in die oortuiging dat dit nie enduit gevoer sou word nie? Ek weet nie. Ek onthou dat die aanleiding onbenullig was: 'n rusie wat begin het toe sy tydens 'n konsert hardop gesit en praat het en ek my vererg en haar stilgemaak het; sy het woedend opgestaan en uitgeloop; ek agterna. In die groot, leë foyer het ek haar probeer keer, maar sy het haar boos losgeruk. Buite op die breë trap in die halfdonker het sy begin uitvaar en skel en verwyt terwyl ek vergeefs probeer om haar tot bedaring te bring. Eindelik het sy geskree: „Hoekom mag ek nie praat as ek wil nie? Is jy skaam vir my? Maar hoekom mag ek dan nie *ek* wees nie? Niemand laat my ooit met rus nie. Ek is sat vir jou en jou soet gewoontetjies. Ek is sat vir alles!" En melodramaties agterna: „Ek wil dood wees. Ek gaan myself doodmaak!"

„Moenie kinderagtig wees nie, Gillian!"

„Jy glo my nie!" het sy geantwoord. „Ek sal jou wys – !" En daarmee het sy gevlug.

Ek het gedink: Loop in jou malle verstand! Maar na 'n ruk het ek tog onrustig begin voel. Ek het geweet hoe maklik sy in 'n onnadenkende oomblik iets roekeloos sou kon aanvang. Sy het klaar alles uitgedaag wat my soort lewe vir haar verteenwoordig het; sy kon dit maklik in haar kop kry om die lewe sélf uit te daag.

Dit was laat, ná middernag, toe ek by haar losieshuiskamer aangekom het. Daar was lig binne en die deur was op 'n skrefie oop.

Ek het geroep: „Gillian!" Maar sy het nie geantwoord nie.

Ek het die deur oopgestoot en ingegaan. Sy het skuins oor die bed gelê en slaap, nog steeds in haar aandklere. Iets in haar houding het my skielik laat skrik. Dit wás nie maar 'n gewone slaap nie. Ek het vinnig nader gegaan. Half onder haar skouer het ek die leë pilbotteltjie gekry. Ek het haar naam geroep, haar probeer oplig, haar wange met my plathand geklap om haar wakker te maak. Sy het skaars gekreun, en bly slaap. Sonder om langer te wag, het ek uitgehardloop na die telefoon in die losieshuis se voorportaal.

Daar was 'n uur van benoudheid. Toe het die dokter gesê: „Ek dink die gevaar is verby. Ons was gelukkig betyds."

Ek het die nag langs haar bed bly sit en kyk terwyl sy diep en bleek lê en slaap.

Die volgende dag het ek gevra: „Waarom het jy dit gedoen, Gillian? Besef jy nie wat kon gebeur het nie?"

Sy het net geantwoord: „Ek het mos geweet jy sou kom." En of sy gespot of dit werklik bedoel het, het ek nooit uitgevind nie.

Dit was die eerste keer, en dit was sonder nadraai. Maar miskien het ek tóe al vermoed dat dit eintlik net 'n waarskuwing, 'n voorbereiding was. En toe ek maande later in Arles die brief kry met die terloopse verwysing na haar dood, het ek eenvoudig geweet: dit was onvermydelik, en dit het gebeur. Ek het nooit uitgevind hoe dit presies plaasgevind het nie: of dit 'n ongeluk was; of siekte; en of sy tóg haar lewe geneem het nie. Skynbaar het niemand haar die laaste ruk geken nie. Sy het toe in Durban gewoon, tussen vreemdes.

Ek onthou net dat ek die eerste dag van my terug-wees in Suid-Afrika met die bus uit die stad uitgery het tot waar mens die klein bussie van die Stellawoodbegraafplaas kry. Dit was vol; en almal het blomme gehad. Ek nie. By die opsigtershuisie buitekant die hek moes ek 'n halfuur lank naslaan en almal om my ongeduldig maak, want ek het oor so bloedmin besonderhede beskik. Uiteindelik het ek die grafnommer opgespoor, en met 'n skok ontdek dat sy al drie maande vóór ek die tyding gekry het, begrawe is.

'n Aanstootlik joviale bestuurder het ons tussen die blokke grafte deur geneem. Hare was heel bo op die heuwel, van waar mens kon afkyk op die inham van die groen en grys see. Daar was 'n swiepende, rukkende, waaiende wind. 'n Paar seevoëls het kroeserig hoog oor die stad gekantel en geskree.

Daar was geen grafsteen nie, net die nommer wat ek by die kantoortjie gekry het. En hoe kon ek weet dat sy werklik daar lê. Juis *sy?* Ek het net 'n slordige inskripsie in 'n amptelike boek en 'n nommer gehad om te glo. Hoe kon ek selfs weet dat sy werklik dood was? Alles wat sy gedoen het, was eintlik 'n uitdaging aan die lewe; 'n lewe in 'n ander dimensie. En as sy ‚doodgegaan' het om die lewe uit te daag, dan kon sy nie dood *wees* nie: êrens sou sy wel nog, soos tevore, bestaan. Nie in 'n hemel of hel nie: ook dít sou vir haar te veel deel vorm van die gewone bestel. Maar êrens in 'n suiwerder soort lewe waarin sy nou nie meer nodig gehad het om die beperkings van sterflikheid en tradisie te gehoorsaam bloot ter wille van ons gewone dimensies nie. Dít was weinig troos. Waar sy ook al was, sy was nie meer ,hier' nie; en daarmee het sy tóg ons soort lewe ontken, dit waardeloos laat lê soos 'n slang met sy vervelsel maak; dit oorgelaat aan ander, mense soos ék, wat tevrede sou wees daarmee. Dit was die eerste keer in my lewe dat ek werklik voor *dood* te stane gekom het; die nugter feit van nie-wees-nie. Ek kon my nie eens daarteen verset nie. Ek kon, bowenal, niks doen om te probeer ,verstaan' nie. Ek moes eenvoudig aanleer om my tevrede te stel met juis dié bestaan wat sy my leer verwerp het. Dalk was dit waardeloos; maar dit was al wat ek gehad het. Dit: en die onthou van haar. Maar die herinnering het ek leer weghou. En dis eers nóú, hierdie ruk, dat ek goed weet: dit was tóg nooit heeltemal van my weg nie. Dit was altyd daar, wagtend, 'n raaisel wat opgelos moes word, iets wat gevind moes word.

3

Die tweede telegram, dié een in kodevorm, het op die oggend van Dinsdag 9 April op die Ambassadeur se stinkhoutlessenaar beland.

4

Sy het so pas gebad en was besig om tande te borsel toe ek daar aankom. Sy het net gou die deur kom oopmaak en toe voortgegaan; met haar voete in die skotteltjie lou water, haar gladde lyf en arms en lang bene nog vol klein druppeltjies wat skitter in die lig van die kombuis se kaal gloeilampie, met wit tandepastaskuim om haar lippe, terwyl haar regterarm heen en weer en op en af beweeg en sy 'n reeks onaardse geluide maak. Ek het op 'n regop stoeltjie langs die gasstofie gaan sit en wag. Gesels was buite die kwessie. Selfs as sy my sou hoor – wat met die lawaai onwaarskynlik was – sou sy haar nie daaraan steur nie. Daarvoor was sy te verdiep in haar taak. Dit het 'n hele paar minute aangehou. (Ek kan geleenthede onthou toe sy vyftien of twintig minute lank haar tande geborsel het, ter wille van die louter genot daarvan.) Toe het sy haar mond uitgespoel, luidrugtig gegorrel, die tandeborsel onder die kraan gewas en haar gesig met 'n warreling van handdoekbewegings begin afdroog.

Eindelik het haar twee groen oë deur haar los hare oor 'n rand van die klam handdoek na my geloer, en sy het gelag en gesê: „Hallo!"

„Ek het jou wasgoed teruggebring." Ek het beduie na die sak wat sy my 'n week gelede gegee het.

„Dankie. Pak vir my die goed in die kas. Ek kom nou."

Ek het na die gesellige wanorde van die slaapkamertjie gegaan, die wasgoedsak leeggemaak en die anonieme, steriele, skoon stapeltjie goed so netjies as moontlik tussen die warboel in die kas gebêre.

„Waar gaan ons heen?" het sy na 'n rukkie geroep en ingedans gekom, die nat handdoek op die bed neergegooi en na klere begin soek.

By die onthou van 'n ander, soortgelyke aand wat taamlik makaber verloop het, het ek gevra: „Móét ons êrens heen gaan?"

„Ja." Sy worstel met haar kop in 'n trui. „Dis vanaand heerlik buite."

„Nie weer na 'n *cave* toe nie."

„Nee," lag sy. „Nee, vanaand gaan ons *lig* soek. Sommer rondloop, óral waar daar lig is."

„Die Champs-Élysées?"

„Ja. Ons kan bó begin." Sy trek 'n ritssluiter toe. „By die Amerikaanse Drugstore." Sy babbel en trek aan, kam haar hare, grimeer haar oë en begin eindelik die een paar skoene na die ander aanpas.

„Ek het vir jou geld gebring," sê ek en lê die note wat ek vroegtydig opsygesit het, op die tafel neer.

„Alles vir my?" vra sy verwonderd. „Hoekom?"

„Sommer. Jy't dit nodiger as ek."

Met een skoen in die hand hink sy nader en soen my. Ek glimlag vir haar laggende oë, maar effens gedwonge, omdat ek weet waarom ek eintlik die geld gebring het, waarvoor ek eintlik probeer kompenseer, wat dit is wat ek eintlik graag sou wou hê –

„Kom." Sy wip eindelik voor my uit deur toe.

Buitekant die vermoeide ou gebou is die aand jonk en lenterig koel. Ligte lae wolke weerkaats die stadslig terug sodat alles amper fosforessent in die skemer glim. Ons ry met 'n taxi teen die Seine af na die Pont Alexandre III. Die Louvre, die Place de la Concorde, die Madeleine oorkant, die parlementsgebou duskant, die Invalides, die brug – alles is met skynwerpers verlig; en plesierbote vaar met húl ligte in die Seine; die Eiffeltoring gooi sy soekstrepe teen die wolke op; en in die strate, nat van die middag se reënbui, weerkaats alles flakkerig, verblindend, fantasties: die hele stad is 'n karnaval, bowe-aards mooi. Die Avenue Alexandre III bring ons in die Champs-Élysées met die stroom motorligte wat bo van die Arc af aankom, glad en fluïed by ons verby. Dis of ons self substansie verloor en begin vloei, deel van die een groot vloed om ons, een en al beweging, een en al straling, opgeneem in lig. En van die sypaadjies is daar musiek: hier 'n paar straatmusikante, daar 'n paar jolige studente, of 'n boemelaar met 'n vrolike fluit, een keer 'n hele bus vol singende kinders op toer, klavier- of orkesmusiek uit al die kafees en die wydoop vensters bó. Sy sit met haar kop uitgeleun by die motorvenster, haar hare los in die wind, haar oë wydoop om die lig eenvoudig in haar te laat instraal. Eenkeer kyk sy effens om, knipper haar oë, lag. Die ligte rondom weerkaats in klein prikkies in haar oë.

„Dit verblind mens as jy so lank kyk," sê sy. „Dis asof jy in die son gekyk het. Nou sien ek orals spikkels!" En dan draai sy haar kop terug en staar voort; en ek na háár, so lig, so jonk naas my swaar jare: 'n klein Beatrice.

Heel bo teen die plein klim ons uit, steek die skynbaar eindelose ligstraat voor 'n opgedamde wal motors oor en begin aan die oorkant afslenter in die rigting van die Drugstore. Voor 'n verligte venster staan 'n bedelaar in 'n motgevrete ou manel met 'n viool, besig om soet, nostalgiese wysies uit te kla. Maar hy verander skielik van toon toe 'n non van onder af verbykom (ek merk dit die eerste aan die horinkies wat Nicolette se hand langs my maak). Hy slaan oor na *Ave Maria,* sy ogies skalks in sy geplooide stoppelgesig. Die non kom effens verontwaardig verby. Maar Nicolette steek vas en dring aan dat ek hom iets gee. En toe ons aanstap, neurie sy saggies langs my met die yl klanke saam:

„*Sancta Maria, Mater Dei, ora pro nobis peccatoribus nunc et in hora mortis nostrae* –" Maar dit bly lig, sonder die melancholie wat ek al soms in haar gewaar het. En dit hou vanself op toe sy voor die Drugstore vassteek en boontoe beduie en sê: „Kyk, die maan is uit!"

Net 'n minuut glim dit tussen die wolke. Dan kaats die lig weer silwerig van 'n egalige dak terug, en ek stoot die glasdeur oop en ons stap tussen die helder neons in. Die plek sit volgepak, maar ons kry tog sitplek en bestel – op haar voorstel – enorme méringues met room en roomys. Om ons is daar chroom, en harde jazz, en 'n menigte mense. En ek verbaas my opnuut daaroor hoe ek gelukkig kan wees net omdat sý dit is, selfs in 'n omgewing waar ek andersins kriewelrig sou gevoel het.

„Dink jy dit was verkeerd van die ou vioolman om *Ave Maria* te speel?" vra sy onverwags, met wit krummeltjies aan haar lippe.

„Verkeerd of nie, hy't die fooitjie gekry wat hy wou hê. Dis seker al wat vir hom belangrik is."

„Ek hoop nie hy word gestraf daarvoor nie." Sy knyp haar oë 'n oomblik toe oor 'n happie roomys. „Dink jy dis waar – *regtig* waar – dat mens ná jou dood weer lewendig word?"

„Dis moontlik." Dit klink alles nou so óórmaklik, kinderagtig naïef; en tog *was* dit juis op daardie oomblik maklik om alles wat normaalweg eindeloos ingewikkeld was, eensklaps helder voor jou te sien. Ek kon glo wat ek nooit meer kón glo nie: dat dit skaars ter sake was of daar iets soos 'n objektiewe, onontkenbare lewehierná, of God, of iets-meer-as-mens was of nie; dat dit eenvoudig daarvan afgehang het of jy dit kon *glo,* omdat dit die skeppende glo-daad self is wat belangrik is. En vir daardie rukkie hét ek dit geglo, eenvoudig omdat ek bereid was om *enigiets* te glo terwyl sy daar by my was, in dié pralerige omgewing met sy onnodig baie lig.

Sy was voor my klaar, maar ek was in elk geval nie lus vir al die soetgoed nie; ek wou haar ook nie laat wag nie, want sy was haastig om die aand se wonderlike ontdekkingstog voort te sit.

Ons het weer die Champs-Élysées oorgesteek, dié keer omdat sy na die winkelvensters wou kyk; en so is ons tydsaam verder tot by die ingang tot die Lido. Ons het nie afgegaan na die nagklub self nie – dit was buitendien gans te vroeg – maar net 'n draai deur die binneste arkade van die gebou gemaak om verby die duur winkelvensters te kom wat daar 'n sirkel rondom die sentrale kafee vorm. Ek het gekyk na die juwele en die klere waarna sy telkens gewys het; maar my oë was meer op háár as op die vensters. Waarskynlik was dit die helle kunsmatige lig wat haar soveel anders as gewoonlik laat lyk het: 'n amper bo-menslike soort mooi terwyl sy verruk staar na die kosbare en subtiele dinge wat almal daarop ingestel is om die vrou onweerstaanbaar te maak. Maar dit was nog net ons eerste paar tree deur dié Venuswêreldjie. Daarvandaan is ons verder af in die rigting van die Rond-Point, en links op in die Rue du Colisée waar die gigolo's en lok-voëls met hul smal heupe en gemanikuurde hande en lang sigarethouers op die hoeke staan; verby 'n nagklub met die prikkelfoto's van beeldskone artieste by die deur – ‚meisies' wat in die proses van striptease skokkend tot mans metamorfeer; maar ewe seer deel van die stad se nimmereindigende wondere as alles wat ons saam en apart reeds belewe het.

Nicolette se enigste – lakoniese – kommentaar was: „Engele is ook mos so. Wat is dan daarmee verkeerd?"

Ons het deurgestap na die Rue du Faubourg St. Honoré, want sy wou 'n bus haal om by die Opéra te kom. Op die plein het ons afgeklim. Eers moes ons na die metro in die middel, om na die skouspel van die konsentriese ligsirkels om ons te kyk; daarvandaan is ons heeltemal óm die operagebou – met onverwagte, verrassende koor- of orkesflardes van binne af hoorbaar – en weer terug na die helder plein. Ek het effens moeg begin voel en vir die eerste keer gedink aan Stephen; aan wat ses nagte gelede gebeur het. Sy weet nog nie eens daarvan nie want ek wou haar nie met die nuus ontstel nie. Ek het geweet die blote tyding sou haar skok, selfs al het sy hom verfoei. En dié dae was te kosbaar, te min, te breekbaar, vir enige risiko.

Ek het gedink aan al die koorsagtige bedrywigheid wat so pas agter die rug was. Soveel dinge moes gereël word voor die lyk na Suid-Afrika teruggestuur kon word. Toe was daar die wag. Want ek het geweet die Minister se hoofoorweging met sy terugverplasing sou wees om hom persoonlik te ondervra voor hy verder optree. En nou –

Maar ek móés nie daaraan dink nie. Ek moes, veral, nie Stephen se naam oproep nie.

Sy het my hand geneem sodat ons kon verder gaan. Ek het na haar gekyk, teruggeglimlag, en die vertroebeling voel wegsyfer. Wat het alles saak gemaak terwyl ons nog hier deur die ligte stad kon swerf? Dit sou eindig. Dit moes. Maar nou was alles nog kosbaar by my.

Voor die Italiaanse reisagentskap het ons gaan staan om na die kleurvolle plakkate te kyk. Daar was 'n ontsaglike, vorstelike arend om Rome te adverteer. Rome – My gedagte wou weer dwaal, maar sy was by my; en ek het na haar bly kyk, dringend, en gesien hoe al die ligte van die omgewing in haar mooi oë weerkaats, en toe het ék die woorde gedink wat sy vroeër so ligweg geneurie het: *„Ora pro nobis peccatoribus, nunc et in hora mortis nostrae –"*

Ons het voortgedwaal, van ligkol na ligkol, venster na venster, plakkaat na plakkaat.

„Dis alles so mooi," het sy eenkeer gesug. „O, ek moet gaan reis, óral heen, net reis en reis en nooit ophou nie –"

Ek het maar geluister. En gedink: Sy is nou selfs mooier as vroeër vanaand. Maar omdat ek moeër begin word het, het ek ook al meer bewus geraak daarvan dat ons weldra sou moes teruggaan; dit was 'n predestinasie waarin ek sou moes berus.

Ons het weer koeldrank gedrink by 'n sypadkafee, gerus, gesit en staar na almal wat onder die stralende naglig verbykom. Toe ons daarná onder in die metro kom, was dit amper soos 'n tydelike blindheid ná al die lig. Tog was dit welkom. Die trein was leërig en ons kon sit, kwalik bewus van ou manne met oopgesperde koerante soos groot sensasionele motte; en werkers in blou oorpakke, met sinlike oë.

By die Cité-stasie wou sy uitklim, sonder om te sê waarom. Maar ek het weldra geweet, want toe ons om die hoek van die polisiehoofkwartier kom, het Notre-Dame verlig voor ons gestaan, amper swewend teen die duisternis. En van die brug af het die katedraal byna rimpelloos onder in die water weerkaats, skoner as wat ek dit nog ooit tevore gesien het, 'n ligryke kroon op 'n aand van lig. Sy was ook stiller langs my, asof haar vreugde die hele aand ál innerliker geword en nou net soos 'n rustige kersie in haar gebrand het.

„M'sieur-dame – ?"

'n Verknotte ou vroutjie met 'n mandjie blomme het iewers uit die nag voor ons verskyn. Nicolette het niks gesê nie. Dit was vreemd, want gewoonlik het sy my altyd aangepor om iets te koop. Sy het net gestaan en wag, amper met piëteit, asof vra in ieder geval oorbodig was. Ek het die ou vroutjie 'n noot gegee, maar net een roos daarvoor geneem: 'n witte, amper nog knop, met baie sagte blare. Ek het dit vir my klein gids gegee, en toe het sy op haar tone voor my kom staan en my gesoen. Die ou vroutjie was al weer weg. En ons het die laaste skof na haar kamer begin stap.

Daar het sy die roos in 'n glas water gesit en 'n plekkie op haar tafel daarvoor ingeruim. Terwyl sy daarmee besig was, het sy terloops deur die venster gekyk en half oor haar skouer gesê: „Het jy geweet die mense in die kamer oorkant – "

„Nee." Ek het na haar toe gekom en my hande op haar skouers gelê. „Vergeet van hulle. Hulle is nie nou belangrik nie. Niks is nou belangrik nie. Net jy. Net ons."

Sy het amper vroom geknik en nie teëgestribbel toe ek tydsaam haar trui losknoop nie. Ek het haar omgedraai sodat sy met haar rug teen my kon leun.

„Onthou jy: eenkeer, nog vóór die eerste keer, het jy gesê – "

„Ek onthou."

Sy het geluister na my hande. Sy het saam met my na die virginale klein bedjie gekom. Ons het weer saam 'n reis afgelê, deur 'n nuwe klein sonnestelsel, die óu reis, maar 'n ander reis, sonder haas, vol ontdekkinge en skoonheid, eensaamheid en troos, wanhoop en geloof, net sy en ek, net ons, met ons enkele skaduwee teen die muur. En eindelik, baie lank daarná – maar die tyd het nie saak gemaak nie – het ek gesê:

„Jy moet my glo. Ek het jou lief."

„Ja," het sy gesê. Net: „Ja."

Dit was eers al. Maar ook die res, het ek geweet, sou ek moes sê. En ek moes dit so nugter as moontlik doen. Net: „Die telegram het toe gekom."

„Watter telegram?" Sy het strakker teen my gelê, nie meer so sag en loom nie.

„Die kommissie kom oormôre. Of: môre, want dis al amper oggend."
Sy het nie geantwoord nie.
„Dis nie nodig dat dit enige verskil maak nie, Nicolette."
Haar gesig het beweeg, maar of sy geknik of haar kop geskud het, het ek nie geweet nie.
„Wat ook al gebeur, óns bly dieselfde. Dit maak vir jou tog nie saak wat oor my werk besluit word nie."
„Dis nog voor Pase," sê sy eindelik.
„'n Dag voor Pase, ja. Waarom? Wat maak dít?"
„Niks. Ek het maar net gedink."
Ek het stil bly lê, en gewag dat sy meer moes sê, of iets moes verduidelik, maar dit was al. Ek sou haar skouers séér tussen my hande wou vasvat om haar te *dwing* om te glo dat niks aan ons verskil kon maak nie. Maar dit was soos Kersmôre by die Mis, toe sy êrens in 'n ruimte in beweeg het waar ek nie kon agterna nie. Ek kon net by haar lê en hoop dat dít sou duur. Maar sy was nie meer rustig nie en ek moes haar toelaat om op te staan en die lig af te skakel. Want dit was nie meer nodig nie; die vroeë daglig het al deur die venster ingekom, gryserig en pril.
Sy het teruggekom en weer kom lê; maar ons het nie geslaap nie. Eindelik het ek opgestaan en aangetrek. Sy het bly lê.
By die deur het ek gesê: „Ek sal weer vanaand kom."
Sy het geknik.
„Vroeg."
„Goed."
En toe is ek uit. Die concierge se vrou was op die onderste verdieping besig om die trap te skrop en sy het binnensmonds gevloek toe sy moes opsystaan om my te laat verbykom. Buite op die sypaadjie het die rye vullisblikke al gelate gestaan en wag op die munisipale vragmotors.

5

Dit was amper soos tevore: die manier waarop die Ambassadeur die Woensdag sy werk op kantoor verrig het. Nie dat hy ooit alles sou kon afhandel wat hy die afgelope weke en langer laat ophoop het nie, maar dít was ook nie so belangrik nie. Hy wou eenvoudig iets doen sodat die dag se bedrywigheid hom kon verhinder om al die onnodige dinge, wat lankal uitgepluis en deurgedink was, wéér oor te dink. Die enigste verskil van sy gewone manier van werk, was miskien dat hy dit in strenge afsondering gedoen het sonder om 'n enkele keer een van die sekretarisse, 'n bode, of Anna Smit te ontbied.

Die vorige oggend se telegram het alleen die onontbeerlikste informasie verskaf en hom nie eens ingelig omtrent die lede van die kommissie van ondersoek nie. Maar laat die middag is hy in kennis gestel dat hy die aand agtuur 'n oproep uit Londen sou ontvang. Dit in sigself was 'n leidraad. Hy sou verkies het dat sy kollega hom tydens kantoorure bel, maar die oproep was waarskynlik doelbewus vir die aand bespreek om te verseker dat dit heeltemal vertroulik kon geskied. Daarin moet hy berus. Agtuur was in elk geval nog vroeg genoeg om hom die aand vry te laat.

Maar daar het 'n onvoorsiene vertraging met die deurskakeling van die oproep gekom, en nadat hy en sy kollega uiteindelik formeel ooreengekom het omtrent die aankomstyd op Orly die volgende oggend, is dit heelwat later as wat die Ambassadeur verwag het. Ook die metro is traag, met lang pouses tussen die treine, en hy verwens homself dat hy nie met 'n taxi gekom het nie.

Toe hy eindelik effens moeg van té vinnig klim aan haar grys deur klop, is dit stil binne. Hy klop weer, en roep haar naam, en wag; maar daar is geen beduidenis van geluid nie. Dit ontstem hom. Sy sou tog gewag het. Sy het geweet hy sou kom. En dis tog onmoontlik dat enigiets kon gebeur het. Hy klop weer, hoewel hy nou wéét dat sy nie tuis is nie.

Dan gaan hy opnuut met die trap af. Hy skakel nie eens die traplig aan wat lankal weer dood is nie. Teen dié tyd ken hy die pad. Hy loop by die voordeur uit, en stap na die oorkantse sypaadjie van die Rue de l'Odéon net om seker te maak dat daar geen lig in haar venster is nie. 'n Hele ruk bly hy daar staan, steek 'n sigaret aan, wag, kyk telkens boontoe, rook, wag. Die venster bly donker. Hy dwing nog steeds alle gedagtes weg. Sy is waarskynlik net vlugtig iewers heen, miskien om te gaan kos koop, of 'n tydskrif, of iets om te drink. Uiteindelik trap hy sy uitgerookte sigaret sorgvuldig dood en begin terugstap na die Carrefour de l'Odéon. Hy oorweeg dit om terug te klim na haar kamer, maar besluit daarteen en kies liewer die Rue de l'Ecole de Médicine na 'n bistrot waar hulle soms iets gaan drink het. Sy is nie daar nie en die man agter die toonbank kan hom ook nie herinner dat sy vroeër die aand daar was nie. Die Ambassadeur stap uit en gaan na die volgende moontlike plekkie. Daar is en was sy ook nie. Naderhand beland hy in die Boulevard St. Michel en stap by elke restaurant en bistrot in, selfs by dié waar hulle nooit saam was nie. Die meeste kelners of eienaars aan wie hy sy vraag stel, behandel hom kortaf; 'n paar grinnik onbeskaamd, of knipoog, maar die antwoord bly oral dieselfde. So loop hy op tot by die Luxembourgtuin, steek selfs die boulevard oor na die koerant- en grondboontjiestalletjies voor die geslote hek ingeval sy dalk êrens tussen die slenterende mense is. Sy is nie. Hy gaan staan teen die hoë swart tralies van die park, met sy rug na die mense, en tuur na binne. Die straatligte gooi 'n dowwe skynsel oor die eerste klompie treë, maar daaragter is dit donker, met die swaar massa van die bome soos 'n skerm teen die lug. Dit moet verlate voel om nou by die vywer in die middelste tuin voor die paleis te wees. Al die groen stoele sal in stapeltjies opmekaar gepak onder die somber beelde staan. Miskien sal die effense gloed van die nag in die vywer weerkaats word; maar rondom sal dit donker wees, 'n eindelose duisternis wat jou afsonder van die mense en die verkeer, en die stad self. En tog staar hy amper met hunkering deur die donker na daardie onsigbare vywer anderkant die swart bome. Maar die park is gesluit.

Hy haal sy skouers effens op en begin weer terugstap, dwaal opnuut by elke bistrot aan die duskant van die boulevard in, en gaan so voort tot teen die rivier. Die hele tyd het hy tóg die indruk dat sy nie ver is nie; dat hy net nog 'n paar tree hoef te loop om haar donker kop oor 'n glas koeldrank gebuig te sien (of rooiwyn vanaand?); of die vlugge beweging van haar bene tussen die mense te gewaar; of haar stem of lag te hoor. Maar so kan hy nie bly dool nie. Intussen het sy dalk al tuisgekom en sit en wag op hom. Hy keer dus terug na die Rue de Condé, gaan opsetlik nie eers kyk of daar lig in haar venster brand nie, klim met die lang wenteltrap boontoe en klop weer aan haar deur.

Dis nog geluidloos binne, en sonder lig.

Sonder om langer te versuim, druk hy die klokkie wat aan die hospita se kant lui. Hy hoor haar aangeslof kom. 'n Streep lig val by haar deur uit oor die donker verdieping.

„Wie's dit?" vra sy.

Die Ambassadeur kom nader tot die lig oor hom val.

„Weet u – " begin hy.

„O, dis jy," sê sy familiêr. „Nee, sy's nie hier nie. Sy's weg."

„Miskien kan u net vir my oopsluit, dan kan ek weer binne wag."

„Ek sê sy's *weg*. Sy kom nie terug nie."

Hy begryp nie dadelik nie. „Maar sy – ."

„Ek kan nie heelaand hier staan nie," brom die vrou. „Of verstaan jy nie Frans nie? Sy's vort, sak en pak, vanmiddag al. Die plek staan leeg. Sy't my twee weke vooruit betaal: sy sou my onderdeurgespring het as ek nie gekeer het nie. En waar kry ek nou weer iemand? Die mense is deesdae so puntenerig."

„Sy kan tog nie *weg* wees nie," sê hy stil, nog voor sy klaar gepraat het. „Het sy nie eers 'n adres of 'n boodskap gelaat nie?"

„Hoekom?"

„Ons het tog afgespreek – "

„Dis julle saak. Dalk wou sy van jou wegkom. Ek het lankal nie gehou van die idee dat 'n jong kind soos sy te kere gaan met sulke ou mans nie."

„Ek stel nie belang in jóu mening nie, mevrou," sê die Ambassadeur skerp.

„Nou beledig jy my ook nog. Wat staan jy nog hier? *Ek* kan jou met niks help nie." Sy begin die deur toemaak.

Hy laat vaar sy streng toon. „Dalk kan u my net 'n minuut daar laat ingaan," sê hy dringend. „Dis moontlik dat sy 'n boodskap dáár laat bly het."

„Daar's niks. Ek het klaar uitgevee en alles."

„Dit kan u tog geen skade doen om my net te laat kyk nie."

„Ek sê jou daar's niks." Die deur gaan verder toe.

Hy haal vinnig 'n noot uit sy portefeulje. Dis 'n buitensporige groot fooi, maar hy het niks kleiner by hom nie.

„Meneer!" sê sy geskok. „Ek is nie iemand wat my met sulke dinge inlaat nie." Sy kyk hom boos aan. Dan neem sy die noot met 'n vinnige beweging van haar plomp hand, druk dit in haar voorskootsak, haak 'n bos sleutels van 'n spyker teen die muur langs die deur af en skommel met gekrenkte waardigheid voor hom uit na die oorkantste deur. Sy sluit dit oop, stoot die deur oop en skakel die lig binne aan.

„Nou toe," sê sy en bly staan.

Hy kyk na haar, maar sy staan en wegkyk. Dus loop hy sonder meer by haar verby, deur die klein leë portaaltjie na die slaapkamer. Daar is vier kaal mure, met die witsel plek-plek reperig afgeskilfer. 'n Geskropte bruin tafel met growwe grein en 'n paar inkvlekke naby die een hoek. 'n Reghoekige, swaar bruin kas waarvan die deur skeef oopstaan. Dis leeg binne, die laaie en vakke met koerantpapier uitgevoer. 'n Paar stoele. 'n Onooglike bedjie met 'n kaal gestreepte matras wat hier en daar gevlek is. Die spieël met die vergulde raam lê skuins oor die bed. Die vloer is inderdaad gevee. Dis 'n vreemde kamer waar hy nog nooit was nie. Selfs geen kamer nie: eenvoudig 'n kaal hokkie met tweedehandse meubels.

Hy gaan staan by die venster, net om 'n oomblik te dink. Oorkant skyn daar lig en afgetrokke kyk hy soontoe. Die vertrek is verlate. Maar terwyl hy daar staan, kom die bekende vrou iewers uit die binnehuis nader. Sy het 'n los verbleikte japon aan. In haar arms het sy 'n kind. Sy kom blykbaar seker maak dat die venster self toe is; die gordyn laat sy oop bly. Daarna gaan sy op die bed net onder die venster sit, skuif die japon se lapel oop, haal 'n groot, geswolle bors uit en druk dit teen die kind se mond. Dan vergeet sy van die kind en sit en uitstaar deur die venster, na die buitenste duisternis, en na die man oorkant.

Hy draai weg; ook weg van die kamer waarin hy staan; en gaan na die kombuisie. Die ou blou-en-swart stofie staan regop teen die binnemuur, die roosters swart aangepak. In die hoek, by die venster in die skuins buitemuur, staan die wasbak anemies en onpersoonlik. Daaronder, op die vloer, staan die wit plastiekskottel.

Sy *is* dan weg. En hier is daar niks van haar oor nie. Sy het niks laat agterbly nie. Nie 'n geur nie, nie 'n leë lipstif, 'n halfmaantjie toonnael, 'n ou buisie tandepasta, 'n appelhuisie of 'n haarnaald nie. Nie eens die vraagteken van 'n haarkrulletjie teen 'n rand van die skottel nie. *Niks*.

Sy kon ewe goed nooit eers hier gewees het nie. Al wat hy oorhou, is sy paar herinneringe. En kan hy selfs daarvan seker wees? – die mens is so 'n onseker wese. En dit skok hom : die ontdekking dat hy dit *nodig* vind om 'n teken te hê dat sy bestaan, of bestaan hét. Móét mens dan iets nalaat om te kan wees (om iets te kan be-teken)? Léwe mens dan alleen deur tekens, algebraïese x'e vir onbekende magte – ?

Van die voordeur af roep die hospita : „Wat maak jy tog? Hoe lank gaan jy my nog laat wag?"

„Ek kom nou," antwoord hy afgetrokke en sit sy paniekerige soektog voort. Maar daar is niks.

Hy gaan terug slaapkamer toe om daar ook weer te soek, selfs bo-op die kas en onder die bed. Niks; niks. En eindelik, toe hy moeg orentkom en die hospita se ongeduldige gesig in die binnedeur sien verskyn, staan hy nog net voor die effens verbleikte patroon wat die kruisie teen die muur gelaat het. Selfs die spyker het uitgeval.

„Ek het die kruisie onder die bed opgetel," sê die hospita effens toegeeflik. Toe weer nors : „Wat sou sy ook daarmee wou maak? Ek kan dit baie beter gebruik."

Die Ambassadeur hou 'n oomblik sy hand half-oop na haar toe uit, maar laat dit weer sak.

„Kom," sê sy ergerlik. „Nou wag ek nie langer nie."

Hy knik net. Sonder om weer uit te kyk na die oorkantse kamer, stap hy by haar verby, net vaag bewus van die ontsteltenis in sy hart oor die meisie : iewers in die wilde stad, vannag, sonder haar kruisie. Hoe sal sy bestaan sonder haar klein gelofies en bygelofies en mites? Of sal sy eenvoudig die naweek op die vlooimark by

Clignancourt 'n nuwe kruisie gaan koop? (Maar kan dit so maklik wees – selfs vir háár?)

Buite wag hy net tot sy die deur agter haar toegetrek het, en sê dan: „Goeienag, mevrou. En dankie."

Sy brom iets en voel in haar voorskootsak.

Hy klim ondertoe. Buite bly hy staan tot die swaar deur met sy half vergane, mooi ou snywerk agter hom toeklap. Dan loop hy weg. Hy steur hom nie aan die roete wat hy volg nie. Selfs bekende straatjies sal hy vannag nie herken nie. Hy loop maar net sodat hy aan die gang kan bly, dool deur die Minoaanse labirint, ontwyk mense en lig. En uiteindelik stuit hy teen die rivier naby die Pont des Arts. Hy loop met die trappies op omdat die brug verlate is, en gaan in die middel daarvan staan, met sy gesig in die rigting van die verligte katedraal. Hy onthou 'n ander nag hier. En al die kere dat sy van die rivier gepraat het, en van die moedeloses wat hulle voortdurend hier inwerp. Sy self – ? 'n Oomblik skrik hy en bly lam en moeg staan. Selfs dít weet hy nie. Hy kan alleen glo, of hoop, dat dit nie so is nie. Maar: ook van Stephen het hy dit nie kon glo nie. En net 'n week gelede –

Sou dit op die duur tóg die heel maklikste, desnoods die énigste, uitweg wees? Want wat bly daar inderdaad anders oor? Môre kom die twee kommissielede. Dit hoef nie lank te duur nie, dalk 'n enkele dag. Voor Pase kan alles afgehandel wees. En dan? Wat *het* hy nog oor? Nie eers 'n kruisie nie.

Hy staan lank daar met sy hande vasgeklem om die brug se reling. Dan maak hy hom doelbewus daarvan los en loop oor na die anderkant, weg van die oewer waar Nicolette se gebou staan, terug na sy eie kant van die rivier. Later mag dit hom stellig berou; en later sal hy nie weer sóver kom soos vanaand nie. Maar nou, vír nou, het hy besluit. Daar is nog 'n irrasionele soort lex humana wat geëerbiedig moet word.

Hy stap agter die Louvre verby en raak verstrik in die nuwe doolhof rondom Les Halles; beland in die Boulevard Sebastopol en dwaal weer daarvan weg na die kleiner stegies langsaan: die donker, ongure buurt waar die jong straatmeisietjies hulle inisiasie ontvang. Oral in die donker om hom gaan die onsigbare menslike bedrywighede voort. Hy hoor sy voetstappe teen die mure weerklink, sien af en toe in die vae buitekring van 'n lamplig iets of iemand beweeg. Uit 'n oop venster kom die kermende klanke van 'n onverbloemde, troebel wellus wat in 'n goedkoop jazzliedjie uiting kry. By die ingang van 'n obskure hotel gaan 'n man saam met 'n prostituut in. Teen gordyne of blindings in die venster daarbó beweeg skaduwees. Hoeveel is daar nie wat op hierdie oomblik binne die grense van dié enkele stad besig is met die liefde nie? Dis nag; dis die uur van die liefde. Die ganse wêreld is daarin gevang. En deur dit alles, bewus van dit alles, sit hy sy lang tog voort (*Amare liceat si non potiri licet* –). Dis nimmereindigend, die stad, sirkel op sirkel, met al sy natuurlike en onnatuurlike luste. Die luste van Sodom én van Pasiphaë.

Dié mooi naam word in sy gedagtes gevange gehou. Hy laat dit maar begaan, dankbaar om met *enigiets* besig te wees. Pasiphaë. Moeder van sowel die Minotaurus as Ariadne: bron van sondeval én redding; 'n archetipe wat sowel Eva as Maria in haar verteenwoordig. En sonder dat hy van die oorgang bewus is, dink hy: sy, die vals versie, het hom in die labirint laat beland; maar sou sy dit nie ook moontlik gemaak het dat hy die klein draadjie vind wat hom daar kan *uit*lei nie – ?

Sy self is weg. Sou dit – ás dit ter sake sou wees – nie selfs goed wees nie? Of minstens onvermydelik? Hy bly hy; en sy – bly vry.

Op 'n straathoek onder 'n lamp staan 'n jong meisietjie hom en inwag. Hy is so ingedagte dat hy haar te laat gewaar om – soos hy gewoonlik maak – oor te loop na die anderkant van die straat. Sy is maerderig, te spierwit gepoeier, en haar mond te groot en te rooi geverf. Haar rokkie is nousluitend en kort. En sy staan en rook, oënskynlik gesofistikeerd, sinies; maar hy kan – toe hy by haar kom – die onsekerheid in haar oë en in haar vlugtige gebare sien.

„Bonsoir – ?" groet sy huiwerig.

Hy wil sonder antwoord verbyloop, maar haar onrustigheid hinder hom. Hy gaan onwillig staan. Sy vorm 'n glimlaggie.

„Vous voulez – ?" vra sy.

Hy verwens sy eie weekheid. Maar haar jeug maak hom seer. „Jy behoort nie hier te wees nie," sê hy, self ongemaklik en nie vaderlik soos hy dit bedoel het nie.

Haar gesig verstrak. Sy draai haar rug half op hom en probeer die rook ongeërg deur haar neus uitblaas.

Here, dink hy: sy kan beswaarlik sewentien wees.

Na 'n oomblik draai sy terug. „Hoekom loop jy nie?" vra sy.

Hy sou met haar wou praat, maar hy weet dat hy nooit deur die skerm sal dring nie. Dat hy dit net vir hulle albei pynliker sal maak. En daarom – hoe seer hy ook al weet dat wat hy doen, ontoereikend en dalk verfoeilik is – haal hy sy portefeulje uit sy binnesak en gee al die geld wat daarin is vir haar. Haar mond gaan oop asof sy iets wil sê, maar sy sê tóg niks.

Hy wag nie langer nie, maar stap dadelik weg. Waarskynlik staan sy hom en uitlag. Maar hy moet voort –

Omdat hy al sy geld aan die kind gegee het, moet hy die hele ent terugstap huis toe. Dis soos 'n penitensie. Namate hy verder gaan, word die strate om hom leër en groter. Maar hy is skaars bewus van die moeg, van enigiets behalwe die stad sélf. Dit lê soos 'n heilige woud om hom. En dit word ook – paradoksaal – opgeneem ín hom: met katedrale en bordele, ligte en donker strate, alles.

Eers toe hy die klokkie by die ambassade se buitedeur druk, besef hy hoe heeltemal uitgeput hy is.

Hy moet lank wag voordat Lebon kom oopmaak, met 'n verkreukelde swart jas bo-oor sy nagklere aan.

„Dis die laaste maal dat ek jou in die nag kom steur, Lebon," sê die Ambassadeur simpatiek. „Jy het die laaste ruk maar swaar gekry."

„Dis niks meneer," sê Lebon heeltemal toegeeflik, amper broederlik. „Ek verstaan mos. As die vroumense maar net waardeer wat ons alles vir hulle opoffer."

Die Ambassadeur glimlag moeërig. „Mens kan jouself nie altyd help nie," sê hy.

„Nou ja, maar vir een soos sy – " Die concierge maak 'n vae, maar beskrywende gebaar. „Sy't pragtige oë, dink u nie?"

„Sy het."

„Ongewoon. Die kleur: mens sien dit nie aldag nie." Hy maak die deur agter hulle toe en sê verskonend. „Ek moet u nie langer ophou nie. U wil gaan slaap."

„Nee, jy pla my nie." Die Ambassadeur talm, asof hy nie alleen verder kan gaan nie; en tog wil hy nie die concierge langer uit sy bed hou nie.

„Sy was vanmôre hier," sê Lebon skielik.

Die Ambassadeur kyk vinnig op. „Sy?"

„Ja. Ons het 'n rukkie gesels."

„Wat het sy kom maak?"

„Sy het nie gesê nie. Ek dink sy't self vergeet, want sy't later weer geloop sonder om in te kom."

„Het sy – niks gesê nie?"

„Hoe meen meneer? Ons het maar sommer staan en praat. Meneer weet hoe dit gaan."

„Was dit al?"

„Ja." Lebon krap sy kop. „Ek het haar vertel van meneer Keyter ook. Eintlik sommer toevallig daaroor gepraat: ek het gedag sy weet daarvan."

Die Ambassadeur knik stadig. Wat maak dit ook saak – nou?
„Wat het sy gesê?" vra hy gewoonweg.
„Nie eintlik iets nie. Sy't my net só gestaan en kyk. Toe lyk dit of sy haar vererg, en sy vra: ‚Wat daarvan? Hoekom sê jy dit vir my? Wat laat jou dink ek wil weet?' Skoon asof ek haar kwaad gemaak het. Mens sal vroumense ook nooit verstaan nie: g'n twee van hulle is eners nie. Net daarna is sy toe ook weg."
„Ek moet gaan," sê die Ambassadeur geslote.
„Nag, meneer." Lebon salueer op sy ou manier. Iets val hom by: „Ek het gehoor van die ding van môre – "
Die Ambassadeur kyk om.
„Meneer moet maar sê as ek met iets kan help."
„Dankie, Lebon." Die Ambassadeur begin alleen in die rylaan aanstap, verby die ampswoning se toe deur, na die binneplasie voor die kantoorgebou.
Agter hom hoor hy die concierge vir laas seker maak of die buitedeur gesluit is. Dan stap Lebon fluit-fluit na sy eie kwartiere terug. Daar is iets bekends in die deuntjie.
Natuurlik –
Die speelse dun nootjies verdwyn toe Lebon se deur agter hom toegaan.
Die Ambassadeur soek na sy sleutels om die kantoorgebou se voordeur oop te sluit. Hier het sy die eerste nag ingekom. *Donna m'apparve* –, dink hy met 'n glimlaggie.
Hy neurie by homself Lebon se liedjie, Nicolette se liedjie, terwyl hy in die donker na die regte sleutel soek:

„Au clair de la lune, on n'y voit qu'un peu.
On chercha la plume, on chercha du feu.
En cherchant d'la sorte, je n'sais c'qu'on trouva,
Mais j'sais que la porte sur eux se ferma –"

Hy maak die deur oop en gaan die donker leeskamer binne. Agter hom klik die deur weer toe. Sonder om die lig aan te skakel, stap hy na die trap en op na sy kantoor.
Daar is nog agterstallige werk wat hy moet doen.

Nov. 1962–*Aug.* 1963